청소년이 꼭 읽어야 할 짤막한 고전 이야기

아는 것이 힘이다

이규각 지음

Long run 롱런

Long run 롱런

청소년이 꼭 읽어야 할 짤막한 고전 이야기 **아는 것이 힘이다**

이규각 지음 /2011. 8. 27. 1판 1쇄 발행 / 발행처 도서출판 롱런 / 발행인 이규각

등록 번호 제384-2008-000039호 / 등록 일자 2008. 12. 04

주소: 경기도 안양시 만안구 안양 8동 466-9 (우편 번호: 430-018)

Tel · Fax: (031)477-2727 / Mobile 017-291-2246

ISBN 978-89-961981-3-0

prologue

청소년기는 모두에게 있어 능력의 차이가 있는 것 같지만 꼭 그런 것만은 아니다. 그것은 공통적으로 희망의 씨앗이 마음속에 자라고 있기 때문이다. 그러므로 다른 아이가 가능하다면 우리 아이도 가능한 것이다. 이때 가능한 한 다양한 체험과 그것을 통한 새로운 것에 도전하도록 용기를 주어야 한다.

청소년은 꿈이 커야 한다.

부모의 능력이 아닌 자신의 능력에 맞는 동기 부여가 무엇보다 중요하다. 비교 학습보다는 스스로 적성에 맞는 학습 방법을 찾아주는 것이 바람직하다.

청소년기는 자신의 미래에 대한 생각이 부족하다. 따라서 자기 자신의 사고와 행동에는 목적이 없다. 대부분 그런 청소년은 아쉽게도 전혀 가치가 없는 행동을 하거나 당장 노는 일에 빠져 하루하루를 빈둥빈둥 놀기 쉽다.

그것은 부모의 관심과 선생님의 배려가 부족하거나 자신 스스로 학습하기를 거부하기 때문이다. 여기서 몇몇 청소년은 배우는 것보다 노는 것에 집착한다. 그들은 청소년기를 힘들게 노력하지 않고 모든 것을 쉽게 얻으려 한다. 그래서 그런지 지금 당장은 머리를 쓰지 않고도 즐겁다.

청소년은 영원한 청소년이 아니다. 청소년기는 두 번 다시 오지 않는다. 가장 꿈 많은 시기에 노력이라는 희망을 버리고 스스로 자기 자신을 포기하려 한다면 더 이상의 미래는 없다.

청소년기에는 늦었다는 말이 필요없다. 언제나 시작하는 마음으로 최선을 다한다면 반드시 세상에서 필요로 하는 사람이 될 것이다.

어쨌든 황금 같은 청소년기를 위해 부모나 학교나 많은 관심을 가지고 노력해야 한다. 청소년은 남이 아닌 자신을 위해 준비해야 한다. 누구든 청소년기의 준비가 행복한 미래의 시작임을 깨닫게 되는 날, 그때 그 시절은 돌아오지 않는다.

저자

가혹한 정치는 호랑이보다 더 무서운 법이다

춘추 시대 말엽 어느 날 공자가 수레를 타고 제자들과 태산(산동성에 있는 중국 제일의 명산)을 지나고 있었다. 그때 어디선가 부인의 애절하고도 구슬픈 울음소리가 들려 왔다. 일행이 발길을 멈추고 길가 옆 숲 속을 살펴보니 부인이 무슨 까닭인지는 모르지만 3기(기: 비석 · 탑 · 무덤 · 큰 기계 따위를 세는 단위.)의 무덤 앞에서 흐느껴 울고 있었다.

공자는 제자인 자로에게 그 이유를 알아보라고 했다.

자로가 부인에게 다가가서 물었다.

"부인, 무슨 일로 그렇게도 슬피 울고 계십니까?"

깜짝 놀란 부인이 고개를 들고는 이렇게 말했다.

"여기는 아주 무서운 곳입니다. 몇 년 전에 저희 시아버지가 호랑이에게 물려 죽고, 작년에는 남편도 물려 죽고, 이번에는 자식마저 물려 죽었습니다."

"그렇다면, 왜 이곳을 떠나지 않습니까?"

"이곳에 살면 못된 관리에게 혹독한 세금이나 재물을 빼앗길 일이 없으니까요."

이 말을 자로가 전하자, 공자가 이렇게 말했다.

"잘 기억해라. 가혹한 정치는 호랑이보다 더 무서운 법이다."

* 지식&파워..

가정맹어호(가혹한 정치는 호랑이보다 더 무섭다는 뜻)

苛:가혹할 가 政:정사 정 猛:사나울 맹 於:어조사 어 虎:범 호

유의어: 가렴주구(苛斂誅求) 학정(虐政)

반의어: 관정(寬政) 출전: 예기의 단궁 편

어리석고 미련한 사람은 융통성도 없다

전국 시대 초나라의 어느 젊은이가 배를 타고 양자강을 건너기 위해 강 한복판을 지나고 있었다. 그때 젊은이는 손에 들고 있던 칼을 그만 강물에 빠뜨리고 말았다.

'도대체 이 일을 어쩐다?'

당황한 젊은이는 허리춤에서 허겁지겁 단검을 뽑아 배의 가장자리에 표시를 해 두었다.

배에 함께 타고 있던 사람들이 어찌된 영문인지를 묻자,

"내 칼을 이곳에다 빠뜨렸습니다. 따라서 이곳에 나는 표시를 해 둔 것입니다."

한참을 지나 배가 나루터에 도착했다.

순간 젊은이는 옷을 벗어 던진 채로 표시된 곳의 배 밑을 향해 첨벙 뛰어들었다. 그러나 그 칼은 강 밑에 있을 리가 없었다.

이때 배를 타고 온 사람들은 저마다 한심스러운 듯한 표정을 지었다.

* 지식&파워

각주구검(배를 타고 가던 중, 강물에 빠뜨린 칼을 찾기 위해 빠뜨린 장소의 배 가장자리에 표시를 한 다음 그 표시한 배 밑에서 칼을 찾으려 했다는 고사로, 어리석고 미련하여 융통성이 없음을 비유한 말.)

刻:새길 각 舟:배 주 求:구할 구 劍:칼 검

유의어: 수주대토(守株待兎) 각선구검(刻船求劍)

준말: 각주(刻舟), 각선(脚線), 각현(刻鉉).

출전: 여씨춘추의 찰금 편

서로 속마음을 터놓고 가까이 지내는 것이 친구다

당나라에는 당송팔대가(중국 당나라의 한유 · 유종원, 송나라의 구양수 · 소순 · 소식 · 소철 · 증공 · 왕안석 등 8명의 산문 작가.)로 유명한 한유와 유종원이 있었는데, 이들은 고문부흥운동을 제창한 인물이다. 그들은 한유(한유와 유종원의 성을 따서 한유라 함.)라 불릴 정도로 우정이 깊은 사이다. 당나라 11대 황제인 헌종 무렵 유종원이 유주자사로 좌천되었을 때의 일이다. 그때 자신의 어려운 처지보다, 파주지사로 좌천된 친구 유몽득이 홀로 계신 어머니를 뒤로 한 채 떠난 것이 너무나 마음에 걸렸다. 이것을 본 한유가 유종원의 진정한 우정을 찬양하고, 또한 경박한 사귐을 그의 묘지명에 이렇게 썼다. “사람이란 곤경에 처했을 때라야 비로소 사람으로서 마땅히 해야 할 바른 도리가 어떤 것인지를 아는 법이다. 평상시 별일이 없이 살 때에는 서로 쉽게 만날 수도 기뻐할 수도 있고, 때에 따라서는 놀이나 술자리를 하게 마련이다. 또한 터무니없이 자랑하거나 희떱게 지껄이고 한편으로는 지나친 우스갯소리도 한다. 그리고 쉽게 양보을 하며 손을 맞잡는다. 어디 그 뿐인가. ‘서로 간과 쓸개를 꺼내 보이고는’ 해를 가리켜 눈물짓고 살든 죽든 서로 배신하지 말자고 맹세한다. 말은 제법 그럴듯하지만 일단 털끝만큼이라도 이해 관계가 생기면 눈을 부릅뜨고 언제 봤냐는 듯 안면을 바꾼다. 게다가 함정에 빠져도 손을 뻗쳐 구해 주기는커녕 더 깊이 빠뜨리고 위에다 돌까지 던지는 인간이 이 세상 곳곳에는 널려 있는 것이다”

* 지식&파워……………………………………………………………………

간담상조(서로 간과 쓸개를 꺼내 보인다는 뜻으로, 서로 속마음을 터놓고 가까이 사귐.)

肝:간 간 膽:쓸개 담 相:서로 상 照:비칠 조

유의어: 피간담(披肝膽) 출전: 한유의 유자후묘지명

허물을 고치지 않는 것이 더 큰 허물이다

진나라 혜제 때 양흠 지방에 주처라는 사람이 있었다.
그의 아버지는 태수 벼슬을 한 주방인데, 그의 나이 열 살 때 세상을 떠났다.
따라서 그는 보살피고 가르칠 사람이 없었기 때문에 하루하루를 빈둥빈둥 하릴없이 지냈다.
그는 보통 사람보다 신체 조건이 뛰어나 어느 누구라도 능히 이길 수 있는 힘과 포악한 성격 때문에 마을 사람들은 그를 남산의 호랑이, 장교 밑의 교룡과 같은 존재로 인식했다.

어느덧 주처가 나이를 먹고 철이 들자, 지난날의 허물을 고쳐서 새 사람이 되겠다고 마음먹었다.
그런데 마을 사람들은 그를 전혀 믿지도 않고 피하기만 했다.
그러자 주처는 마을 사람들에게 무엇을 어떻게 하면 믿겠냐고 물었다.

마을 사람들이,
"남산에 있는 사나운 호랑이와 장교 밑의 교룡을 죽인다면 자네의 말을 믿겠네."

이처럼 마을 사람들은 주처가 호랑이와 교룡에게 물려 죽었으면 하는 마음이 간절했다.

그러나 그는 사투 끝에 호랑이와 교룡을 죽이고 마을로 돌아왔다.

하지만 누구도 반기는 사람이 없었다.

실망한 그는 마을을 떠나 동오의 학자 육기를 만났다. 그리고 그에게 자초지종 이야기를 했다.

육기는,
"굳은 의지로 지난날의 과오를 씻어 새사람이 될 수 있다면, 자네의 앞날은 끝이 없네."

주처는 이에 용기를 얻었다.
그 후로 10여 년, 주처는 학문과 덕을 쌓아 학자가 되었다는 말(개과천선)에서 유래된 것이다.

공자는 '허물을 고치지 않는 것이 더 큰 허물이며, 허물을 알았으면 고치기를 꺼리지 말라' 하였다.

* 지식&파워..

개과천선(잘못을 고치어 착하게 됨.)

改:고칠 개 過:허물 과 遷:옮길 천 善:착할 선

유의어: 개과자신(改過自新)

출전: 진서의 본전(입지담)

기회가 오면 미루지 말고 단판 승부를 해라

당나라의 한유가 홍구(하남성 내)에서 옛날 한왕 유방에게 '건곤일척'을 촉구한 장량과 진평을 기리며 쓴 회고시로, 과홍구라는 칠언절구의 마지막 구절.

여러 차례의 싸움을 통해 진나라를 정복하고 스스로 초패왕이 된 항우는 팽성(서주)을 도읍으로 정하고 의제를 초나라의 황제로 삼았다.

그리고 유방을 비롯해서 진나라 정복에 공을 세운 자들을 제왕과 제후로 삼으니 천하는 일단 안정되었다.

그러나 이듬해 의제가 시해되었다. 그러자 전에 불만을 품게 된 제후들이 공적에 대한 처우를 문제삼아 반기를 들었고, 이에 천하는 다시 혼란에 빠졌다.

항우가 제 · 조 · 양의 땅을 돌면서 전영 · 진여 · 팽월 등의 반군을 치는 사이에 유방은 관중(황하의 큰 지류로 위수(황하의 큰 지류) 유역의 평야를 가리킴.)을 차지하고, 바로 그 다음 해에 의제의 시해를 빌미삼아 56만의 대군을 이끌고 단숨에 팽성을 공격했다.

그러나 급보를 받고 달려온 항우가 반격에 나서자, 유방은 아버지와 처까지 적의 수중에 남겨 놓고 겨우 목숨만 건진 채 형양(하남성 내)으로 달아났다.

그 후 병력을 정비한 유방은 항우와 밀고 밀리는 접전 끝에 홍구(하남성 내)를 경계로 하여 천하를 둘로 나눈 뒤 싸움을 멈췄다.

이때 항우는 유방의 아버지와 처를 돌려보냈으며, 곧 군대를 철수하고 팽성으로 향했다.

이어서 유방도 군대를 철수하려 하자 참모인 장량과 진평이 유방에게 간곡히 진언했다.

"한나라는 천하의 대부분을 차지하고 제후들도 따르는데, 지금 초나라는 군사들이 몹시 지친 상태에 있고 군량마저 바닥이 났습니다.

이것은 하늘이 초나라를 멸망케 하라는 하늘의 뜻입니다.

그러니 지금 당장 쳐부숴야 합니다.

지금 치지 않으면 호랑이를 길러 후환을 남기는 꼴이 될 것입니다."

여기서 유방은 마음을 굳혀 먹고 말머리를 돌려 항우를 추격했다. 이듬해 유방은 한신 · 팽월 등의 군사와 함께 해하에서 초나라 군사를 포위한 다음 그들을 완전 섬멸시켰다.

참패한 항우는 오강(안휘성 내)으로 도망치다 자결했고, 비로소 유방은 천하를 통일했다.

* 지식&파워...

건곤일척(하늘과 땅을 걸고 한 번 주사위를 던진다는 뜻으로 흥하든 망하든 하늘에 운명을 걸고 단판걸이로 승부를 겨룬다는 말.)

乾:하늘 건 坤:땅 곤 一:한 일 擲:던질 척

유의어: 일척건곤(一擲乾坤)

출전: 한유의 시 과홍구

스스로 물러날 때를 알고 행동해라

한나라 유방과 초나라 항우가 맞서 싸울 때의 일이다.

유방은 항우가 반란을 일으킨 팽월, 전영 등을 진압하기 위해 출병을 하는 한편, 초나라의 도읍인 팽성(서주)을 빼앗기 위해 공격했으나 항우의 반격이 거세지자 곧 형양(하남성 내)로 도망쳤다.

그 후로 오랫동안 보급로가 끊기고 더 이상 버틸 수 없게 되자, 항우에게 휴전을 제의했다.

이때 항우는 휴전을 받아들일 생각이었으나 신하인 범증이 반대하는 바람에 성사되지 않았다.

이 사실을 알게 된 유방은 참모 진평(항우 밑에 있다가 유방의 신하가 됨.)의 계략대로 매수한 첩자들을 초나라 진영으로 침투시킨 후, 헛소문을 퍼뜨렸다.

"범증 등은 공적이 많은 데도 불구하고 작위를 받지 못해 항우를 미워한 나머지 한나라와 내통하려 한다."

이 말을 듣게 된 항우는 몹시 화가 난 나머지 범증을 믿지 못하고 유방에게 사신을 보냈다.

진평은 장량 등 여러 중신과 함께 정중히 항우의 사신을 맞이했다.

"범증께서는 안녕하십니까?"

사신이 어리둥절해 하며,

"나는 범증이 보낸 사신이 아니오."

"뭐요. 항우의 사신이라고? 난 범증의 사신인 줄 알았습니다."

진평은 짐짓 놀란 체하면서 잘 차린 음식을 나물 반찬으로 바꾸게 한 뒤 방에서 휙 나가 버렸다.

사신이 돌아와서 이 사실을 상세히 보고하자, 항우는 범증을 믿지 못한 채 그 권한을 크게 축소했다.

이에 범증은 크게 진노했다.

"천하의 일은 거의 정해진 것과 같습니다. 뒷일은 군왕이 스스로 처리해 주십시오. 원컨대 나는 해골을 빌어 졸오로 돌아가려 합니다."

그 후 항우의 곁을 떠나 팽성으로 돌아가려 했는데, 그 노함이 화병이 된 상태에서 등창(등에 나는 큰 부스럼.)까지 얻게 되니 그는 곧 죽고 말았다.

이어서 항우도 멸망을 했다.

* 지식&파워..

걸해골(해골을 빈다는 뜻으로, 늙은 재상이 벼슬자리에서 물러나기를 임금에게 주청하는 일.)

乞:빌 걸 骸:뼈 해 骨:뼈 골

원말: 원사해골(願賜骸骨) 동의어: 걸신(乞身)

참고: 건곤일척(乾坤一擲) 준말: 걸해(乞骸)

출전: 사기의 항우본기

사물의 이치와 도리를 깨달을 때 사람다운 것이다

☞ 사서(대학 · 논어 · 맹자 · 중용) 삼경(시경 · 서경 · 주역)

삼강령

①명명덕: 명덕을 천하에 밝힌다는 말로, 명덕이란 성선설을 근본으로 한 본디 타고난 맑고 밝은 덕성을 말한다.

②친(신)민: 왕양명(왕수인)은 원본대로 백성이나 가족을 친애한다. 그러나 여기서 주자(주희)는 친을 (신)으로 풀이하여 "이웃을 새롭게 한다."라고 했다. 사랑하는 마음이 있어야 이웃을 새롭게 할 수 있다. 즉, 자기 수양인 명덕을 한 후 그것을 이웃과 가족에게 베풀어 사랑하고 새롭게 하는 것을 말한다.

③지어지선: 지선에 머문다. 즉 지극히 선한 경지에 이르러 움직이지 않는다.

☞ 팔조목

①격물: 격물과 치지는 주자(주희)가 원본에도 없는 것을 새로 넣어 보망장이라 칭했다.
사물의 이치를 철저히 연구하여 밝히는 것.

②치지: 사물의 도리를 깨달아서 알게 하는 것.

③성의: 각 개인의 마음과 뜻을 성실히 하는 것.

④정심: 마음을 바르게 닦아 정한 위치에 두는 것.

⑤수신: 마음과 행실을 바르게 하기 위해 심신을 닦는 일로 인격의 수양을 말함.

⑥제가: 집안을 바르게 다스리는 것.

⑦치국: 나라를 바르게 다스리는 것.

⑧평천하: 위 항목대로 하다 보면 나라 전체가 평안해 진다.

사서의 하나인 대학은 유교의 교의를 간결하게 체계적으로 서술한 책으로서 그 내용은 삼강령, 팔조목으로 요약된다.

대학에 나오는 팔조목 중 여섯 조목은 풀이되어 있으나 '격물' '치지'의 두 조목에 대해서는 풀이가 없다. 그래서 후세에 그 풀이를 놓고 여러 학파로 나뉘어 유교 사상의 근본 문제 중 하나로 부각되었다.

그 중에서 대표적인 것이 송나라 주자(주희)와 명나라 왕양명(왕수인)의 설을 들을 수 있다.

여기서 격물치지가 주자는 지식 위주인 것에 반해 왕양명은 도덕적 실천을 중시하는 쪽으로 해설하고 있다.

따라서 오늘날 주자학을 이학(理學)이라 하고, 양명학을 심학(心學)이라고도 한다.

☞ 주자는 '격(格)'을 이르다는 뜻으로 풀이하여 모든 사물의 이치를 하나하나 끝까지 연구해 나가면 어느 땐가는 만물의 겉과 속을 알게 된다고 하는, 이른바 성즉리설을 주장했다.

☞ 왕양명은 '격(格)'을 물리친다는 뜻으로 풀이하여 참다운 양지(타고난 재능)를 갈고 닦아 사람의 마음을 어둡게 하는 물욕으로부터 벗어나게 한다는 이른바 심즉리설을 주장했다.

* 지식&파워..

격물치지(주자학은, 사물의 본질이나 이치를 끝까지 연구하여 후천적인 지식을 명확히 함. 양명학은, 하나하나 사물에 존재하는 마음을 바로잡고, 양지(타고난 재능)를 갈고 닦음. 품격과 운치.)

格:이를 격 物:만물 물 致:이를 치 知:알 지

준말: 격치(格致)

출전: 대학의 팔조목

쓸데없는 경쟁은 남에게 좋은 일만 시킨다

전국 시대 제나라 왕에게 중용된 세객(능란한 말솜씨로 각처를 돌며 자기의 의견 따위를 설명하고 다니는 사람) 순우곤은 해학과 변론이 뛰어난 인물이다.

하루는 제나라 왕이 위나라를 공격하려는 뜻을 손우곤에게 넌지시 비추자, 순우곤은 다음과 같은 비유를 들어 그 뜻을 거두라고 했다.

"옛날 한자로라고 하는 매우 발이 빠른 명견이 동곽준이란 잽싼 토끼를 뒤쫓았습니다. 그것들은 수십 리에 이르는 산기슭을 세 바퀴나 돌았고, 가파른 산을 다섯 번이나 오르내리다가 결국 개도 토끼도 지쳐서 죽고 말았습니다. 이때 그것을 발견한 농부가 힘 한 번 쓰지 않고도 횡재를 했습니다.

지금 제나라와 위나라는 오랫동안 대치 상태에 있었으므로 병사도 백성도 지치고 지쳐 쇠약할뿐더러 사기도 떨어져 있습니다.

이쯤에서 서쪽의 진나라와 남쪽의 초나라가 이를 기회 삼아 힘들이지 않고 제나라를 차지할까 걱정이 됩니다."

이 말을 들은 왕은 그의 말이 옳다고 생각한 끝에 위나라 공격을 깨끗이 포기하고 오로지 부국 강병에 힘을 기울였다.

* 지식&파워..

견토지쟁(개와 토끼의 다툼이란 뜻으로, 둘의 싸움에서 제삼자가 이익을 봄, 또는 쓸데없는 다툼의 비유.)

犬:개 견 兎:토끼 토 之:갈 지(…의) 爭:다툴 쟁

동의어: 방휼지쟁(蚌鷸之爭) 어부지리(漁父之利) 좌수어인지공(坐收漁人之功)

참고: 전부지공(田夫之功)

출전: 전국책의 제책

도움을 받았다면 반드시 보답을 해야 한다

춘추 시대 진(晋)나라의 위무자에게 젊은 서모가 있었다. 위무자가 병이 들자 본처의 아들 과를 불러, "내가 죽거들랑 너의 서모를 개가(시집갔던 여자가, 남편이 죽거나 남편과 이혼하거나 하여 다른 남자에게 다시 시집가는 일.)시키도록 하라." 위무자의 병이 점점 위독한 지경에 이르게 되자 생각을 바꾸어 아들에게 다시 말하기를, "내가 죽으면 네 서모를 함께 묻어라."

그러던 어느 날 위무자가 죽었다.

아들 과는 "병이 위중하면 누구든 정신이 오락가락하므로 처음 한 말을 들어야지." 하고는 즉시 서모를 개가시켰다.

그 후 진(秦)의 환공이 진(晋)을 침략하기 위해 군사를 보씨에 주둔시켰다. 진(晋)의 경대부로 있었던 아들 과는 이 싸움에서 진(秦)의 두회라고 하는 아주 힘센 장수와 결전을 하게 되었는데, 아들 과는 두회와 상대가 되질 않았다.

때마침 한 노인이 나타나 두회가 탄 말 앞에 풀을 묶어 놓았다. 두회의 말은 그 풀에 걸려 넘어졌고, 아들 과는 두회를 생포할 수 있었다.

결전이 끝난 후 아들 과는 자기를 도와준 그 노인이 누굴까 곰곰이 생각하다 잠이 들었는데, 그 노인이 꿈에 나타났다. "나는 당신 서모의 아버지 되는 사람입니다. 당신이 내 딸을 개가시켜 주어 잘 살고 있는데, 그 보답으로 은혜를 갚은 것입니다."

* 지식&파워..

결초보은(은혜를 입은 사람이 혼령이 되어 풀을 묶고 그것에 적이 걸려 넘어지게 하므로써 은인을 구해 주었다는 고사. 즉, 죽은 혼령이 되어서라도 은혜를 잊지 않고 갚는다는 뜻.)

結:맺을 결 草:풀 초 報:갚을 보 恩:은혜 은

유의어: 각골난망(刻骨難忘) 출전: 춘추좌씨전의 선공

소의 꼬리보다는 닭의 부리가 되어라

중국 전국 시대 중엽, 종횡가(독자적인 정책을 가지고 제후 사이를 오가는 사람.)인 소진이 자신의 외교 방법과 잔꾀를 통해 출세를 하고자 합종책을 들고 다녔다.

당시 가장 강한 진나라의 동진 정책에 위협을 느낀 한 · 위 · 조 · 연 · 제 · 초 6국이 있었는데, 그 중 진나라 혜왕, 조나라의 재상인 봉양군 등을 만났으나 환대를 받지 못했다.

다시 그는 연나라로 가서 문후를 만났다. 그리고 연나라와 조나라가 동맹을 맺어 진나라에 대항하자고 제안했다. 이때 좋은 반응이 있자 소진은 그 후로 한나라 선혜왕을 알현하고 이렇게 말했다.

"대왕이 진나라를 섬기면 진나라는 공공연히 필요한 것을 바치라 할 것입니다.

이를 따르면 내년에는 영토도 나누어 달라 할 것입니다.

그렇게 되면 결국 영토는 점점 줄어들 게 분명합니다. 그렇다고 주지 않는다면 전의 공로는 잊고 후의 과실만을 따져 침략할 것입니다.

이처럼 대왕의 영토는 정해진 대로 한계가 있으나 진나라의 요구는 그침이 없을 것입니다. 따라서 결국에는 들어주지 못하게 될 것이고, 반드시 침략의 빌미가 됩니다. 때문에 싸우지 않더라도 영토는 이미 빼앗긴 것이나 다름없습니다.

하오니 대왕, 차제에 6국이 남북, 즉 세로로 손을 잡는 합종책으로 진나라의 동진책을 막고 영토를 보존하는 것이 마땅합니다.

'차라리 닭의 부리는 될지언정 소의 꼬리는 되지 말라' 하는 옛말이 있듯이.

지금 서쪽을 향해 진나라를 섬기면 어찌 소의 꼬리라 말하지 않겠습니까?

대왕, 한나라는 지세가 견고할뿐더러 강한 군사도 있습니다.

그런데도 소의 꼬리가 된다면 신 또한 마음속으로 대왕을 부끄럽게 여길 것입니다."

이에 한나라 왕은 순간 안색이 변했다.

순간 성을 크게 냄은 물론 눈을 부릅뜬 상태에서 소매를 걷어붙이고는 이내 칼자루를 어루만지며 하늘을 우러러 한 숨을 쉬었다.

그리고 작심한 듯, 과인이 비록 못나고 어리석지만 필연코 진나라를 섬길 수가 없다.

마침내 선혜왕은 소진의 권유를 받아 들였고, 나머지 나라들도 그에게 설득되어 마침내 소진은 6국의 재상을 겸임하는 대정치가가 되었다.

소진이 이 말을 사용한 것은 이 말이 옳다고 생각해서가 아니라, 단지 자신의 목적을 성취하기 위해 교묘히 제후들의 심리를 이용했다는 것이다.

* 지식&파워..

계구우후(소의 꼬리보다는 닭의 부리가 되라는 뜻으로, 큰 단체의 꼴찌보다는 작은 단체의 우두머리가 낫다는 말.)

鷄:닭 계 口:입 구 牛:소 우 後:뒤 후

원말: 영위계구 물위우후(寧爲鷄口勿爲牛後)

출전: 사기의 소진열전

쓰기도 버리기도 아까운 것은 그 선택을 신중히 해야 한다

☞ 삼국 시대로 접어들기 1년 전인 후한 말의 일이다.

촉나라 유비가 익주(사천성)를 점령하고 위나라 조조의 군대를 맞아 한중(섬서성의 서남쪽)을 놓고 한판 싸움이 벌어졌다.

싸움은 여러 달에 걸쳐 장기전으로 돌입했는데, 유비의 군사는 제갈량의 계책에 따라 조조 군사의 보급로를 차단했다. 그리고 조조 군사의 사기를 떨어뜨리기 위해 공격 속도를 서서히 늦추었다.

그러자 조조 군사는 보급로가 차단되어 대부분 굶주리다 못해 도망을 치게 되자 내부의 사정은 더욱 악화되었다. 따라서 조조는 진군이냐 퇴각이냐를 놓고 갈림길에 선 것이다.

어느 날 호군(관직 이름)이 밤늦게 찾아와 전황을 보고한 뒤 진군과 퇴각 여부를 묻자, 닭고기를 뜯고 있던 조조는 닭의 갈비를 들었다 놓았다 하면서 단지 계륵이라고만 했다.

진영으로 돌아온 호군은 도대체 무슨 영문인지 몰라 다른 참모들과 논의를 계속해 보았다. 하지만 그 어떤 답도 얻지 못했다.

그때 양수가 조조의 마음을 알아차린 듯, 날이 새면 장안으로 퇴각 명령이 있을 터이다. 그러니 퇴각 준비를 서둘러야 한다고 말했다.

무슨 영문인지 몰라 다른 참모들이 물었다.

그러자 양수는,

"닭의 갈비는 먹으려 하면 먹을 것이 없고 그렇다고 내버리기도 아까운 것이다. 그러니 결국 한중을 버리기는 아깝지만 그렇다고 대단한 땅이 아니므로 곧 돌아갈 것이다."

과연 양수의 예상대로 조조는 이튿날 퇴각 명령을 내렸다.
이때 조조는 이득이 없다고 생각한 나머지 한중에서 퇴각을 했고, 그곳을 확보한 유비는 스스로 한중의 왕이 되었다.

☞ 진나라 초기에 있었던 일이다.

유영은 죽림 칠현의 한 사람이다.
어느 날 유영이 술에 취한 상태로 지나가는 사람에게 시비를 걸었는데, 그가 버럭 화를 내면서 유영을 때리려 했다.
그러자 유영은 점잖게 말했다.

"보다시피 '닭의 갈비' 처럼 빈약한 이 몸이 그대의 주먹을 받아들이지 못할 것 같소이다."

* 지식&파워..
계륵(닭의 갈비를 뜻하는 것으로, 먹을 것도 없지만 그렇다고 그냥 버리기도 아까운 것, 즉 크게는 쓸모가 없으나 버리기는 아까운 사물, 또는 몹시 허약한 몸을 비유하여 이르는 말.)
鷄:닭 계 肋:갈빗대 륵
출전: 후한서의 양수전 / 진서의 유영전

아무리 보잘것없는 사람도 때로는 도움이 된다

전국 시대 중엽, 제나라 정곽군의 자녀 중 서자로 태어난 맹상군은 자질이 뛰어났기 때문에 정곽군의 후계자가 되었다.

특히 그의 많은 식객들 중엔 문무를 겸비한 사람과, 밤이 되면 개가죽을 쓰고 도둑질하는 좀도둑과, 닭울음소리를 잘 내는 사람이 있었다.

그런 그가 설 땅의 영주가 되어 선정을 베푸는 한편 널리 인재를 모아 천하에 명성을 떨쳤다.

그 무렵, 진나라 소양왕이 맹상군에게 재상자리를 제안했다.

맹상군은 그 자리가 썩 내키지는 않았지만 자신의 나라를 위해 수락한 다음, 엄선한 식객 몇 사람만을 데리고 진나라의 도읍인 함양으로 갔다.

함양에 도착한 그는 소양왕을 알현한 뒤 예물로 귀한 호백구(여우 겨드랑이의 흰 털가죽을 모아 만든 옷.)를 진상했다.

한편, 진나라 소양왕이 재상에 맹상군을 기용하려 하자, 중신들이 제나라의 왕족을 재상으로 기용하려 하는 것은 진나라에 전혀 도움이 안 된다며 한사코 반대했다. 때문에 재상의 자리는 취하되고 말았다.

상황이 이렇게 되자, 소양왕은 맹상군을 그냥 돌려보낼 수 없었다. 그것은 이번 일이 맹상군에게 있어 마음의 상처가 되는 경우, 그가 훗날 복수할 것을 염려했기 때문이다.

이 사실을 눈치챈 맹상군이 소양왕의 애첩에게 풀어줄 것을 왕에게 청하도록 부탁했다.

그러자 그녀는 불가능한 요구를 했다.

애첩은,
“왕에게 진상한 것과 똑같은 호백구(여우 겨드랑이의 흰 털가죽을 모아 만든 옷.)를 갖고 싶습니다.”

그때 천금이나 나가는 천하의 둘도 없는 호백구를 소양왕에게 이미 진상한 상태이므로 또 다른 갖옷(가죽이나 털가죽으로 지은 옷.)은 없었다.
맹상군이 이를 걱정하여 여러 식객에게 물었다.

그 중 가장 지위가 낮으면서도 도둑질을 잘하는 식객이 말했다.

“신이 호백구를 구해 오겠습니다.”

그날 밤 그는 개처럼 진나라 궁궐의 군졸을 몰래 따돌리고 창고로 들어가 진상된 호백구를 훔친 다음, 그것을 소양왕의 애첩에게 주었다.
이에 애첩은 소양왕에게 간청하여 맹상군을 풀어주도록 했다.
풀려난 맹상군은 일행과 함께 급히 말을 몰아 국경의 관문인 함곡관으로 향했다.
한편 소양왕은 맹상군을 풀어주고 후회를 한 듯, 곧 부하들에게 그를 추격토록 했다.
이때 맹상군은 위조한 통행증으로 관문을 통과하려 했지만, 관문은 새벽닭이 울어야 열린다.
그때까지 기다릴 것을 생각한 맹상군은 몹시 두렵고도 초초했다.
때마침 지위가 낮으면서도 닭울음소리를 잘 내는 식객이 마을로 사라진 뒤, 곧 닭의 울음소리가 들려왔다.
그러자 마을의 닭들이 일제히 따라서 울기 시작했다.

잠을 자던 군졸이 닭울음소리에 눈을 비비며 관문을 열자, 일행은 관문 밖으로 나왔다.

그들이 나온 지 식경(한 끼 먹을 동안의 시간.)쯤 지나 진나라의 군사가 추격해 왔으나 이미 식경이 지난 후였다.

맹상군은 탈출을 도운 두 식객에게 귀한 대접을 하려 했으나 그들은 이를 부끄럽게 여겨 거절했다.

이 장면을 보고 있던 식객들은 맹상군에게 감동했다.

계명구도는 보통 군자가 배워서는 안 될 하찮은 기술쯤의 뜻으로 쓰이고 있다.

하지만 별 쓸모가 없는 기술도 필요할 때에는 중요한 기술이 된다는 뜻이다.

누구든 재주만 있으면 식객으로 받아들인 맹상군이었기에 위기에서 자신의 목숨을 구할 수 있었던 것이다.

* 지식&파워……………………………………………………………………………

계명구도(닭의 울음소리를 잘 내는 사람과 개 흉내를 잘 내는 좀도둑을 뜻하는 것으로, 천한 기능을 가진 사람도 때로는 쓸모가 있음을 비유하여 이르는 말.)

鷄:닭 계 鳴:울 명 拘:개 구 盜:도둑 도

동의어: 함곡계명(函谷鷄鳴)

출전: 사기의 맹상군전

백성들이 등 따습고 배부르면 천하가 태평한 법이다

덕이 높은 황제 요가 나라를 다스린 지 언 50년 어느 날, 백성들의 반응을 살피기 위해 남루한 옷차림으로 궁을 나섰다. 그가 어느 골목길을 지날 때 아이들이 모여 손에 손을 잡고 노래를 했다.

우리가 이처럼 잘 살아가는 것은, 모두가 임금님의 지극한 덕이라네. 우리는 아무것도 알지 못하지만, 임금님이 정하신 대로 살아간다네.

아이들의 노래 소리에 기분이 좋아진 요 황제는 마을 끝을 지나 어느 한적한 곳에 이르렀다.

때마침 늙은 농부가 땅을 두드리면서 천하가 태평함을 노래하고 있었다.

해가 뜨면 일하고 해가 지면 쉰다네, 밭을 일구고 우물을 파서 마시니, 황제의 힘이 나에게 무슨 소용인가.

이 노래의 내용은 요 황제가 생각한 이상적인 정치로, 백성들이 편안하게 누구의 간섭도 받지 않고, 자유로이 일하고 먹고 쉬는 농부처럼 정치의 힘을 의식하지 않은 채 즐겁게 사는 것을 뜻한다.

이 노래를 들은 요 황제는 자신의 정치가 잘되어 가고 있음을 가슴 뿌듯해 했다.

* 지식&파워……………………………………………………………………

고복격양(배를 두드리고 땅을 구르며 흥겨워한다는 뜻으로, 태평함을 나타내는 말.)

鼓:북 · 북칠 고 腹:배 복 擊:칠 격 壤:땅 양

동의어: 격양가(擊壤歌) 격양지가(擊壤之歌)

준말: 격양(擊壤)

출전: 18사략의 제요 편 / 악부시집의 격양가

힘이 있어야 근심도 걱정도 사라진다

전국 시대에 종횡가로 이름을 날린 소진과 장의가 있는데, 소진은 합종, 장의는 연횡을 주장했다.

합종이란 여섯 나라 즉, 조 · 한 · 위 · 제 · 연 · 초가 동맹하여 진나라에 대항하는 것이다.

소진이 죽은 후 합종책을 뒤집어 진나라로 하여금 유리한 위치에 서게 한 사람이 바로 장의다.

그러나 이때의 연횡은 오래 가지 못했다.

장의가 연나라 소왕을 설득하여 연횡을 성사시키고 진나라로 귀국했을 때, 진의 혜문왕이 죽고 무왕이 즉위했다.

무왕은 평소에 장의를 싫어했다.

이것을 눈치챈 6국은 장의가 더 이상 진나라에 영향력이 없다고 판단하여 다시금 합종했기 때문이다.

장의는 본래 진나라 혜문왕의 신임을 받았다.

소진보다 성질이 사나운 장의는 진나라의 힘을 배경으로 이웃 나라를 압박하는 한편, 혜문왕 10년에는 직접 진의 군사를 이끌고 위나라를 공격했다.

그 후 위나라의 재상이 된 장의는 진나라를 위해 위나라 애왕에게 합종을 버리고 연횡을 하라고 권했지만 실패로 끝났다.

그러자 진나라는 한나라를 본보기로 공격했고, 이 소식에 놀란 위나라 애왕은 잠을 이루지 못했다.

따라서 애왕은 물론, 주변국의 제후들도 불안에 떨었다.

장의는 이것을 빌미로 위나라 애왕에게 이렇게 말했다.

"위나라는 넓은 땅도 없고, 국력도 약합니다. 더군다나 주변에는 초나라나 한나라와 같은 강력한 제후들이 있습니다.
위나라는 열국의 통로가 될 가능성이 많습니다.
남은 초, 서는 한, 북은 조, 동은 제와 국경에 인접해 있어 그 어떤 나라와 동맹을 맺더라도 원한을 삽니다.
또 진이 위와 조의 길을 차단하고 한나라를 설득해서 위를 공격한다면 어떻게 되겠습니까.
진나라를 섬기게 되면 초나라와 한나라에 대한 근심이 사라지게 될 것입니다.
따라서 전하께서는 '베개를 높이 하여 편히 잘 수 있고,' 나라도 아무런 걱정이 없을 것입니다."

결국 애왕은 합종의 동맹을 배반하고 장의를 중간에 세워 진나라에 화친을 청했다.

* 지식&파워..

고침안면(베개를 높이 하여 편히 잔다는 뜻으로, 근심 없이 편안히 잘 지냄을 이르는 말.)

高:높을 고 枕:베개 침 安:편안할 안 眠:잘 면

동의어: 고침무우(高枕無憂) 고침이와(高枕而臥)

출 전: 사기의 장의열전

나이는 시간처럼 되돌릴 수 없다. 따라서 젊음이 늙음이 된다는 것도 알아야 한다

두보는 47세 때에 좌습유라는 벼슬살이를 했다.

그는 조정 내부의 부정 부패에 심한 좌절감과 답답함이 생기자, 술과 자연을 벗삼아 시간을 보냈다.

장안 동남쪽의 중앙에 곡강이 있고, 오나라의 남쪽으로는 부용원이라는 궁원도 있는데, 이곳은 경치가 매우 아름다운 곳이다.

특히 곡강은 당의 현종과 양귀비가 뱃놀이를 한 것으로 유명하다. 이처럼 곡강의 봄은 꽃놀이하는 사람들로 붐빈다.

본래 '인생칠십고래희' 라는 말은 일반적인 말로써, 두보가 자신의 시에 옮긴 이후로 의미가 더 깊어졌으며 또한 널리 알려졌다.

이 고희와 관련해 스무 살(20)은 젊은 나이로 약관(弱冠), 마흔 살(40)은 부질없이 망설이거나 무엇에 홀리지 않는 나이로 불혹(不惑), 쉰 살(50)은 하늘의 뜻을 아는 나이로 지명(知命), 예순(60)은 모든 것을 순리대로 이해하게 되는 나이로 이순(耳順), 일흔 일곱(77)은 희수(喜壽), 여든 여덟(88)은 미수(米壽), 아흔 아홉(99)은 백수(白壽)라 한다.

* 지식&파워..

고희(사람의 나이 '일흔 살' 또는 '일흔 살이 된 때' 를 달리 이르는 말로, 사람의 나이 일흔은 예로부터 드물다는 말에서 유래 됨.)

古:옛 고 稀:드물 희

출전: 두보의 곡강시

학문을 아부의 도구로 쓰지 마라

한나라 황제인 경제 때의 원고생은 학문이 높아 박사의 벼슬을 얻었으며 또한 바른말을 잘하기로 유명하다.

무제가 즉위한 후 원고생 나이 90에 병을 얻어 관직을 떠났다. 하지만 무제는 그를 다시 등용코자 했다.

그때 아부를 잘하는 공손홍도 함께 부름을 받았다.

공손홍이 원고생을 늙은이라고 얕잡아 무시했지만, 그는 마음에 두지 않고 공손홍에게 이렇게 말했다.

"지금은 학문의 정도가 어지러워 속된 말이 유행을 한다네. 그렇게 되면 전통적인 학문이 설 자리를 잃어 결국은 마음이 흐려지게 되고, 따라서 그 본질을 잃게 되는 것이라네.

자네는 젊으면서도 학문을 좋아하는 선비로서 부디 올바른 학문을 익혀 세상에 널리 펼쳐주기 바라네.

결코, 자신이 믿는 학설을 굽혀 이 세상 속물들에게 아첨하는 일이 있어서는 안 되네."

이 말을 들은 공손홍은 지난날의 무례함을 사과하고, 고매한 학식과 인격을 갖춘 원고생에게 스승이 되기를 자청했다.

* 지식&파워..

곡학아세(학문을 굽혀 속물들에게 아부한다는 뜻으로, 정도를 벗어난 학문으로 시류를 따르거나 권력자에게 아첨(부)함을 일컫는 말.)

曲:굽을 곡 學:학문 학 阿:아첨(부)할 아 世:인간 세

유의어: 어용학자(御用學者)

출 전: 사기의 유림전

현실과 동떨어진 생각은 신기루와 같은 것이다

공중누각이란 말은 이미 청나라 때부터 쓰였던 글로 심괄의 '해시'는 신기루를 가리키는 것이다.

송나라의 학자 심괄(호는 몽계옹)이 저술한 몽계필담은 일종의 여러 가지 사물과 그에 대한 현상을 참고 자료로 적은 것이다.

몽계필담에는 다음과 같은 글이 실려 있다.

'등주는 사방이 바다로 둘러싸여 있는데, 그 곳은 봄과 여름이 오면 하늘 끝으로 성시누대의 모양을 볼 수가 있다. 이 고장 사람들은 이것을 해시라고 했다.'

* 지식&파워..

공중누각(공중에 떠 있는 누각이란 뜻으로, 근거나 현실적 토대가 없는 가상의 사물을 이르는 말.) 신기루

空:빌 공 中:가운데 중 樓:다락 누 閣:누각 각

유의어: 과대망상(誇大妄想)

출전: 몽계필담

정도의 지나침은 미치지 못함과 같다

어느 날 제자인 자공이 공자에게 물었다.

"선생님, 자장과 자하 중 어느 쪽이 더 현명합니까?"

공자는 두 제자를 비교한 다음 이렇게 말을 했다.
"자장은 아무래도 모든 일에 있어 지나친 면이 있고, 자하는 부족한 점이 많다."

"그렇다면 자장이 낫겠군요?"

자공이 다시 물어 보자 공자는 이렇게 대답했다.

"그렇지 않다. 지나침은 미치지 못함과 같다."

* 지식&파워..

과유불급(정도의 지나침은 미치지 못함과 같다는 뜻.)
過:지날 과 猶:같을 유 不:아니 불 及:미칠 급
참고: 조장(助長) (흔히, 의도적으로 어떠한 경향이 더 심해지도록) 도와서 북돋움.
출전: 논어의 선진 편

남에게 의심받을 일은 애초부터 하지 마라

☞ 전국 시대 주나라 열왕 6년, 유향의 열녀전에 다음과 같은 이야기가 있다.

제나라 위왕이 즉위한 후로도 간신 주파호가 국정의 전권을 쥐고 휘두르는 통에 나라는 몹시 혼란스러웠다.

이 틈을 타서 그의 무리들은 개인적인 욕심을 채우기 위해 어진 선비, 유능한 인재는 시기하고, 현명한 선비는 비방하고, 오히려 아대부 같은 간신은 칭찬했다.

그것을 보고 더 이상 참을 수 없었던 후궁 우희가 위왕에게 말했다.

"전하, 주파호는 음흉하면서도 부정한 마음을 가지고 있는 사람입니다.

그를 내치시고 북곽 선생과 같은 현명하고도 덕망이 높은 선비를 등용하는 편이 나을 듯합니다."

이 사실을 알게 된 간신 주파호는 오히려 우희와 북곽 선생은 전부터 서로 좋아하는 사이라고 모함을 했다.

위왕은 마침내 우희를 9층이나 되는 누각 위에 감금시키고 관원으로 하여금 그 진상을 밝히도록 했다.

하지만 이미 주파호에게 매수된 관원이 우희의 죄를 조작하려 했다.

위왕은 관원들의 보고를 들은 후에도 미심쩍은 데가 있었는지 우희를 직접 불러 사실 여부를 물었다.

그러자 그녀는 울면서,

"전하, 신첩은 10년 동안 변함없이 전하를 한 마음으로 모셨습니다.

그런데 불행히도 간신들의 모함을 받게 되었습니다.

신첩의 결백함은 밝은 대낮과 같습니다.

만약 신첩에게 죄가 있다면, 그것은 '오이 밭에서 신을 고쳐 신지 말고', '오얏나무 아래서 갓을 고쳐 쓰지 말라' 하는 말과 같이 남에게 의심받을 일을 피하지 못한 점과, 또한 신첩이 9층 누각에 감금되어 있어도 누구 한 사람 신첩을 위해 변명해 주는 사람이 없었다는 것뿐입니다.

설령 신첩에게 죽음을 내리신다 해도 더 이상 변명할 생각은 없습니다. 부디 주파호 같은 간신만은 내쳐야 합니다."

신첩 우희가 진심으로 이렇게 충언하자 이제껏 자신의 잘못을 깨달은 위왕은 곧 즉묵대부를 만호로 봉하고, 간신인 아대부와 주파호를 팽살(삶아 죽임)시켜 혼란스러운 나라를 바로잡았다.

☞ 문선의 고악부편 군자행에는 다음와 같은 시구가 있다.

군자는 미연에 방지하고, 의심받을 짓은 피한다.

오이 밭에서 신발을 고쳐 신지 않고, 오얏나무 밑에선 갓을 고쳐 매지 않으며, 형수와는 친히 주고받지 말고, 어른과 아이는 나란히 걷지 않는다.

* 지식&파워..

과전이하(오이 밭에서는 신을 고쳐 신으려 하지 말고, 오얏나무 아래서는 갓을 고쳐 쓰지 말라는 뜻으로, 남에게 의심받을 일은 애초부터 하지 말라는 말.)

瓜:오이 과 田:밭 전 李:오얏 리 下:아래 하

원말: 과전불납리 이하부정관(瓜田不納履 李下不整冠)

동의어: 과전리 이하관(瓜田履 李下冠)

출전: 유향의 열녀전 / 문선의 고악부 편

친한 친구라는 것은 서로를 생각해 주는 것이다

춘추 시대 초, 제나라에 관중과 포숙아라는 두 관리가 있었다.

이들은 어릴 적부터 같이 놀며 자란 오랜 벗으로 둘도 없는 친구 사이였다.

관중은 공자 규의 측근으로 있고, 포숙아는 규의 배다른 동생 소백의 측근으로 있을 때, 공자의 아버지 양공이 사촌 동생인 공손무지에게 살해되자 관중과 포숙아는 각각 공자와 함께 이웃 노나라와 거나라로 망명했다.

이듬해 공손무지가 살해되자, 두 공자는 군주의 자리를 차지하기 위해 귀국을 서둘렀고, 관중과 포숙아는 자신의 의지와는 무관하게 적이 되고 말았다.

관중은 한때 소백을 죽이려 했으나 그가 먼저 귀국하여 환공이라 칭하고, 노나라에 있는 공자 규의 처형과 관중을 데려오라고 요구했다.

환공은 데려온 관중을 죽이려고 했는데,

포숙아는 이렇게 말했다.

"전하 제나라만으로 만족하신다면 신으로도 충분합니다. 하오나 천하를 얻으려면 관중이 필요합니다."

너그러운 마음과 깊은 생각이 있는 환공은 포숙아의 말을 들어 관중을 대부로 중용하고 정사를 맡겼다.

이윽고 재상이 된 관중은 큰 정치가다운 면모를 보여 주었다. 이같이 정치적인 성공에 힘입어 마침내 환공으로부터 춘추의 첫 군주 자리를 얻게 되었다.

그런데 그가 그렇게 되기까지는 포숙아의 변함없는 우정이 있었기 때문이다.

훗날 관중은,

“나는 젊어서 포숙아와 장사를 했다. 그때 난 늘 이득금을 더 많이 챙겼다. 그러데 그는 나를 욕심쟁이라고 말하지 않았다. 그것은 내가 가난하다는 것을 알고 있었기 때문이다.

나는 또 벼슬길에서 물러나기를 거듭했지만 나를 무능하다고 말하지 않았다. 그것은 내가 운이 따르지 않는 다는 것을 알고 있기 때문이다.

어디 그뿐인가.

나는 싸움터에서 도망친 적이 한 두 번이 아니었다. 그런데 그는 나를 겁쟁이라고 말하지 않았다.

그것은 내게 노모가 계신다는 것을 알고 있기 때문이다.

어쨌든, ‘나를 낳아 준 분은 부모이지만 나를 알아준 사람은 포숙아인 것이다.”

* 지식&파워...

관포지교(옛날 관중과 포숙아의 사귐이 매우 친밀하였다는 뜻으로, 매우 친한 친구 사이의 사귐을 일컫는 말.)

管:대롱 관 鮑:절인 고기 포 之:갈 지(…의) 交:사귈 교

동의어: 관포교(管鮑交)

유의어: 교칠지교(膠漆之交) 금란지교(金蘭之交) 단금지교(斷金之交)
막역지우(莫逆之友) 문경지교(刎頸之交) 수어지교(水魚之交

반의어: 시도지교(市道之交)

출전: 사기의 관중열전 / 열자의 역명 편

노력이란 자신을 빠르게 변화시키는 것이며, 남들도 그렇게 인정하는 것이다

삼국 시대 초기 오나라 왕 손권의 휘하에 장수 여몽이 있었다.

그는 무식했으나 전쟁에 나가 승리한 공으로 장군이 되었다.

어느 날 그에게 손권은 공부를 하라고 충고했다.

그러자 그는 심기일전의 자세로 자나깨나 손에서 책을 떼는 일 없이 학문에 정진했다.

그 일이 있고 난 후로 재상 노숙이 싸움터로 시찰을 나가게 되었는데, 여기서 오랜된 친구 여몽을 만났다.

여몽은 오래간만에 만난 친구 노숙을 반갑게 맞이하면서 이런저런 대화를 나누었다.

이때 너무나도 박식해진 여몽을 보고 노숙이 깜짝 놀랐다. 여몽 또한 자신이 이토록 많이 변한 사실에 대해 믿기지 않을 정도였다.

"아니, 여보게. 어느 틈에 그토록 공부를 했나? 자네는 이제 옛날의 오나라 여몽이 아닐세."

그러자 여몽은 이렇게 대답했다.

"무릇 선비란 헤어지고 사흘이 지난 후 다시 만날 때에는 눈을 비빌 만큼 달라져야 하는 것이 아닌가."

* 지식&파워

괄목상대 (눈을 다시 비비고 본다는 뜻으로, 주로 손아랫사람의 학식이나 재주 따위가 놀랍도록 향상된 경우에 쓴다.)

刮:비빌 괄 目:눈 목 相:서로 상 對:마주 볼 대 · 대할 대.

출전: 삼국지의 오지여몽전주

적을 쉽게 끌어들인다는 것은 나를 내주는 것이며, 쓸데없는 시간을 오랫동안 낭비하는 것과 같다

전국 시대 말엽, 연나라의 침략을 받은 조나라 혜문왕은 제나라에 사신을 보내어 장수 전단을 파견해 준다면 제수 동쪽에 위치한 고을 3개를 주겠다고 제안했다.

전단은 화우지계(소의 양쪽 뿔에 칼을 잡아매고, 기름 바른 갈대 다발을 꼬리에 묶어 불을 지른 다음 적진으로 보내는 전술)로 연나라의 침략을 단번에 막아낸 장수이다.

제나라는 이 조건을 받아 주었고, 조나라의 요청에 따라 그는 총사령관이 되었다.

그러자 재상 조승에게 장수 조사는 크게 반발했다.

"왜, 고을을 3개씩이나 주면서 남의 나라 장수에게 이 나라를 맡기려 합니까?

저는 연나라에 머문 적이 있어서 그곳의 지형을 잘 압니다.

그러니 제가 연나라를 쳐부수겠습니다."

재상 조승은 모르는 소리라고 일축했다.

그러자 조사는,

"제나라와 연나라는 원수처럼 보이지만 제나라 장수 전단이 남의 나라인 우리나라를 위해 목숨을 바쳐 싸우겠습니까?

또한 우리나라는 제나라의 정복 작업에 방해가 되기 때문입니다.

결국 제나라 장수 전단은 우리나라 군사를 장악하는 것은 물론 연나라가 약해지기를 기다릴 것입니다.

따라서 우리나라는 오랫동안 쓸데없는 그들의 간섭에 시달릴 것이 분명합니다."

재상 조승은 장수 조사의 의견을 무시했다.

그리고 사전에 계획된 대로 제나라 장수 전단에게 조나라 군사를 맡겨 연나라의 침략에 맞섰다.

하지만 결과적으로 장수 조사가 말한 대로 두 나라는 장기전으로 인해 병력만 소진하고 말았다.

* 지식&파워

광일미구(날을 비워둔 지가 오래되었다는 뜻으로, 오랫동안 쓸데없이 세월을 보냄.)

曠:빌 · 오랠 광 日:날 일 彌:두루 · 오랠 미 久:오랜 구

출전: 전국책의 조책

갑작스런 위기에 대처하기 위해서는 앞서 준비를 해야 한다

전국 시대 말엽 제나라 왕족 가운데 정곽군이라는 사람이 있었다. 그는 전영의 아들로 이름은 전문이고 호는 맹상군이다.

그의 집에는 식객이 자그마치 3,000명이나 되었다.

그 식객 가운데 풍환(전국책의 제책 편에는 풍훤)이라는 사람이 있었다.

풍환은 남루한 행색에 짚신을 신은 가난한 선비였다. 그는 맹상군이 식객을 좋아한다는 말에 먼 길을 마다하고 찾아왔다.

이때 맹상군이 너무나 초라하고도 재주가 없어 보이는 그를 받아 주었다.

3등급 숙소에 배치된 풍환은 괴짜답게 투덜대며,

"정녕, 고기반찬이 없구나."

그 말을 들은 맹상군은 그를 2등급 숙소로 보냈다.

이번에는 불평을 늘어놓으며,

"수레가 없구나."

끝으로 1등급 숙소로 옮겨 주자,

"내 집이 없구나."

당시 맹상군은 설(산동성 동남 지방)에 10,000호의 식읍(세금를 개인이 받아쓰게 했던 고을)을 가지고 있었는데, 그는 3,000명의 식객을 부양하기 위해 식읍 주민들에게 돈놀이를 하고 있었다.

그런데 그들은 도무지 갚을 생각을 하지 않았다.

결국 독촉할 사람을 찾던 중, 1년 동안 밥만 축내고 있던 풍환이 자청했으므로 그를 보내기로 했다.

풍환이 돈을 받으러 가기 전 맹상군에게,
"빚을 받으면 무엇을 사올까요?"

"무엇이든 좋네. 알아서 부족한 것이 있으면 사오게."

설에 간 풍환은 빚진 사람들을 불러 모아 차용증을 하나하나 점검한 결과 이자만 해도 100,000전이었다. 풍환은 그것을 받아 놓고는 사람들에게 이렇게 말했다.

"맹상군은 여러분이 빚을 갚고자 한 노력을 가상하여 모든 채무를 면제하라 하셨습니다."

그러고는 모아 놓았던 차용증을 불태워 버렸다. 차용증은 모두 재로 변하고, 빚을 갚지 못했던 사람들은 일제히 탄성을 지르며 그를 고맙게 생각했다.

설에서 돌아온 풍환에게 맹상군은 빨리 돌아온 것을 이상하게 여겨,
"빚은 얼마나 받았는가?"

"전부 받았습니다."

맹상군은 이 말에 매우 기뻐하며 다시 물었다.
"그렇다면 그대는 무엇을 사 가지고 왔는가?"

"당신께서는 부족한 것을 사오라고 하셨지요. 지금 당신에게 부족한 것은 은혜와 의리입니다.

따라서 차용증를 불사른 다음, 돈으로도 못 산다는 은혜와 의리를 사가지고 왔습니다."

그러자 이 말을 들은 맹상군은 화가 머리 끝까지 치밀었다. 하지만 참을 수밖에 없었다.

1년 후 어느 날 맹상군이 새로 즉위한 제나라 민왕으로부터 미움을 사게 되어 재상직을 잃었다. 그러자 3,000명의 식객들은 너나할것없이 제 갈 길로 가버렸다.

이때 풍환은 그에게 설로 가서 살 것을 권유했다.

맹상군은 실의에 찬 몸을 이끌고 마지못해 설로 갔다. 그러자 설 사람들은 그를 기쁘게 맞아 정성껏 대접했다.

맹상군이 풍환에게 말했다.

"선생이 전에 은혜와 의리를 샀다고 한 말에 대해 이제야 조금은 알 것 같소."

풍환이 말했다.

"교활한 토끼는 굴을 세 개나 파지요.

지금 경께서는 한 개의 굴을 파 놓았을 뿐입니다. 따라서 아직 베개를 높이 베고 근심이 없이 잠을 즐길 수는 없습니다. 경을 위해 나머지 두 개의 굴도 마저 파드리지요."

그는 위(사기에서는 진나라로 표기)나라의 혜왕을 설득하여 맹상군을 등용하면 부국강병을 이룰 것이고, 동시에 제나라를 견제할 힘도 갖게 될 것이라고 역설했다.

그때 마음이 끌린 위나라 혜왕이 금은보화를 준비하여 세 번이나 맹상군을 불렀다. 하지만 풍환은 맹상군에게 제안을 거절하라고 은밀히 권했다.

제나라 민왕은 위나라 혜왕의 생각을 사전에 알아차리고는 맹상군에게 사신을 보내 자신의 잘못을 사과한 다음, 다시 재상의 직위를 회복시켜 주었다. 두 번째 굴이 완성된 셈이다.

두 번째의 굴을 파는데 성공한 풍훤은 세 번째 굴을 파기 위해 제민왕에게 제나라 선대의 종묘를 설 땅에 세우도록 청하고, 선왕 때부터 전승되어 온 제기(제사 때 쓰이는 그릇.)를 종묘에 바치도록 설득했다.

이것 또한 선대의 종묘가 맹상군의 땅에 있으면, 설령 제왕의 마음이 변한다 해도 맹상군에게 함부로 못할 것이라는 생각이 들었기 때문이다.

"이것으로 세 개의 굴을 모두 팠습니다. 이제부터 주인님은 베개를 높이 베고 근심없이 잠을 즐기십시오."

따라서 맹상군은 재상의 자리에 있는 동안 수십 년 별다른 화를 입지 않았는데, 이것은 모두 풍환이 맹상군을 위해 세 개의 보금자리를 만든 덕이다.

* 지식&파워……………………………………………………………………

교토삼굴(꾀 많은 토끼가 굴을 세 개나 가지고 있다는 뜻으로, 갑작스런 위기에 대처하기 위해 앞서 준비해야 한다는 말.)

狡:교활할 교 兎:토끼 토 三:석 삼 窟:굴 굴

유의어: 유비무환(有備無患)

출전: 사기의 맹상군열전 / 전국책의 제책 편

겉으로 친절한 체하는 사람은 결국 속으로 해칠 생각을 한다

당나라 황제 현종은 측천무후 이래로 정치적인 질서를 확립하여 안정된 정치를 한 사람으로 기록되었다.

하지만 양귀비를 만난 후로 현종은 정치보다는 주색에 빠져 살았다.

그 무렵 이임보가 있었는데, 그는 서화에도 능한 것은 물론 잔재주 또한 많았다.
그런 그가 환관에게 뇌물을 준 것이 인연이 되어 왕비를 만났는데, 그것을 빌미로 재상의 자리에 올랐다.
재상이 된 이임보는 권력이 생기자 황제의 귀를 막고 백성들의 입을 막기에 이르렀다.

어느 날 비리를 밝히는 어사에게 이런 말을 했다.

"폐하께서는 명군이십니다.
그러니 우리 신하가 무슨 말을 아뢰겠소? 궁전 앞에 있는 저 말을 보시오. 그처럼 어사도 조용히 계셨으면 좋을 듯하오."

권력에 눈이 먼 이임보는 마음이 음충맞고 사납기 짝없다. 그런 그가 19년 동안 자신의 맘에 들지 않으면 누구든 주살하고 엄벌하여 옥사를 시켰다. 또한 자기보다 현명한 사람이나 능력이 있는 사람을 미워하고 배척했다.
사람들은 그런 그를 보고 입에는 꿀이 있고 배에는 칼이 있다고 말을 했을 정도다.

이때 안녹산도 감히 이임보의 술수가 두려워 반란을 꿈꾸지 못했다.

권세도 잠시 이임보가 죽게 되자 그의 후임으로 양귀비의 일족인 양국충이 재상 자리에 올랐다.

재상이 된 양국충은 이임보에 대한 죄목을 낱낱이 밝혀 황제 현종에게 고했다.

그러자 황제는 즉시, 그의 생전 관직을 박탈하고 부관참시(죄인의 관을 파내어 시신의 목을 베는 극형.)에 처했다.

그로부터 3년째 되는 해, 안녹산이 때를 기다려 반란을 일으켰다.

* 지식&파워..

구밀복검(입에는 꿀이 있고 배에는 칼이 있다는 뜻으로, 겉으로는 친절한 체하나 속으로는 해칠 생각이 있음 비유하여 이르는 말.)

口:입 구 蜜:꿀 밀 腹:배 복 劍:칼 검

원말: 구유밀복유검(口有蜜腹有劍)

유의어: 면종복배(面從腹背) 소리장도(笑裏藏刀) 소중유검(笑中有劍)

출전: 당서의 이임보전

후회없는 삶을 살려면 자신이 떳떳해야 한다

전국 시대 초나라의 굴원은 고대문학 가운데에서도 보기 드문 몽환적 세계를 묘사한 시인이자 정치가이다. 그런 그가 해박한 지식과 변론으로 회왕의 신임을 얻어 삼려대부에 올랐다.

하지만 양왕 때 두 번씩이나 모략을 받아 강남으로 유배를 가는 등 수모를 겪다가 결국 우국시(나라를 걱정하는 시) 회사부를 남기고 멱라수에 빠져 죽었다.

그는 당시 행실이 바른 신하가 조정의 간신배들에 의해 배척을 당하고 있음에도 불구하고 그것을 알아보지 못하는 임금을 원망하며 한편의 시를 남겼는데, 이것이 '이소' 에 실려 있다.

이소의 내용에는,

'길게 한숨을 쉬고 눈물을 닦으며, 인생의 많은 어려움을 슬퍼한다. 그러나 자기의 마음은 선하다고 믿고 있기 때문에 비록 아홉 번 죽을지라도 오히려 후회하는 일은 하지 않으리라' 는 구절이 있다.

이 시는 초사에 있는 것이다. 초사는 그의 스승과 문하생 및 후대의 작품을 모아 놓은 책이다. 그 책에 수록된 작품 25편 중 이소 · 천문 · 구장 등이 남아 있다.

* 지식&파워..

구사일생('유량주가 말한 이 아홉 번 죽어서 한 번을 살아남지 못한다 할지라도' 에서 나온 말로 여러 차례 죽을 고비를 겪고 간신히 살아난다는 뜻.)

九:아홉 구 死:죽을 사 一:한 일 生:살 생

유의어: 백사일생(百死一生) 십생구사(十生九死)

출전: 사기의 굴원열전

어떤 일에 희생을 한다 할지라도 그것이 상황에 따라서는 칭찬 아닌 벌이 되어 돌아올 수 있다

이것은 한나라 무제 때의 일이다.

이릉은 5,000의 보병을 이끌고 흉노를 정복하기 위해 출정했다. 그러나 10배가 넘는 흉노의 기병을 맞아 열흘간 잘 싸웠지만 결국에는 패하고 말았다.

이듬해 어느 날,

흉노와 전투 중 죽은 줄만 알았던 이릉이 투항했고, 게다가 흉노로부터 후한 대접을 받았다는 사실에 진노한 무제는 이릉의 혈족을 모두 죽이라 명했다.

그러나 여러 중신과 동료들은 눈치만 살필 뿐 그 누구도 이릉을 감싸 주지 못했다.

이런 상황에 분개한 사마천이 나서서 그를 돕고자고 했다.

그것은 이릉이 지난날 흉노가 공경하면서도 두려워한 이광의 손자로 평소에 국난 극복의 용장으로 그는 믿었기 때문이다.

또한 사마천은 사가로서 그에 대해 누구보다도 잘 알고 있고, 그 사태의 진상을 꿰뚫어 보았기 때문에 위험을 무릎쓰고 무제에게 건의했다.

"황공하오나 이릉은 적의 기병과 최선을 다해 맞섰으나 지원군이 오지 않았고, 게다가 내부의 적으로 인해 더 이상 견딜 수 없게 되자 패한 것 같습니다.

그는 병사들과 함께 끝까지 싸운 명장이라고 해도 지나친 말은 아닐 것입니다.

그가 필시 흉노에게 투항한 것은 훗날 폐하의 은혜에 보답할 기회를 얻고자 피할 수 없는 선택을 한 것입니다.
그러니 폐하께서는 이릉의 무공을 크게 치하함이 옳을 듯합니다."

사마천의 말이 끝나기가 무섭게 무제는 크게 진노하여 그를 감옥에 가둔 뒤 궁형(남성의 생식기를 잘라 없애는 형벌.)에 처했다.

사마천은 이 사실을 친구인 임안에게 전하는 글에서 최하급의 치욕이라 적고 이어 착잡한 심정을 토로했다.

"내가 법에 따라 사형을 받는다고 해도 그것은 한낱 '아홉 마리 소의 터럭 중에서 털 한 가닥 없어지는 것' 과 같은 존재이니 땅강아지나 개미 같은 미물과 무엇이 다르겠나?
또한 내가 죽는다고 해도 절개를 위해 죽었다고 누가 생각할 것인가? 끝내는 모든 사람들이 틀린 말을 하다 어리석게도 큰 죄를 지어 죽었다고 말을 할 걸세."

* 지식&파워..
구우일모(아홉 마리의 소 가운데서 뽑은 한 가닥의 소털을 의미하는데, 썩 많은 가운데 섞인 아주 작은 것을 비유하여 이르는 말.)
九:아홉 구 牛:소 우 一:한 일 毛:털 모
유의어: 대해일적(大海一滴) 창해일속(滄海一粟)
참고: 인생조로(人生朝露)
출전: 한서의 보임안서 / 문선의 사마천 보임소경서

훌륭한 인물은 어려운 시기에 위업을 남긴다

초패왕 항우와 한왕 유방에 의해 진나라가 패망한 후로, 한왕이 나라를 세울 때의 일이다.

당시 한신은 초군에 있었으나 항우에게 실망한 나머지 초군을 떠나 한나라 유방 밑으로 들어갔다.

그는 우연한 기회에 유방으로부터 능력을 인정받아 치속도위(군량을 관리하는 직책.)가 되었다.

한신은 이때 승상인 소하를 알게 되었고, 소하는 한신을 비범한 인물이라며 유방에게 여러 번 천거했으나 유방은 그다지 관심을 보이지 않았다.

그 무렵 유방이 항우에게 밀리자 곤경에 처한 병사들은 하나 둘 향수병까지 얻어 군영을 이탈하기 시작했다.

한신도 희망이 없자 그들의 뒤를 따랐다.

이 소식을 보고 받은 소하는 급히 말을 달려 그의 뒤를 쫓아갔다.

이 장면을 목격한 한 장수가 즉시 유방에게 고했다.

그러자 그를 아끼던 유방은 몹시 실망을 했다. 그러나 이틀 후에 소하가 한신을 데리고 나타나자 유방은 반갑기도 하고 괘씸하기도 하여 소하게 그 연유를 따져 물었다.

"승상이란 자가 어찌 도망을 친단 말이오?"

그러자 소하는 한신을 가리키며,

"도망을 친 것이 아니라, 도망 친 자를 잡으러 간 것 입니다."

왕이 말하기를,

“짐은 지금껏 어떤 장수라도 도망을 치면 뒤쫓지 않았다. 하필이면 한신이냐?”

소하는,
“지금껏 도망을 친 장수는 얼마든지 얻을 수 있습니다. 하지만 한신만큼은 국사로서 둘도 없는 사람입니다.”

소하의 뜻대로 한신은 대장군이 되었고, 마침내 한신은 항우를 무찌르고 천하 통일의 공을 세웠다.

* 지식&파워……………………………………………………………………………

국사무쌍(나라의 훌륭한 선비를 뜻하는 것으로, 곧 나라의 둘도 없는 뛰어난 인물을 일컫는 말.)

國:나라 국 士:선비 사 無:없을 무 雙:쌍 쌍

유의어: 동량지기(棟梁之器) 동량지재(棟樑之材) 일세지웅(一世之雄)

출전: 사기의 회음후열전

많은 사람들 가운데 눈에 띄는 사람이 가치 있는 사람이다

중국 진나라 초기에 유교의 형식주의를 물리치고 노장의 허무주의를 따르는 사람들이 죽림에 묻혀 청담을 나누었다.

그들이 바로 일곱 선비, 즉 유영 · 완적 · 혜강 · 산도 · 상수 · 완함 · 왕융 등인데, 그들을 가리켜 죽림칠현이라 한다.

특히 이들 가운데 혜강은 그 문학적 재능이 뛰어났다. 하지만 아쉽게도 위나라 중산대부 시절 억울한 누명을 쓰고 처형됐다.

당시 혜강에게는 열 살 된 아들 혜소가 있었다.

산도는 혜소(자: 연조)가 장성하자, 무제(위나라를 멸하고 진나라를 세운 사마염.)에게 천거를 하면서 이렇게 말했다.

"폐하, 서경의 강고 편에 보면 아버지와 아들의 죄는 서로 연좌(역모 등의 중대 범죄에서, 범죄자의 혈육이나 인척까지 처벌하던 옛날의 형벌 제도.)하지 않는다고 했습니다.

비록 혜소는 혜강의 아들이지만, 그 총명함은 춘추 시대 진나라의 대부 극결에 뒤지지 않습니다.

그러니 그를 비서랑으로 임명하는 것이 좋을 듯합니다."

무제는,

"경이 천거하는 사람이라면 승을 시켜도 능히 감당할 것이오."

무제가 흔쾌히 승낙한 다음 혜소를 비서랑보다 한 계급 위인 비서승에 임명했다.

혜소가 낙양으로 가던 날, 그의 모습을 지켜본 사람들이 다음 날 왕융에게,

"어제 수많은 사람들이 입궐하는데, 그 사이로 해소가 보였습니다. 그때 그의 늠름하고 의젓한 모습이 마치 닭의 무리 속에 있는 한 마리의 학과 같았습니다."

그러자 왕융은 말했다.
"혜소의 아버지는 그보다 더 뛰어났다네. 자네는 그의 부친을 본 적이 없으니 알 리가 없지."

왕융의 말에서도 알 수 있듯이 혜소는 아버지만은 못했다고 하나, 그래도 뛰어난 인물이었다.

* 지식&파워.. ....

군계일학(닭의 무리 속에 한 마리의 학이라는 뜻으로, 많은 [illegible]람들 중에서도 눈에 띄게 뛰어난 한 사람을 비유하여 이르는 말.)
群:무리 군 鷄:닭 계 一:한 일 鶴:학 학
동의어: 계군일학(鷄群一鶴) 계군고학(鷄群孤鶴) 학립계군(鶴立鷄群)
유의어: 백미(白眉) 철중쟁쟁(鐵中錚錚)
반의어: 인중지말(人中之末)
출전: 진서의 혜소전

장님 코끼리 만져 보듯 부분을 전체로 판단하지 마라

인도의 경면왕이 어느 날 신하에게 코끼리 한 마리를 끌고 오라고 명령했다.

그런 다음, 맹인들을 궁중으로 불러 모아 놓고는 각자 코끼리를 만져 보게 했다.

잠시 후 왕은 맹인들에게 코끼리가 어떻게 생겼냐고 물었다.

코끼리를 더듬어 본 맹인들은 제 각각,

"코끼리는 무와 같습니다."

"코끼리는 키(곡식 따위를 까부르는 기구.)와 같습니다."

"코끼리는 절구와 같습니다."

"코끼리는 침상과 같습니다."

"코끼리는 독(항아리)과 같습니다."

"코끼리는 새끼줄과 같습니다."

이처럼 상아를 더듬은 맹인은 무와 같다 했고,

귀를 더듬은 맹인은 키와 같다 했고,

다리를 더듬은 맹인은 절구와 같다 했고,

등을 더듬은 맹인은 침상과 같다 했고,

배를 더듬은 맹인은 독과 같다 했고,

꼬리를 더듬은 맹인은 새끼줄과 같다 했다.

위에서 말한 것처럼 맹인들이 각자 코끼리를 정확하게 파악하고 있다고 한들, 그것을 종합했다고 한들, 반드시 그것이 코끼리라고 단정 짓기는 어렵다.

여기서 코끼리는 석가모니이고, 맹인들은 어리석은 중생을 비유하여 이르는 말이다.

이처럼 모든 중생들은 석가모니를 부분적으로 알면서도 전체 모습을 본 것처럼 말하고 있다.

즉 중생들의 마음에는 석가모니가 각각의 의미로 해석된다는 것을 일깨워 주는 것이다.

* 지식&파워..

군맹무상(여러 장님이 코끼리를 만져 보고 제 나름대로 판단한다는 뜻으로, 사물을 자기 주관과 좁은 소견으로 전체보다는 일부만을 알아 그릇 판단함을 이르는 말, 또는 좁은 식견을 비유한 말.)

群:무리 군 盲:소경 맹 撫:어루만질 무 象:코끼리 상

동의어: 군맹모상(群盲摸象) 군맹평상(群盲評象)

출전: 열반경

군자의 세 가지 즐거움

전국 시대의 철인으로서 공자의 사상을 계승 발전시킨 맹자는, 맹자의 진심 편에서 다음과 같이 말하고 있다.

군자에게는 세 가지 즐거움이 있다.

첫번째의 즐거움은 부모가 다 살아 계시고 형제가 무고한 것이요.

두 번째로 즐거움은 우러러 하늘에 부끄러움이 없고 아래로 사람에게 부끄럽지 않은 것이요.

세 번째로 즐거움은 천하의 영재를 얻어서 교육하는 것이다.

한편 공자는 해가 되는 세 가지를 꼽았다.
교락(驕樂): 방자함을 즐김.
일락(逸樂): 놀기를 즐김.
연락(宴樂): 주색을 즐김.

* 지식&파워..

군자삼락(군자의 세 가지 즐거움. 곧, 부모가 다 살아 계시고 형제가 다 무고한 일, 위로 하늘과 아래로 사람에게 부끄러울 것이 없는 일, 천하의 영재를 얻어서 가르치는 일.)
君:임금 군 子:아들 자 三:석 삼 樂:즐길 락, 좋아할 요
원말: 군자유삼락(君子有三樂) 유의어: 익자삼요(益者三樂)
반의어: 손자삼요(損者三樂) 참고: 교락(驕樂) · 일락(逸樂) · 연락(宴樂)
출전: 맹자의 진심 편

악과 선을 구분하여 상을 주는 것이 사회의 근본이다

☞ 공자가 지은 '춘추' 는 노나라 12대 240년의 역사를 적은 것이다.
'춘추' 는 역사를 통해 공자의 도덕적 비판과 책임 소재를 분명히 했다.

따라서 나라의 기강을 혼란케 하는 신하와, 어버이를 공경하지 않는 자식들은 이것을 두렵게 생각했다.

☞ 노나라 성공을 교여라고 속인 다음, 제나라 공녀 부인 강씨를 맞이하러 가게 했다. 이때 성공을 교여라고 부른 것은 슬쩍 부인을 안심시켜 데려오려는 수단에 불과했다.

그 이전, 선백이 제나라로 공녀를 맞이하러 갔었을 때에도 선백을 숙손이라고 불렀다. 당시 군주가 보내는 사자(심부름을 하는 사람)를 높여 부르게 할 때, 이 방법을 쓴 것이다.

군자가 말하기를,

"춘추 시대의 호칭은 알기 어려운 것 같으면서도 알기 쉽고, 쉬운 것 같으면서도 뜻이 깊고, 빙글빙글 도는 것 같으면서도 정돈되어 있고, 있는 그대로 표현을 쓰지만 품위가 없지 않으며, 악행을 징계하고 선행을 권한다. 성인이 아니고서야 누가 이렇게 지을 수 있겠는가?"

* 지식&파워..

권선징악(선한 행동을 장려하고 악한 행동을 징계한다는 뜻으로, 악한 사람은 벌하고 착한 사람은 상을 준다는 말.)

勸:권할 권 善:착할 선 懲:징계할 징 惡:악할 악

유의어: 권징(勸懲) 징권(懲勸) 창선징악(彰善懲惡)

출전: 춘추좌씨전

실패를 한 후라도 온힘을 다해 다시 시작해라

초패왕 항우는 한왕 유방과 해하(안휘성 내)에서 싸움을 벌리다 패한 후, 오강(안휘성 내)으로 도망쳐 자신의 목을 스스로 베어 자결했다.

죽기 전에 정장은 항우에게 강동(양자강 하류 이남의 땅)으로 돌아가서 재기하라고 했다.

하지만 8년 전 강동의 8,000여 군사와 함께 떠난 지금, 내가 무슨 낯으로 강을 건너 강동의 부모 형제를 만날 수 있겠느냐고 반문한 뒤 파란만장한 생을 마감했다.

1,000년이 지난 어느 날, 두목은 오강(안휘성 내)의 객사에서 항우를 생각했다.

다시 기회가 주어질 텐데도 그렇게 31세의 젊은 나이로 자결한 항우를 애석해 하며, 두목은 그에 관한 시를 읊었다.

그러나 당송 팔대가의 한 사람인 왕인석이 말하기를 강동 사람들은 항우를 위해 다시 돕지 않을 것이라고 말했고, 사마천도 그의 저서인 사기에 항우는 자신의 힘을 너무 과신했다고 적었다.

권토중래란 말은 당나라 말기의 시인 두목의 시, 제오강정 마지막 부분의 한 구절에 나온다.

* 지식&파워..

권토중래(흙먼지를 일으키며 거듭 쳐들어온다는 뜻으로, 한 번 패했다가 힘을 돌이켜 다시 쳐들어옴. 어떤 일에 실패한 뒤에 힘을 가다듬어 다시 시작한다는 말.)

捲:힘쓸 권 · 감아 말 권 土:흙 토 重:무거울 · 거듭할 중 來:올 래(내)

참고: 건곤일척(乾坤一擲) 사면초가(四面楚歌) 선즉제인(先則制人)

출전: 두목의 시 제오강정

나쁜 사람을 가까이하면 물들기 쉽다

공자는 초기 주나라 때의 전통적인 제도 · 예악 · 문물을 중시한 반면, 묵자는 그 제도에 회의를 품고 실용적인 면을 중시했다.

당시 주나라는 봉건 체제에 있었기 때문에 왕이나 제후(봉건 시대에, 군주로부터 받은 영토와 그 영내에서 사는 백성을 다스리던 사람.)들은 각자 군사 전문가를 두었다. 그러나 주나라 말기 봉건 체제가 붕괴되면서 그들은 뿔뿔이 흩어져 고용자에게 봉사하는 것으로 생계를 유지했다.

이런 부류의 사람들을 사(士), 또는 무사라 했으며, 묵자와 그 제자들도 무사 출신이다.

묵자 사상의 중심을 이루는 10가지 덕목

- 상현(어진 사람을 존경함)
- 겸애(동등한 사랑)
- 절용(근검 절약)
- 천지(하늘의 뜻과 그것에 대한 상벌)
- 비악(백성의 고통도 모르는 향락적 음악에 대한 비난)
- 상동(아랫사람이 성인의 뜻에 따름)
- 비공(침략에 대한 비난)
- 절장(유교 의식을 비판한 장례의 간소화)
- 명구(상벌 주는 귀신을 섬김)
- 비명(숙명론에 대한 반대) 등을 말한다.

☞ 묵자비염(墨子悲染)

묵자가 물들이는 것을 슬퍼한다는 말로, 사람은 습관에 따라 그 성품의 좋고 나쁨이 결정된다는 뜻이다.

어느 날 묵자는 염색공(실을 물들이는 사람)을 보고 탄식하여,

"파랑으로 물들이면 파란색, 노랑으로 물들이면 노란색, 이렇게 물감의 종류에 따라 빛깔도 변하여 다섯 번 들어가면 다섯 가지 색이 되니 물들이는 일이란 참으로 조심해야 할 일이다."

그런 후 묵자는 물들이는 일이 결코 실에만 국한되는 일이 아님을 지적하고, 나라도 물들이는 방법에 따라 흥하기도 하고 망하기도 한다. 라는 말을 했다.

* 지식&파워……………………………………………………………………

근묵자흑(먹을 가까이 하면 검게 된다는 뜻으로, 나쁜 사람을 가까이하면 물들기 쉬움을 이르는 말.

近:가까울 근 墨:먹 흑 者:놈 자 黑:검을 흑)

동의어: 근주자적(近朱者赤)

유의어: 귤화위지(橘化爲枳) 남귤북지(南橘北枳)

출전: 묵자

좋은 일에 좋은 일을 더하면 더 좋은 일이 생기는 법이다

왕안석(당송(唐宋) 8대 문장가의 한 사람)은 북송 중기 군비 팽창으로 경제가 파탄 지경에 이르자 획기적인 신법을 실시한 경제통인 동시에 송나라의 시풍을 대표하는 시인이다.

북송 시절 신종의 지지를 업고 중용되었다가 구법당의 사마광에게 탄핵을 당해 벼슬에서 물러났다. 그 뒤로 남경의 어느 한적한 곳을 찾아 머물렀는데,

이때 즉흥적으로 지은 제목 없는 사(詞)에서 유래된 그의 칠언율시이다.

'강물은 남원으로 흘러 언덕 서쪽으로 기울어지는데,
바람에 수정 빛이 있어 이슬에 꽃다움이 있네.
문 앞의 버드나무는 고인이 된 도령의 집이고,
우물가의 오동나무는 전날 총지의 집이네.
좋은 초대를 받아 술잔에 술을 거듭하니,
아름답게 노래를 불러 비단 위에 꽃을 더하네.
문득 무릉도원에 술통과 고기의 손님이 되니,
내 근원에는 아직 붉은 노을이 적지 않네.'

* 지식&파워

금상첨화(비단 위에 꽃을 보탠다는 뜻으로, 좋은 일에 또 좋은 일이 더함.)
錦:비단 금 上:윗 상 添:더할 첨 花:꽃 화
유의어: 일거양득(一擧兩得) 일석양득(一石兩得) 일석이조(一石二鳥)
일전쌍조(一箭雙雕)
반의어: 병상첨병(病上添病) 참고: 설상가상(雪上加霜)
출전: 왕안석의 시(즉사)

좋은 비단옷을 입고 밤길을 걷는 것은 어리석은 행동이다

진나라 말엽 패권을 다투던 유방과 항우는 홍문의 회합에서 먼저 진의 도읍 함양에 입성하는 자가 관중(함양을 중심으로 한 분지) 일대를 차지하기로 했다.

그 일이 있은 후로 유방이 항우 보다 먼저 함양에 입성했다. 그러나 뒤늦게 당도한 항우는 회합과는 다르게 행동을 취했다.

우선 분풀이로 살육과 약탈을 자행했고, 유방이 살려 둔 어린 황제 자영을 죽였다.

그것도 모자라 아방궁에 불을 지른 뒤 그 불을 구경삼아 미녀들과 놀아난 것은 물론, 유방이 창고에 보관 중이던 금은보화마저 독식하는 한편 시황제의 무덤까지도 파헤쳤다.

모처럼 좋은 기회에 이토록 타락해 가는 항우의 모습에 모신(지모에 뛰어난 신하) 범증은 제왕의 모습을 찾으라고 간곡히 청했다.

그러나 항우는 그 말을 듣기는커녕 오랫동안 지켰던 싸움터를 떠나 고향인 강동으로 많은 재물과 미녀들을 데려가려 했다.

그러자 한생은 이렇게 말했다.

"함양은 사방이 산과 강으로 둘러싸인 요충지이면서도 또한 비옥합니다. 하오니 이곳을 도읍으로 정하시어 천하를 다스리소서."

그러나 항우의 눈에 비친 함양은 쓸모없는 땅일 뿐, 하루라도 빨리 고향으로 돌아가 성공한 자신을 보여 주고 싶었다.

항우는,

"부귀할 때 고향에 돌아가지 않는 것은 마치 비단 옷을 입고 밤길을 가는 것과 같다. 그 누가 그 무늬를 알아보겠는가?"

그러자 한생이 항우의 뜻을 알아채고는,
"세상 사람들이 말하기를 초나라는 원숭이에게 옷을 입히고 갓을 씌웠을 뿐 지혜가 없구나."

이에 크게 노한 항우는 한생을 삶아 죽였다.

결국 항우는 한생의 말을 듣지 않고 고향으로 돌아가려다, 유방에게 일격을 맞은 뒤 자결로 생을 마감했다.

따라서 유방은 함양으로 들어와 천하를 손에 넣었다.

* 지식&파워...
금의야행(비단옷을 입고 밤길을 걷는다는 뜻으로, 아무 보람도 없는 행동을 비유하여 이르는 말.)
錦:비단 금 衣:옷 의 夜:밤 야 行:다닐 · 행할 행
동의어: 수의야행(繡衣夜行) 야행피수(夜行被繡) 의금야행(衣錦夜行)
반의어: 금의주행(錦衣晝行)
출전: 사기의 항우본기

위급한 때를 벗어나면 상황이 더 나아진다

오왕 부차는 월나라에 패한 아버지 합려가 부상으로 죽게 되자 그 원수를 갚기 위해 월왕 구천을 격퇴시켰다.

이때 아버지의 원수임에도 불구하고 오왕 부차는 월나라 구천을 용서해 주었다.

그러자 월왕은,
"군왕이 월나라로 보아서는 죽은 것이나 다름없는 이 사람을 일으켜서 백골에 살을 붙인 것과 같다.
과인은 감히 하늘의 재앙을 잊지 못하고 감히 군왕의 은혜를 잊을 수 없다." 라는 말을 했다.

* 지식&파워...
기사회생(죽을 뻔했다가 다시 살아났다는 뜻으로, 위기에 처한 것을 구하여 호전시킨다는 말.)
起:일어날 기 死:죽을 사 回:돌아올 회 生:목숨 생
출전: 여씨춘추전

쓸데없는 걱정은 하지 마라

주왕조 시대, 항상 쓸데없는 근심 걱정으로 세월을 보내는 기나라 사람이 있었다.

그는 비만 와도 홍수가 나지 않을까, 바람만 불어도 태풍이 오지 않을까, 하는 걱정으로 하루를 보냈다.

어느 날 그가 근심어린 눈으로 맑은 하늘을 바라보고 있었다.

이를 이상하게 여긴 사람들이 그에게 물었다.

"이렇게 맑은 날 또 무슨 근심이 있어 하늘을 보는 거요?"

"혹시 하늘이 내려앉지나 않을까 해서요."

이처럼 그는 하늘이 무너지고 땅이 꺼지면 몸붙일 곳이 없음을 걱정하여 잠자는 일과 밥 먹는 일을 중단했다.

그러자 친구는 그가 죽을지도 모른다는 생각에 다음과 같은 말을 했다.

"하늘이란 기(氣)가 쌓여서 절대 무너지지 않는다네."

"과연 하늘이 기(氣)로 쌓인 것이라면 해와 달과 별이 떨어져 내릴 게 아닌가?"

"해와 달과 별이란 것도 역시 쌓인 기(氣) 속에서 빛나고 있는 것일 뿐이야. 설령 떨어진다 해도 다칠 염려는 없다네."

"그럼, 땅이 꺼지는 일은 없을까?"

"땅이란 흙이 쌓여서 절대 꺼지지 않는다네. 아무리 우리가 뛰고 구르고 해도 땅은 그대로지 않는가? 그러니 이젠 쓸데없는 근심 걱정일랑 하지 말게나."

이 말을 들은 후로 그는 마음이 편해졌고, 그러자 근심 걱정도 사라졌다 한다.

열자가 이 말을 듣고는,
"천지가 무너지지 않는다는 말도 역시 잘못이다. 사람이 어찌 천지 조화를 다 알 수 있겠는가?"

"하늘과 땅이 무너지든 무너지지 않든 그런 것에 마음을 쓰지 않는 무심의 경지가 중요할 뿐이다."

* 지식&파워..
기인지우(기나라 사람의 쓸데없는 걱정을 뜻하는 것으로, 하지 않을 걱정을 함.)
杞:나라 이름 기 人:사람 인 之:갈 지(…의) 優:근심 우
동의어: 기인우천(杞人優天)
유의어: 오우천월(吳牛喘月)
준말: 기우(杞優) 출전: 열자의 천서 편

일이 벌어진 상태에서는 그만두거나 물러서지 마라

남북조 시대 말엽 북조 마지막 왕조인 북주의 선제가 죽자, 외척인 한인 양견이 즉시 입궐하여 재상의 자리에 올랐다.

그는 한족이 오랑캐인 선비족에게 점령당한 것을 가슴 아프게 여겨 다시 한족의 천하를 회복하겠다는 야망을 품고 있었다. 이때 통일을 이루는 과정에서 북조의 왕권을 빼앗기는 했으나 북조를 점령하고 있던 이민족이 너무나도 완강하게 저항했으므로 양견은 고전할 수 뿐이 없었다.

그러자 그의 부인 독고가 사람을 보내어,

"대세는 이미 그렇게 되었으니 이는 호랑이를 탄 형세이므로 내려올 수가 없습니다. 이것에 힘을 다 하세요."

이 말에 힘을 얻은 양견은 용기를 내어 용감하게 싸웠다.

그 후로 양견은 선제의 뒤를 이은 정제가 어리고 총명치 못함을 핑계로 제위를 넘겨받았으며, 자신을 일컬어 문제라 했고 국호 또한 수라 했다. 그로부터 8년, 문제는 남조 최후의 왕조인 진나라마저 멸하고 마침내 천하 통일을 이룩했다.

* 지식&파워..

기호지세(호랑이를 타고 달리는 사람이 도중에 내릴 수 없는 것처럼, 일이 벌어지고 있는 도중에 그만두거나 물러나거나 할 수 없는 상태를 이르는 말.)

騎:말을 탈 기 虎:범 호 之:갈 지(…의) 勢:형세 · 기세 세

원말: 기수지세(騎獸之勢)

유의어: 기호난하(騎虎難下)

출전: 수서의 독고황후전

귀한 물건을 사 두면 훗날 큰 이익을 얻게 된다

전국 시대 말, 한나라의 장사꾼인 여불위는 조나라 하단으로 장사를 떠났다.

그러던 어느 날 여불위는 진나라 소양왕의 손자인 자초가 볼모로 잡혀있다는 사실을 알게 되었다.

그런 사실을 알고 있다 해도 20여 명의 서자 왕손에 불과한 보잘것 없는 존재였다.

소양왕 40년,

태자가 죽고 차남 안국군이 태자의 자리에 올랐지만, 불행하게도 그에게는 적자의 자식이 한 명도 없었다.

그때 장사꾼 여불위는 자초가 왕이 될 수도 있음을 직감했다.

'이 사람은 기이한 보화임에 틀림없다. 데려가면 훗날 쓸모가 있을 것이다.'

여불위는 즉시 자초를 찾아가 이렇게 말했다.

"소양왕도 나이가 들어 아버지(자초의 아버지)인 안국군이 머지않아 소양왕의 뒤를 이어 왕이 될 것입니다. 하지만 정비인 화양부인에게는 아들이 없습니다.

결국 당신과 20여 명의 서자 중 누가 태자가 될지 지금은 모르겠으나 이렇게 볼모로 있는 당신은 어려울 듯합니다. 제가 진나라에 가서 당신이 태자가 되도록 힘을 쓰겠습니다."

그 후 여불위는 자초와 뒷날을 기약한 후, 온갖 수단을 동원하여 진나라 안국군의 정비 화양부인에게 환심을 샀다.
그 결과 여불위는 자신의 생각대로 자초를 화양부인의 아들으로 입적시키는데 성공했고, 자초는 왕위에 오를 수가 있었다.

그 후로 여불위는 교묘하게도 자신의 아이를 잉태한 애첩 조희를 자초와 결혼시켜 아이를 낳게 했다.

바로 그 아이가 성장하여 진시황제가 되었니, 그의 권세는 그야말로 진나라의 국정을 좌지우지 할 수 있는 지경에 이르렀다.
그러나 돈밖에 모르고 남을 이용하기에 급급한 여불위는 끝내 자기의 친아들 격인 진시황에게 목숨을 잃었다.

* 지식&파워..
기화가거(귀한 물건을 사 둔 후로 훗날 큰 이익을 얻게 한다는 뜻, 훗날 이용할 수 있는 사람의 뒤를 봐주며 때를 기다림.)
奇:기이할 기 貨:재물 화 可:허락할 · 옳을 가 居:있을 · 살 거
출전: 사기의 여불위열전

형제간에는 누가 더 낫다고 할 수 없는 것이다

중국 한나라에는 진식이라는 사람이 살았는데, 그의 슬하에는 원방과 계방이 있었다.

세상 사람들은 아버지와 아들 둘을 가리켜 공덕이 높은 '삼군'이라 칭송했다.

하루는 형인 진원방의 아들 장문과 동생 계방의 아들 효선이 서로 자기 아버지가 더 훌륭하다고 자랑을 했다.

그러나 손자들은 결론을 내리지 못하고 할아버지인 진식에게로 달려갔다.

손자들은 그에게 누가 더 훌륭한지를 물어 보았다.

할아버지 진식은 손자들에게,

"원방도 형 되기가 어렵고, 계방도 동생 되기가 어렵구나."라고 말했다.

* 지식&파워...

난형난제(누구를 형이라 해야 하고, 누구를 아우라 해야 할지 분간하기 어렵다는 뜻으로, 누가 더 낫다고 할 수 없을 정도로 둘이 서로 비슷하다는 말.)

難:어려울 난 兄:맏 형 難:어려울 난 第:아우 제

유의어: 난백난중(難佰難仲) 백중지간(伯仲之間) 백중지세(伯仲之勢)
용호상박(龍虎相搏) 호각지세(互角之勢) 춘란추국(春蘭秋菊)

참고: 막상막하(莫上莫下)

출전: 세설신어의 덕행 편

부귀영화도 한때의 꿈에 불과한 것이다

당나라 황제인 덕종 때 광릉 땅에는 순우분이 살았다.

어느 날 술에 취한 그는 집 앞의 큰 느티나무 밑에서 잠이 들고 말았다.

그때 남색 관복을 입은 두 남자가 나타나서 이렇게 말했다.

"저희들은 괴안국 국왕의 사자로, 당신을 모셔 오라는 명을 받들고 왔습니다. 부디 같이 가주십시오."

순우분이 그 사자를 따라 느티나무의 구멍 속으로 들어가 보니 신기하게도 커다란 성문이 있었다. 그 성문 현판에는 대괴안국이라고 쓰여 있었고, 괴안국의 국왕은 성문 앞에서 순우분을 반갑게 맞이했다.

국왕은 순우분이 마음에 꼭 들었는지 자기 딸과 결혼을 시키고 부마(사위)로 삼았다.

순우분은 여기서 모든 부귀와 영화를 누렸다. 하지만 분수를 잊지 않았기 때문에 가장 현명한 친구 주변과 전화차를 만날 수 있었다.

어느 날 국왕이 순우분에게 부탁했다.

"남가군의 정치가 어렵다고 하던데, 자네가 남가군 태수를 맡아보지 않겠나?"

순우분은 남가군 태수를 흔쾌히 승낙했다. 그때 친구인 주변과 전화차를 부하로 삼아 정치를 하니 남가군의 사람들은 모두 순우분을 칭송했다.

남가군의 태수가 된 지 20여 년, 백성들은 공덕비로 순우분에게 고

마움을 표시했고, 고을은 요순 시대가 생각날 정도로 태평성세가 이어졌다. 이에 국왕도 순우분의 정치에 끝없는 신뢰를 보냈다.

그러나 때마침 쳐들어온 단라국의 군대를 얕잡아보다 결국 참패하고, 친구인 주변마저 부상에 의한 등창으로 죽고 말았다.

엎친 데 덮친 격으로 아내까지 병으로 죽자 순우분은 태수자리를 그만두고 상경했다.

그때 국왕은 '천도(도읍을 옮김.)해야 할 조짐이 보인다'며 순우분을 고향으로 돌려보냈다.

이 순간 순우분은 잠에서 깨어났다. 잠에서 깨어난 순우분은 너무 이상한 나머지, 나무 밑동을 살펴보게 되었다.

그런데 이상하게도 구멍 하나가 있었다. 그 구멍을 파 보니 수많은 개미들이 모여 있었고, 그 무리 중에 두 마리의 왕개미가 있었다.

바로 여기가 괴안국이며, 두 왕개미는 국왕 내외였다. 또 한 구멍을 더 파 보니 남쪽 가지 얼마 안 떨어진 곳에 개미 떼가 보였고, 이내 그 곳이 남가군임을 짐작케 했다.

순우분은 개미구멍을 원래대로 고쳐 놓았다. 그리고 다음날 아침에 가 보니 구멍은 밤새 내린 비로 허물어지고 개미는 흔적도 없이 사라졌다. '천도해야 할 조짐'이란 바로 이것이었구나.

* 지식&파워..

남가일몽(남쪽 나뭇가지의 꿈이란 뜻으로, 꿈과 같이 헛된 한때의 부귀영화 또는 인생의 덧없음.)

南:남녘 남 柯:가지 가 一:한 일 夢: 꿈 몽

동의어: 괴몽(槐夢) 남가지몽(南柯之夢) 남가몽(南柯夢)

유의어: 무산지몽(巫山之夢) 일장춘몽(一場春夢)
일취지몽(一炊之夢) 한단지몽(邯鄲之夢)

출전: 이공좌의 남가기

모든 일에 있어서 처음이 중요한 것이다

공자의 제자 자로가 있었다. 그는 공자로부터 사랑도 많이 받았지만 꾸지람도 많이 받았다. 그는 성질이 용맹하고 행동이 거칠기 때문에 무엇을 하든지 남의 눈에 잘 띄었다.

어느 날 자로가 화려한 옷을 입고 공자 앞에 나타났다.

공자가 말하기를,

"양자강(장강)은 사천 땅 자락의 민산에서 흘러내리는 큰 강이다. 그러나 그 발원지는 겨우 술잔에 넘칠 만큼의 적은 양이다. 하지만 그것이 하류로 흐르면서 물이 많아지고 물살 또한 거세지기 때문에 배를 타지 않고서는 강을 건널 수가 없다. 더구나 바람이 세게 부는 날엔 배조차 띄울 수 없는 것이다. 이는 물의 양이 많아졌기 때문이다."

이 말은 모든 일에 있어서 시초가 중요하다는 것을 깨우쳐 주기 위한 것이다. 자로는 공자의 말을 들은 후, 곧장 집으로 달려가 옷을 갈아입었다.

* 지식&파워..

남상(술잔에 넘칠 정도의 적은 물이라는 뜻으로, 사물의 시초나 기원 · 근원을 이르는 말.)

濫:넘칠 남 觴:술잔 상

유의어: 권여(權輿) 효시(嚆矢)

출전: 순자의 자도 편 / 공자가어의 삼서 편

유능한 사람은 숨어 있어도 자연스레 그 존재가 드러나는 법이다

재상인 평원군의 집에는 늘 사람으로 북적였다.

당시 풍속에 의하면 식객들은 잔일로 부잣집이나 귀족들에게 숙식을 제공받고 살았는데, 때론 좋은 의견으로 주인의 정치 활동을 돕는다.

어느 날 진나라의 공격을 받은 조나라 혜문왕이 동생이자 재상인 평원군을 초나라에 보내어 원군을 요청키로 했다.

20명의 수행원이 필요한 평원군은 그의 3,000여 식객 중 19명은 쉽게 뽑았으나, 나머지 한 명을 뽑지 못한 채 고심했다.

이때에 모수라는 식객이,

"나리, 저를 데려가 주십시오."

평원군은 어이없다는 듯,

"선생은 내 집에 들어와서 지금까지 몇 년이 되었소?"

모수가,

"지금까지 3년 됩니다."

평원군이,

"비유하건데, 무릇 현명한 선비가 세상에 있으면 주머니 속에 든 송곳처럼 그 끝이 즉시 나타나는 법이오.

지금 선생은 나의 문하에서 언 3년이나 있었는데도 내 좌우의 측근이 칭송한 적이 없고, 나도 선생에 관해서 들은 것이 없소.

이것은 그대가 지닌 재능이 없는 까닭이오. 하니 선생은 남으시오."

모수는,
"신은 오늘에서야 주머니 속에 넣어주기를 청할 뿐입니다.
신을 일찍이 주머니 속에 넣을 수 있었더라면, 이내 송곳 끝이 나오는 것이 아니라 아마 송곳 자루까지 나왔을 것입니다."

만족한 평원군은 수행원의 대열에 모수를 합류시켰다.
초나라에 도착한 평원군은 모수의 활약에 힘입어 국빈으로 환대를 받은 것은 물론, 원군 요청에 큰 공을 세웠다.

* 지식&파워..

낭중지추(주머니 속의 송곳이라는 뜻으로, 송곳은 끝이 뾰족하기 때문에 아무리 주머니 속에 있다 해도 주머니를 뚫고 나오듯 유능한 사람은 숨어 있어도 자연히 그 존재가 드러남을 비유하여 이르는 말.)
囊:주머니 낭 中:가운데 중 之:갈 지(…의) 錐:송곳 추
동의어: 추처낭중(錐處囊中)
유의어: 운중지월(雲中之月)
출전: 사기의 평원군열전

아무리 보잘것없는 것이라 할지라도 저마다 장점이 있다

춘추 시대, 제나라 환공 때의 일로 소국들은 강국 제나라의 보호를 받고자 노력했다.

당시 산융이라는 나라가 제나라에 의지하고 있던 연나라를 침범하자, 황공이 이를 무례하게 여겨 산융을 공격한 것은 물론 이 기회에 도읍까지 점령해 버렸다. 이때 점령을 당한 산융의 왕 밀로는 고죽국(하북성 내)으로 도망쳤다.

그러던 어느 봄날, 환공이 재상 관중과 대부 습붕을 데리고 고죽국 정벌에 나섰다.

이 전투에서 고죽국의 장수인 황화가 지형에 맞는 전술을 펴는 바람에 전투는 장기전으로 돌입했고, 그것으로 인하여 싸움은 그 해 겨울에야 비로소 끝이 났다.

그들에게 싸움은 끝났지만 추운 겨울은 계속되었다.

그들은 하루라도 빨리 돌아가기 위해 지름길을 찾았는데, 설상가상 길을 잃고 말았다.

군대가 오도 가도 못하는 상황에 처하자 관중이 말했다.

"이럴 땐 '늙은(나이 든) 말의 지혜'가 필요하다."

즉시 늙은 말을 풀어놓고는 그 뒤를 따라 행군을 계속했다. 과연 얼마를 지나자 생각대로 출구가 나타났다. 결국 늙은 말의 도움으로 그들은 무사히 귀환할 수 있었다.

어느 날 산행 중에서 병사들이 갈증을 호소했다. 그러자 이번에는 습붕이 말했다.

"개미란 겨울이 되면 양지를 택하고, 여름이 되면 음지를 택하는 법이다. 또한 개미집에 흙이 한 치쯤 쌓이면 그 땅속 일곱 자쯤 되는 곳에 물이 있게 마련이다."

병사들이 산을 뒤져 개미집을 찾은 다음 그곳을 파보니 과연 물이 나왔다. 관중과 습붕처럼 지혜로운 사람도 늙은 말과 개미를 스승으로 삼아 배웠다.

이처럼 보잘것없는 존재도 모두 그 나름대로 장점이 있는 법이다.

* 지식&파워..

노마지지(늙은(나이 든) 말의 지혜란 뜻으로, 아무리 보잘것없는 것이라 할지라도 저마다 장점이 있음을 이르는 말.)

老:늙을 로 馬:말 마 之:갈 지(…의) 智:슬기 · 지혜 지

동의어: 노마식도(老馬識途) 노마지도(老馬知道) 식도노마(識途老馬)

출전: 한비자의 세림 편

도둑의 소굴을 녹림이라고 한다

전한과 후한 사이에 생긴 일이다.

왕실의 외척인 대사마 왕망은 한나라 왕조를 멸망시킨 다음, 제위에 올라 국호를 자칭 신이라 했다.

왕망은 모든 제도(농지, 노예, 경제)를 개혁하고 새로운 정책을 도입했다.
그러나 자질이 부족한 왕망의 개혁은 백성들을 더욱 혼란에 빠뜨리는 결과를 가져왔고, 이것이 새로운 개혁이라고는 하나 반란의 불씨가 되고 말았다.

더구나 남방에는 흉년이 들어 백성들은 산과 들로 먹을 것을 찾아 헤메는 것이 일상이 되어 버렸다.
이러한 혼란 속에서 서북 변경의 농민들이 폭동을 일으키자, 이를 계기로 전국 각지에서 대규모의 반란이 연쇄적으로 일어났다. 따라서 현재의 이런 상황은 보지 않아도 불보듯 뻔한 일이다.

이 틈에 신시 사람 왕광과 왕봉은 이들 난민들의 추대를 받아 수령이 되었다.
수령이 된 이들은 관군에게 쫓기던 마무 · 왕상 · 성단 등과 합세하여 지금의 당양현 내의 녹림산에 근거지를 마련하고, 이것을 기점으로 점점 세력을 확대해 나갔다. 또한 그 여세를 몰아 형주자사의 관군 2만을 물리쳤다.

더욱이 각지로 떠돌던 세력을 규합하여 5만이란 큰 세력을 만들기에 이르자, 광무제 유수는 왕광의 세력을 잘 이용하여 왕망의 신나라를 무너뜨렸다.

• 녹림십팔채:
산에 있는 도둑들이 험준한 산에 산채를 짓고 이를 근거지로 18개의 세력을 통합해 만든 조직.

• 동정십팔채:
모반 세력들이 동정호를 근거지로 18개의 세력들과 연합하여 만든 조직.

이들은 수장을 중심으로 각각 지도부를 구성했으나, 넓은 의미로 보면 녹림에 속한다.

* 지식&파워……………………………………………………………………

녹림(푸른 숲이란 뜻으로, 도둑의 소굴을 일컫는 말.)

綠:초록빛 록 林:수풀 림

동의어: 녹림호객(綠林豪客) 녹림호걸(綠林豪傑)

유의어: 백랑(白浪) 백파(白波) 야객(夜客)

출전: 한서의 왕망전

장사꾼이란 모름지기 이권를 독차지해서는 안 된다

제나라 선왕 때 맹자는 왕도정치를 이루기 위해 여러 제국을 돌아다녔다.

여기서 맹자가 여러 제국을 돌아다녔다고는 하나 수년간 제나라에 머물러 있던 것이 사실이다.

맹자는 제나라에서 뜻을 이루고 싶어했지만 그 뜻을 이루지 못하자 결국 선왕의 곁을 떠나 고향으로 돌아가려 했다.

그때 선왕은 시자라는 사람을 통해,

"많은 재물과 녹을 줄 터이니 편안한 마음으로 제자를 가르치시오. 그러면 모든 대신과 백성들에게 큰 귀감이 될 것시오."

맹자가 말하기를,

"내가 만일 녹을 탐냈다면, 어찌 그 많은 녹을 주겠다고 하는 자리를 마다하겠소?

옛날 계손이란 사람이 자숙의를 평하면서,

'자신의 뜻이 맞지 않아 물러났다면 그만이지 또 그 제자들로 하여금 대신하는 것은 이상하지 않는가?

부귀를 마다할 사람이 어디에 있겠는가.

하지만 부귀 속에 혼자 농단을 해서야 쓰겠는가.' 라고 했소."

여기서 농단이란 깎아지른 듯한 언덕을 뜻하는 것으로, 이익이나 권리를 독차지하는 것을 말한다.

옛날의 시장이란 자기가 가지고 온 것과 상대가 가지고 온 것을 서로 바꾸어가 가는 장소로, 관리는 그것을 살필 뿐이다.

그런데 염치없는 사람은 높은 언덕에 올라가 시장의 이곳저곳을 살펴 장사를 유리하게 하는 것은 물론 이익을 독점한다.
따라서 사람들은 그것을 비열한 수법으로 여겨 그와 같은 행위에 대해 세금을 거두었다고 한다.

이때부터 장사치에게 세금을 부과했다고 전해진다.

* 지식&파워……………………………………………………………………

농단(깎아지른 듯한 언덕을 뜻하는 것으로, 이익이나 권리를 독차지함. 독점.)

壟:언덕 롱 斷:끊을 단

원말: 농단(籠斷)

출전: 맹자의 공손추 편

위태로운 상황에서의 선택은 자신의 몫이다

전국 시대를 세치 혀 하나로 제후를 찾아 말품을 파는 사람은 대부분 책사나 모사꾼이었다.

그 중에서도 여러 나라를 자유자재로 오가며 자문하는 책사나 모사꾼을 종횡가라 했다.

위나라의 가난한 집에서 태어난 범저는 종횡가를 꿈꾸는 사람이었다. 하지만 그에게는 가문도 연줄도 없었기 때문에 좀처럼 어떤 기회도 오질 않았다.

그러던 어느 날 범저는 제나라에 사신으로 가는 중대부 수가의 심부름꾼으로 그를 수행했다.

그런데 제나라에서는 수행하는 범저가 수가보다 인기가 훨씬 더 많았다.

범저의 인기에 기분이 몹시 상한 수가는 귀국한 즉시 범저가 제나라와 내통했다고 재상에게 거짓으로 보고했다.

누명을 쓴 범저는 모진 고문 끝에 거적에 말려 변소(화장실)에 버려지는 신세가 되었다.

그런 일이 있은 후로 정안평의 집에 숨어 살았는데, 그는 여기서 이름까지 장록으로 바꾸었다.

그러던 어느 날 범저에게 망명할 기회가 찾아왔다.

그때 정안평은 이 기회를 놓칠 새라 진나라 사신 왕계가 묵고 있는 숙소로 찾아가 장록(범저)을 추천했다.

어렵게 장록을 진나라로 데려온 왕계는 소양왕에게 그를 이렇게 소개했다.

"전하, 위나라의 장록 선생은 천하의 종횡가입니다.
선생은 진나라의 정치에 대해 '알을 쌓아 놓은 것처럼 위태롭다' 고 평을 하였습니다.
아마 선생을 기용하면 진나라는 태평하고 백성은 평안할 것입니다."

진나라의 소양왕은 이 불손한 선생을 당장 내치고 싶었지만 인재가 아쉬운 판국이라 일단 그를 말석에 앉혔다.

그 후로 범저(장록)는 외교 정책인 원교근공책(遠交近攻策)으로 그의 진가를 유감없이 발휘했다.

* 지식&파워..
누란지위(포개 놓은 알이란 뜻으로, 몹시 불안정하고 위태로운 상태를 비유하여 이르는 말.)
累:여러 루, 포갤 루 卵:알 란 之:갈 지(…의) 危:위태할 위
동의어: 위여누란(危如累卵)
준말: 누란(累卵)
참고: 누란지세(累卵之勢) 원교근공(遠交近攻) 먼 나라와 우호 관계를 맺고, 이웃 나라를 공략하는 일.
출전: 사기의 범저열전

달아난 양은 한 마리인데, 찾는 길은 여러 갈래 길이다. 진리도 이와 마찬가지이다

전국 시대 양자는 극단적인 개인주의를 지양하는 인물로, 이것은 그와 관련된 이야기다.

양자의 이웃집에서 양 한 마리가 도망갔다.
그 주인은 양자에게 도움을 청해 놓았다. 그리고 그는 동네 사람들과 함께 양을 찾아 헤맸는데, 끝내 잃어버린 양을 찾을 수가 없었다.

그때 양자가 물었다.
"양 한 마리를 찾는데 왜 그렇게 많은 사람이 필요한가?"

"예, 양이 도망간 쪽은 길이 여러 갈래이기 때문입니다."

얼마 후 모든 사람들이 지친 상태로 돌아왔다.

양자가,
"그래, 양을 찾았느냐?"

"갈림길에 또 갈림길이 있어 양이 어디로 도망갔는지 알 길이 없습니다."

이 말을 듣자 양자는 하루 종일 말도 없이 혼자 있었다.

제자가,

"기껏 양 한 마리를 잃은 것뿐입니다. 더구나 스승님의 양도 아니지 않습니까?"

어느 날 한 제자가 학문이 높은 선배를 찾아가 이 사실을 말하고 스승이 침묵하는 까닭을 물었다.

학문이 높은 선배는,
"큰길은 갈림길이 많아 양을 잃어버리고, 학자는 다방면으로 배우기 때문에 삶의 가치를 잃는 것이다. 학문도 원래 그 근본이 다른 것이 아니라 하나였는데, 그 끝은 이처럼 달라진다.
오직 하나인 근본으로 돌아가면 얻고 잃음이 없다. 따라서 그렇지 못한 현실을 선생께서는 안타까워하는 거라네."

• 장자 변무 편에 보면, 사내종과 계집종이 함께 양을 지키고 있다가 그만 양을 놓치고 말았다.
사내종에게 어찌된 일이냐고 물었더니, 죽간을 끼고 책을 읽고 있었기 때문이라 했고, 계집종은 주사위를 가지고 놀다가 양을 잃었다고 했다. 이 두 사람이 한 일은 서로 다르지만, 양을 잃었다는 결과는 똑같다.

* 지식&파워.. ....
다기망양(달아난 양을 찾다가 길이 여러 갈래로 갈려 마침내 양을 잃었다는 뜻으로, 학문의 길은 여러 갈래이므로 진리를 깨치기가 어렵다. 방침이 많아서 어찌할 바를 몰라 하다.)
多:많을 다 岐:갈림길 기 亡:잃을 망 羊:양 양
동의어: 망양지탄(亡羊之歎) 유의어: 독서망양(讀書亡羊)
출전: 열자의 설부 편

많으면 많을수록 좋다

한나라 고조 유방은 초왕 한신이 천하 통일의 일등 공신임에도 불구하고 그의 존재에 위협을 느꼈기 때문에 결국 그를 포박한 다음 회음후로 좌천시켰다. 그리고 장안을 벗어날 수 없도록 감시의 눈을 소홀히 하지 않았다.

어느 날 고조 유방은 한신과 함께 장수들의 역량에 관한 이야기를 하던 중 다음과 같은 질문을 던졌다.

"과인은 몇 만의 군사를 통솔할 수 있는 장수감인가?"

"아뢰옵기 황공하오나 전하께서는 10만 정도를 통솔할 것 같습니다."

"그렇다면 그대는?"

"예, 신은 병사가 많으면 많을수록 좋습니다."

"많으면 많을수록 좋다?"

고조는 가소롭다는 듯이,

"그렇다면, 그대가 어찌하여 10만의 장수감에 불과한 과인의 포로가 되었는가?"

그러자 한신은 다음과 같이 대답했다.

"전하, 그것은 지금 말한 것과는 별개의 문제입니다.
전하께서는 병사의 장수가 아니라 장수의 장수입니다.
이것은 신이 전하의 포로가 된 이유의 전부입니다."

* 지식&파워..

다다익선(많으면 많을수록 더욱 좋다는 말.)

多:많을 다 多:많을 다 益:더할 익 善:착할 · 좋을 · 잘할 선

동의어: 다다익판(多多益辦)

반의어: 과유불급(過猶不及)

출전: 사기의 회음후열전

하잖은 원숭이라도 자식을 잃으면 창자가 끊어질 듯한 슬픔과 괴로움이 있는 것이다

진나라의 환온이 촉 땅을 정벌하기 위해 여러 척의 배에 군사를 나누어 싣고 양자강 중류의 협곡 삼협(사천 · 호북 두 성의 경계에 있는 양자강 중류의 세 협곡)을 지날 때의 일이다.

환온의 부하가 원숭이 새끼 한 마리를 붙잡아 배에 실었다.

어미 원숭이가 이것을 보고는 뒤따라오다 배에 오르지 못하고 강가에서 슬피 울부짖었다.

이윽고 배가 출발하자 어미 원숭이는 강가의 언덕과 산의 벼랑을 따라 죽도록 배를 좇았다.

배는 한참을 지나 100여 리 쯤 떨어진 곳의 강가에 닿았다. 이때 배를 좇던 어미 원숭이가 순간적으로 배에 뛰어올랐으나 곧 죽고 말았다.

어찌된 영문인지 몰라 부하들은 그 죽은 어미 원숭이의 배를 갈라 보았다. 그런데 이상하리 만큼 배속의 창자가 마디마디 끊어져 있었다. 그 얼마나 애가 탔으면 그토록 창자의 마디마디가 끊어져 있을까?

이 사실을 알게 된 환온은 크게 화를 내면서 그 원숭이 새끼를 붙잡아 배에 태운 부하에게 무섭도록 매질한 다음 내쫓았다.

* 지식&파워

단장(창자가 끊어질 듯한 슬픔이나 괴로움을 이르는 말.)

斷:끊을 단 腸:창자 장

유의어: 단장지사(斷腸之思) 단혼(斷魂)

출전: 세설신어의 출면 편 / 채염의 호가가

분수를 모르고 덤비는 사람이 있다면 피하는 것이 상책이다

☞ 제나라 장공은 부국강병을 통한 천하의 패권을 꿈꿨다. 어느 날 수레를 타고 사냥 길에 올랐는데, 행차를 본 백성들이 길가에 엎드려 경의를 표했다. 그러나 그때 벌레 한 마리가 마치 도끼 같은 두 앞다리를 휘두르며 장공의 수레를 향해 공격할 듯 덤벼들었다.

수레가 막 그 벌레를 치려는 순간 창공이 마차를 세웠다.

"참 맹랑한 놈이로군. 저건 무슨 벌레인가?"

"저것은 사마귀라는 벌레입니다. 이 벌레는 앞으로 나아갈 줄만 알았지 뒤로 물러설 줄은 모릅니다. 이 벌레야 말로 제 힘은 생각하지도 않고 적을 가볍게 여깁니다." 그러자 장공은 이렇게 말했다.

"만일 이 벌레가 사람이라면, 틀림없이 천하의 날랜 용사가 될 것이다." 하고는 수레를 옆으로 돌려 피해 가게 했다.

☞ 문선에 보면, 삼국 시대로 접어들기 직전 진림이 원소를 위한 격문에 당랑지부란 말이 나온다.

"조조는 이미 힘을 잃어 의지할 인물이 못된다. 그러니 모두 원소와 같이 천하를 도모함이 마땅하다. 지금 조조의 군사는 겁을 먹고 밤낮없이 도망치는데, 이는 사마귀가 제 분수도 모른 채 도끼 같은 앞다리를 휘둘러 수레의 앞길을 막으려 하는 것과 조금도 다를 바 없다."

* 지식&파워..

당랑거철(사마귀가 앞발을 들어 수레를 막는다는 뜻으로, 자기 분수도 모르고 강한 적에게 반항하여 덤벼듦을 비유하여 이르는 말.)

螳:버마재비 당 螂:버마재비 랑 拒:막을 거 轍:수레바퀴 자국 철

동의어: 당랑당거철(螳螂當車轍) 당랑지력(螳螂之力) 당랑지부(螳螂之斧)

유의어: 당랑규선(螳螂窺蟬) 당랑박선(螳螂搏蟬)

출전: 한시외전 / 문선

뛰어난 인물은 보통 사람보다 늦게 성공한다

☞ 삼국 시대 위나라에 최염이라는 용맹한 장수가 있었다.

그에게는 최림이라는 사촌 동생이 있었는데, 그는 외모가 시원치 않아서인지 출세를 못했다. 따라서 일가 친척들도 그를 무시한 것이다.

그러나 최염만은 그의 재능을 알아보고 이렇게 말했다.

"큰 종이나 솥은 그리 쉽게 만들어지는 것이 아니다.
그와 마찬가지로 큰 인물도 오랜 시간이 걸려 만들어지는 법이다.
너도 그처럼 '대기만성' 형이다.
그러니 너는 반드시 큰 인물이 될 것이다."

과연 그의 말대로 최림은 후일 천자를 보좌하는 삼공 중의 한 사람이 되었다.

☞ 후한의 광무제 때 마원이란 명장이 있었다. 그는 지방의 관리로 출발하여 북파장군까지 된 인물이다.
복파장군이란 전한 이후 장수가 싸움에서 큰 공을 세웠을 때 주어지는 칭호이다.

마원이 지방 관리로 임명되었을 때의 일이다.
그는 부임을 앞두고 생전 처음 형을 찾아갔다. 이때 형인 최황은 다음과 같이 충고했다.

"너는 이른바 '대기만성' 형이다. 예컨대 막 산에서 베어낸 거친 원목을 솜씨 좋은 대목(큰 건축 일을 잘하는 목수.)이 시간과 노력으로 재목을 만들 듯, 너도 네 재능을 살려 꾸준히 노력하면 큰 인물이 될 것이다. 그러니 부디 자신을 소중히 해라."

☞ 노자의 말에서도,

"밝은 도는 어두운 것 같고, 나아가는 도는 물러서는 것 같고, 평탄한 도는 험한 것 같다.
최상의 덕은 골짜기와 같고, 너무 흰 것은 더러운 것 같고, 넓은 덕은 부족한 것 같고, 세운 덕은 변하는 것 같고, 큰 네모는 구석이 없다."

다시 말해 '큰 사각형은 모서리가 보이지 않는 것과 같고, 큰 그릇은 오랜 시간 공을 들여야 만들어진다.'

따라서 큰 인물은 짧은 시간에 만들어지지 않는 법이다.

* 지식&파워..
대기만성(남달리 뛰어난 큰 인물은 보통 사람보다 늦게 대성한다는 뜻으로, 과거 시험에 낙방한 선비를 위로하여 이르던 말.)
大:클 대 器:그릇 기 晩:늦을 만 成:이룰 성
동의어: 대기난성(大器難成) 유의어: 대재만성(大才晩成)
반의어: 대방무우(大方無隅)
출전: 삼국지의 위지 최염전 / 후한서의 마원전 / 노자의 41장

크게 보면 한 가지요, 작게 보면 각각 다른 법이다

장자는 천하 편에서 묵가(墨家)와 법가(法家) 등이 주장하는 논점을 밝혀 비판하고 도가의 사상을 널리 알렸다. 또한 뒷부분에 가서는 친구 혜시(惠施)의 논리학을 소개하고 이에 대한 자기의 의견을 제시했다.

혜시의 말 중에는 대동소이라는 말이 있는데, 장자는 그것을 다음과 같이 말했다.

"혜시의 저술은 다방면에 걸쳐 다섯 수레나 되는데 그의 도는 복잡하고, 그가 말하는 바는 정곡을 잃었으며, 그의 생각은 만물에 걸쳐 있다.

그는,

'지극히 커서 밖이 없는 것을 대일이라 하고, 지극히 작아서 속이 없는 것을 소일이라 한다.

두께가 없는 것은 쌓아올릴 수가 없지만, 그 크기는 천리나 된다.

하늘은 땅과 더불어 낮고, 산은 좋은 연못과 같이 평평하다.

해는 장차 중천에 뜨지만 장차 기울고, 만물은 장차 태어나지만 또한 장차 죽는다.

크게 보면 한 가지 같지만 작게 보면 각각 다르다. 이것을 소동이라고 말한다.

만물은 크게 보면 한 가지이지만 각각 다르니, 이것을 대동이라 한다.

남쪽은 끝이 없음과 동시에 끝이 있고, 오늘 남쪽의 월(越)나라로 간 것은 어제 월나라에서 온 것이다. 나는 꿰어 있는 고리도 풀 수가 있다. 또한 나는 천하의 중심을 알고 있다. 연(燕)나라의 북쪽이며 월나라의 남쪽이 그곳이다. 만물을 넓게 차별 없이 사랑하면 천지(天地)도 하나가 된다.'

본래 혜시는 자기가 천하를 달관한 자라고 자부하여, 이로써 여러 사람을 가르친 것이다."

여기에서의 대동소이란 상대적 관점에서 보이는 차이는 차이가 아니라는 말로 쓰이지만, 오늘날에는 거의 비슷하다든지, 그게 그것이라는 의미로 쓰이고 있다.

* 지식&파워...

대동소이(크게 보면 한 가지로 보이고, 작게 보면 각각 다르게 보인다는 뜻을 가지고 있으며, 오늘 날에는 비슷비슷하다는 말로 쓰임.)

大:큰 대 同:한 가지 동 小:적을 소 異:다를 이

유의어: 오십보백보(五十步百步)

출전: 장자의 천하 편

나라의 대의를 위해서는 부모 형제보다 나라를 우선해라

춘추 시대인 주나라 환왕 원년, 노은공 4년 때의 일이다.

위나라 공자 주우가 환공을 죽이고 스스로 임금이 되었는데, 환공은 진나라에서 맞이한 후궁의 아들이고, 주우는 또 다른 후궁의 아들로 이들은 이복 형제간이다.

주우는 황공과 달리 과격하고 거침없는 성격의 소유자로 일찍부터 역심을 품고 있었다.

그것을 알고 있는 대부 석작은 아들 석후에게 주우를 만나면 곤경에 처할 것이니 만나서는 안 된다고 신신당부했다.

그러나 아들 석후는 아버지의 말을 끝내 거역하고 주우와 행동을 같이 했다.

장공이 세상을 떠나고 환공이 즉위하자 석작은 관직에서 물러났다.

그러던 어느 날 석작이 그렇게도 우려했던 주우의 역모가 시작된 것이다.

일단 역모에 성공한 그들은 공을 앞세워 자신의 지위를 얻고자 갖가지 방법을 동원했고, 다른 한편으로는 백성들과 귀족들을 회유시키려 했다. 하지만 그들은 쉽게 따르지 않았다.

그러자 석후는 아버지 석작에게 그 이유와 해결책을 물었다.

아버지 석작은 아들 석후에게 이렇게 대답을 했다.

"역시 천하의 종실인 주왕실을 찾아뵙는 것이 좋을 것이다."

"어떻게 하면 천자를 만날 수 있을까요?"

"먼저 주왕실과 사이가 좋은 진나라 진공을 통해 부탁해라."

그 후로 주우와 석후가 진나라로 떠나기 전에 앞서 진나라에 밀사를 보낸 그는,

"주우와 석후는 임금을 죽인 반역자이니 적절히 조치하여 대의를 바로잡아 주십시오."

석작의 부탁을 받은 진나라 진공은 주우와 석후를 도착한 즉시 잡아 가두고는 처형에 앞서 위나라에 입회할 사람을 요청했다.

이때 석작은 진나라가 자신의 아들을 체면상 살려 보내지나 않을까 염려하여 심복에게 직접 처형토록 했다.

* 지식&파워..

대의멸친(백성으로서 마땅히 해야 할 도리를 위해서라면 친족도 멸한다는 뜻으로, 나라의 대의를 위해서는 부모 형제 역시도 돌보지 않는다는 말.)

大:클 대 義:옳을 의 滅:멸할 멸 親:친할 · 육친 친

출전: 춘추좌씨전

천금의 부와 명성은 오래 갖는 것이 아니다

☞ 도주공은 월나라 구천의 신하였던 재상 범려의 노년 이름이다. 그는 구천을 도와 오나라 부차를 꺾고 회계에서 있었던 치욕을 설욕했다.

그때 그는 상장군에 임명되어 영화를 누릴 수도 있었다. 하지만 관직을 사양하고 제나라로 떠나면서,

"구천과 환란은 같이 할 수 있어도 영화는 누릴 수 없다."

그는 제나라에 와서 이름을 치이자피로 바꾸었다.

그리고 스승 계연의 가르침에 따라 장사를 시작했는데, 여기서 수천만의 재산을 모았다.

제나라에서 그의 재능을 높이 평가하여 재상으로 추대하려 하자, 그는 재상의 자리에 잠깐 오른 뒤 곧 벼슬을 놓았다.

그러면서 그는,

"천금의 부를 누리면서 재상까지 된다는 것은 영화의 극치다. 명성을 오래 갖는 것은 옳지 않다."

그 후 자신의 재산을 아낌없이 백성들에게 나누어 준 뒤 도(陶) 땅으로 거처를 옮겼다. 그리고 이름을 주(朱)로 바꾼 주공은, 이곳이 천하의

중앙에 위치한 관계로 여러 제후들과 교역을 쉽게 할 수 있으리라 판단했다.

그래서 그는 이곳에 산업 기반을 두어 제품을 쌓았다. 그리고 시기에 맞게 물건을 팔아 이익을 남긴 것은 물론 다른 장사치와는 다르게 일꾼들을 착취하지도 않았다.

그렇게 19년 동안 세 차례나 천금의 재산을 만들었으며, 그 중 두 번은 가난한 사람들에게 나누어 주었다.

그래서 사람들은 그를 일러 상경이라 불렀다.

☞ 의돈은 춘추 시대 노나라 사람으로 식구들의 생계조차 책임지지 못하는 가난한 선비였다.

어느 날 그는 돈을 벌기로 마음먹고 10년이라는 긴 세월을 목축업에 매달렸다. 그리고 그렇게 번 돈으로 소금에 투자하여 엄청난 재산을 모았다.

* 지식&파워..

도주지부(도주공의 부라는 뜻으로, 억만장자를 일컫는 말.)

陶:질그릇 도 朱:붉을 주 之:갈 지(…의) 富:부유할 부

출전: 사기의 화식열전

문제로 삼지 않을 것이라면 안중에도 두지 마라

후한의 시조 광무제 때의 일이다.

광무제 유수는 신나라의 왕망을 몰아내고 유현을 황제로 삼아 한나라를 재건했다.

유수는 대사마가 되어 동마 · 적미 등의 반란군을 제압했다. 그 후 부하들의 추대로 제위에 올랐으나 여전히 천하 통일의 싸움은 계속되었다.

마침내 제나라와 강회의 땅이 수중에 들어오자 중원은 거의 광무제의 세력권에 있었다. 하지만 벽지인 서쪽의 진 땅에 웅거하는 외효와 역시 산간 오지인 촉 땅의 성도에 거점을 둔 공손술만은 끝내 항복하지 않았다.

이 두 세력에 대해 중신들은 거듭 이 두 반군의 토벌을 주장하였으나 광무제는 다음과 같은 말로 거절했다.

"이미 중원은 평정되었으니 이제 그들은 문제시할 것 없다."

이처럼 광무제는 오랫동안 고생한 병사들을 하루라도 빨리 고향으로 보내어 쉬게 해 주고 싶었던 것이다.

* 지식&파워……………………………………………………………………………

도외시(문제로 삼지 않고 가외의 것으로 보아 넘김. 안중에 두지 않음. 불문에 붙임.)

度:법도 도 外:바깥 외 視:볼 시

유의어: 도외치지(度外置之) 치지도외(置之度外) 반의어: 문제시(問題視)

참고: 오합지중(烏合之衆) 정중지와(井中之蛙) 출전: 후한서의 광무기

길에서 듣고 길에서 말한 것은 옮기지 마라

☞ 공자의 논어 '양화 편' 에,

길에서 듣고 길에서 말하는 것은 덕을 버리는 것이다.
다시 말해,
본디 사람이란 좋은 말은 그것을 마음속에 깊이 간직하고 생각한 후, 그것을 몸소 실천하여 자기 것으로 만들지 못하면 덕을 쌓을 수가 없다는 말이다.

☞ 후한 시대 역사가인 반고의 한서 '예문지' 에,

대체로 소설이란 것은 민간의 풍속이나 정사를 살피려고 임금이 하급 관리인 패관에게 세상사 이야기를 모아 기록하게 한 것이다.
즉, 길거리에서 들은 말을 길거리에서 만들어 지어낸 것이다.
소설이란 말은 이런 의미에서 원래 '패관소설' 이라고 일컬었으나 현재는 '소설' 이라고 말한다.

☞ 순자의 권학 편에는 말이 많음을 이렇게 훈계하고 있다.

"소인의 학문은 귀로 들어와서 곧 입으로 흘려 마음속에 새기려 하지 않는다.
귀와 입 사이는 불과 네 치인데, 이처럼 짧은 거리를 지날 뿐이라면, 어찌 일곱 자 몸을 훌륭하게 닦을 수 있겠는가."

"옛날에 학문을 한 사람들은 자기 자신을 닦기 위해서 노력했지만,

요즘 사람들은 배운 것을 금방 다른 사람에게 전하고, 그것을 자신의 마음속에 새기려 하지 않는다.

군자의 학문은 자기 자신을 아름답게 하지만, 소인의 학문은 사람에게 해를 끼친다.

때문에 묻지 않은 말도 쉽게 입 밖으로 내는데 이것을 '잔소리' 라 하며, 하나를 묻는데 둘을 말하면 이것이 '수다' 인 것이다.

이는 둘 다 잘못된 것이다.

참된 군자는 묻는 말에만 대답하고 묻지 않는 것은 말하지 않는다."

* 지식&파워……………………………………………………………………………

도청도설(거리에서 들은 것을 곧 남에게 이야기한다는 뜻으로, 깊이 생각하지 않고 흘려듣듯이 남에게 옮김.)

道:길 도 聽:들을 청 塗:길 도 說:말씀 설

유의어: 가담항설(街談巷說) 가설항담(街說巷談) 구이지학(口耳之學)

출전: 논어의 양화 편 / 한서의 예문지 / 순자의 권학 편

아픔을 함께한 사람에게 은혜를 원수로 갚아서는 안 된다

전국 시대 오나라의 공자 광은 사촌 동생인 오왕 요를 시해한 뒤 오왕 합려라 일컫고, 자객을 천거하는 등 반란에 적극 가담한 오자서를 중용했다.

그는 7년전 태자태부로 있던 아버지와 관리였던 맏형이 전 초나라의 태자 소부 비무기의 모함에 의해 역적의 누명을 쓰고 처형을 당했다. 그러자 그는 복수를 결심하고 오나라로 망명했던 것이다.

오자서가 반란에 적극 가담한 것도 실은 유능한 광(합려)이 왕위에 오르면, 초나라를 공략해 아버지와 형의 원수를 갚게 될 것으로 믿었기 때이다.

그 해 또 비무기의 모함으로 아버지를 잃은 백비가 오나라로 피신해 왔다. 그러자 오자서는 그를 오왕 합려에게 천거하여 대부 자리에 오르게 했다.

이 사실이 알려지자 대부 피리는 오자서를 따지듯 비난했다.

"백비의 눈길은 매와 같고 걸음걸이는 호랑이와 같으니, 이는 필시 살인할 상이오.
그런데 귀공은 무슨 까닭으로 그런 인물을 천거했습니까?"

오자서는,
"별다른 이유는 없습니다. 과거 나의 처지와 같기 때문이지요."

그것은 병을 앓는 사람이 서로 불쌍히 여기는 것과 같은 이치이다.

그로부터 9년 후 합려가 초나라에 대승함으로써 오자서와 백비는 마침내 원수를 갚을 수 있었다.

그러나 그 후 오자서는 같은 처지의 백비를 이끌어 주었다.

그런데 대부 피리의 예언대로 적대국 월나라의 뇌물에 매수된 그가 가 이적 행위를 하게 된 것이다.

결국 오자서는 은혜를 원수로 갚은 백비의 모함을 받게 되자 분을 이기지 못하고 죽었다.

* 지식&파워..

동병상련(같은 병의 환자끼리 서로 가엾게 여긴다는 뜻으로, 어려운 처지에 있는 사람끼리 동정하고 돕는다는 말.)

同:한 가지 동 病:앓을 병 相:서로 상 憐:불쌍히 여길 련

유의어: 동기상구(同氣相救) 동류상구(同類相救) 동악상조(同惡相助)
동우상구(同優相救) 동주상구(同舟相救) 오월동주(吳越同舟)
유유상종(類類相從)

반의어: 동상이몽(同床異夢)

참고: 와신상담(臥薪嘗膽) 일모도원(日暮途遠)

출전: 오월춘추의 합려내전

정직한 기록은 법 안에서 이루어져야 하는 것이다

춘추 시대, 진나라의 영공은 방탕한 폭군이었다.

당시 재상격인 정경 조순이 이를 자주 문제 삼자, 영공은 이것을 귀찮게 여긴 나머지 자객을 보내 그를 죽이려고 했다.

그러나 조순의 집에 잠입한 자객은 그의 인품에 놀라 결국 충성과 배반 사이에서 갈등하다 스스로 나무에 머리를 부딪고 죽었다.

그러자 이번에는 술자리로 불러내 그를 죽이려고 했는데, 호위관인 제미명이 그를 망명토록 도왔다.

제미명의 도움을 받아 국경을 넘으려는 순간, 대신인 조천이 방탕한 영공을 시해했다는 소식에 그는 다시 도읍으로 돌아왔다.

그런데 무슨 영문인지 태사로 재직하던 동호가 공식 기록에 이렇게 적었다.

'조순, 군주를 시해하다.'

조순이 이 기록을 보고 항의하자 동호는,

"물론, 대감께서는 분명히 시해하지는 않았습니다.

그러나 대감은 당시 국내에 있었고, 또 도읍으로 돌아와서도 범인을 처벌하려 하지도 않았습니다.

따라서 대감께서는 공식적으로 보았을 때는 시해자가 되는 것입니다."

이 말을 들은 조순은 자신의 맡은 바 임무에 문제가 있음을 인정하고 동호의 뜻에 따랐다.

훗날 공자는,

“동호는 옛날의 훌륭한 사관이다. 법에 따라 굽힘없이 썼다.
조선자(조순)도 역시 옛날의 훌륭한 대부이다. 법에 따라 악명을 감수했다.
아깝도다.
국경을 넘어갔더라면 악명은 면했을 텐데……”

동호직필이란, 이와 같이 권세에 굽히지 않고 원칙에 따라 있는 그대로를 기록함. 즉 직필이라고도 한다.

* 지식&파워……………………………………………………………………………

동호지필(‘동호의 직필’이라는 뜻으로, 정직한 기록 또는 권세를 두려워하지 않고 사실 그대로를 기록하여 역사에 남기는 일.)

董:동독할 동 狐:여우 호 之:갈 지(…의) 筆:붓 필

동의어: 태사지간(太史之簡)

출전: 춘추좌씨전의 선공 2년 조

사람의 욕심은 끝이 없는 것이다

☞ 후한을 세운 광무제 유수가 처음으로 낙양에 입성하여 이를 도읍으로 정하고 한을 재건했을 때의 일이다.

당시 전한 말 중국은 도읍 장안을 점령한 도적 출신 적미지적의 유분자를 비롯하여 농서(감숙성)에 외효, 촉(사천성)에 공손술, 수양(하남성)에 유영, 노강(안휘성)에 이헌, 임치(산동성)에 장보 등이 활거하고 있었다. 그런데 그 중 유분자 · 유영 · 이헌 · 공손술 등은 스스로가 황제이기를 자처한 사람들이다.

광무제는 한을 재건한 후, 농서의 외효와 촉의 공손술을 제외한 이들을 하나씩 토벌하여 복속시켰다.

그 중 세력이 약한 농서의 외효는 광무제와 촉의 공손술 사이를 오가며 쌍방 외교로 명맥을 유지하려 했으나 실패로 그가 죽자, 그의 외아들 외구순이 광무제에게 항복함으로써 마침내 농서도 후한의 손에 들어갔다.

이때 광무제가 잠팽에게 보낸 편지에서 다음과 같은 말을 했다.

"두 성이 함락되거든 곧 군사를 거느리고 남쪽 촉나라 오랑캐를 쳐라. 사람들은 만족할 줄 모르기 때문에 고통스러운 것이다.

이미 농을 얻었는데 다시 촉을 바라게 되는구나. 매번 군사를 전쟁터로 보낼 때마다 그로 인해 머리털이 희어지는구나."

그로부터 4년 후, 광무제는 대군을 이끌고 촉의 공손술을 공격하여 마침내 천하를 통일하고 수십 년의 전쟁을 끝냈다.

☞ 광무제 때로부터 약 200년 후인 후한 헌제 말, 즉 삼국 시대가 개막되기 직전의 일이다.

헌제 20년, 촉을 차지한 유비가 오의 손권과 다투고 있는 사이 위의 조조는 단숨에 한중(섬서성 서남쪽 한강 북안의 땅)을 점령하고 농을 손에 넣었다.

그러자 명장 사마의(자는 중달, 진나라를 세운 사마염의 할아버지)가 이때 조조에게 말했다.

"이 기회에 촉(익주)의 유비를 치면 촉도 쉽게 얻으실 수 있을 것으로 봅니다."

그러자 조조가 머리를 옆으로 흔들며,

"사람은 만족하는 일이 없기 때문에 늘 괴로운 것이다. 이미 농을 얻었으니 촉까지 바랄 수야 있겠느냐."

실은 당시의 조조군으로 촉을 토벌하려 했으나 힘이 부쳐 결국 '계륵' 이란 말을 남기고 철수했다.

* 지식&파워…………………………………………………………………………

득롱망촉(농의 땅을 얻고 나니 촉의 땅이 탐난다는 말로, 사람의 욕심은 끝이 없음을 이르는 말.)

得:얻을 득 隴:땅이름 롱 望:바랄 망 蜀:나라 이름 촉

동의어: 망촉지탄(望蜀之歎)

유의어: 거어지탄(車魚之歎) 계학지욕(谿壑之慾) 차청차규(借廳借閨)

참고: 계륵(鷄肋) 준말: 망촉(望蜀)

출전: 후한서의 광무기, 헌제기 / 삼국지의 위지

용문에 오른다는 것은 극한을 극복하는 것과 같다

하진은 일명 용문이라고 하는데, 용문은 황하 상류의 산서성과 섬서성의 경계에 있는 협곡의 이름이다.

이곳은 급류의 물살이 어찌나 세차고 빠른지 배가 다닐 수도 없고, 큰 물고기도 급류를 거슬러 올라가지 못한다고 한다. 그러나 일단 그 물고기가 올라가면 용이 된다는 전설이 있다.

'용문에 오른다' 는 말은 어떤 극한을 극복하면 반드시 눈부시게 발전할 기회를 얻을 수 있다는 말이다.

중국에서는 진사 시험에 합격하는 것이 입신출세의 첫걸음으로 이것을 '등용문' 이라 했다.

후한 말, 환제 때 기강이 문란한 궁궐 안에 있으면서도 선현들의 가르침을 실천하고 고결함을 잃지 않는 사람이 있었다. 그가 바로 이응(자는 원례)이다. 그런 그도 '오사' 의 환관으로부터 미움을 사게 되고 결국에는 투옥 당했다.

그러나 그 후 지인의 추천으로 사예교위(경찰청장)가 되었다. 이때 환관의 온갖 횡포와 잔학함에 맞서 싸웠다. 그러자 태학의 젊은 학생들은 그를 가리켜 '천하의 본보기는 이원례' 라 일컬었거니와 신진 관료들도 그와 친분을 맺거나 추천받는 것을 대단한 명예로 알고 이를 '등용문' 이라 했다.

* 지식&파워..

등용문(용문에 오른다는 뜻으로 입신출세의 어려운 관문을 비유하여 이르는 말.)

登:오늘 등 龍:용 룡 門:문 문

반의어: 용문점액(龍門點額) 점액(點額): '점' 은 상처를 입는다는 뜻이고, '액' 은 이마를 뜻하는 말로 용문을 오르다 실패한 물고기를 말한다. 즉 낙오자를 가리키는 말이다.

출전: 후한서의 이응전

불가능한 일이라 생각되어도 꾸준히 참고 노력하면 반드시 목적한 바를 이룰 수 있다

당나라 때 시선으로 불린 이백(자는 태백)은 아버지를 따라 어린 시절을 촉 땅의 성도에서 자랐다. 젊은 시절 도교에 심취했던 이백은 호걸들과 어울려 사천성에 있는 산을 떠돌기도 했다. 이때 훌륭한 스승을 찾아 상의산으로 들어간 이백은 어느 날 갑자기 공부가 싫어져 스승도 모르게 산을 내려왔다. 그리고 집을 향해 가던 중, 한 노파가 냇가에 앉아 열심히 바위에 도끼를 갈고 있었다. 이백은 너무나 궁금해서 노파에게 물었다.

"할머니, 지금 뭘 하세요?"

"바늘을 만들기 위해 도끼를 갈고 있지."

노파의 말에 이백은 어이없다는 듯,

"아니, 도끼를 간다고 바늘이 되나요?"

"그럼, 중도에 포기만 하지 않는다면 언젠간 이 도끼는 바늘이 되는 거야."

이 말을 들은 이백은 크게 깨달은 바가 있어 오직 공부에 매달렸다.

그 후 이백은 마음이 흔들릴 적마다 냇가의 노파를 생각했고, 그것을 거울삼아 자신의 학문에 정진할 수 있었다.

* 지식&파워..

마부작침(도끼를 갈아서 바늘을 만든다는 뜻으로, 아무리 어려운 일이라도 참고 꾸준히 노력하면 반드시 목적을 달성할 수 있음을 비유하여 이르는 말.)

磨:갈 마 斧:도끼 부 作:만들(지을) 작 針:바늘 침

동의어: 마부위침(磨斧爲針) 마저작침(磨杵作針) 철저성침(鐵杵成針)

유의어: 수적천석(水滴穿石) 우공이산(愚公移山) 적토성산(積土成山)

출전: 당서의 문예전 / 방여승람

남의 의견이나 충고에 귀를 기울이지 않는다면 곧 후회할 것이다

당나라의 유명한 시인 이백이 벗 왕십이로부터 당시의 정치 현실에 대하여 불우한 심정을 토로한 '한야독작유회(寒夜獨酌有懷: 추운 밤에 홀로 술잔을 기울이며 느낀 바 있어서)'라는 시 한 수를 받자 이에 답하여 '답왕십이한야독작유회(答王十二寒夜獨酌有懷)'라는 시를 보냈는데, '마이동풍'은 마지막 구절에 나온다.

"술을 마셔 만고의 쓸쓸함을 씻어 버리게. 그대처럼 고결하고 뛰어난 사람은 지금의 세상에서 쓰이지 않는 것이 당연하네.

지금 세상은 투계(당나라 시대에 왕후 귀족들이 즐겼다는 닭싸움)에 뛰어난 자가 천자의 사랑을 받고, 오랑캐의 침입을 막아 공을 세운 자가 권력을 잡고 거드름을 피우는 세상인데, 자네나 나나 그런 사람들을 흉내 낼 수도 없고 오직 시를 짓는 것뿐이니, 지금 세상에 그런 것은 술 한 잔의 가치도 없는 것이네. 어디 그뿐인가 세상 사람들은 이를 듣고도 모두 머리를 흔드니 동풍이 말의 귀를 흔드는 것과 같은 것이라네."

라고 답한 시에서 유래되었다.

* 지식&파워..

마이동풍(말의 귀에 동풍(봄바람)이 불어도 전혀 느끼지 못한다는 뜻으로, 남의 의견이나 충고의 말을 귀담아듣지 아니하고 흘려버림을 이르는 말.)

馬:말 마 耳:귀 이 東:동녁 동 風:바람 풍

유의어: 대우탄금(對牛彈琴) 여풍과이(如風過耳) 오불관언(吾不關焉)

우이독경(牛耳讀經)

출전: 이태백집의 18권

진정한 친구가 있다면 마음을 비워라

☞ 장자의 '대종사현' 에 보면 똑같은 내용의 두 가지 이야기가 나오는데, 하나는 자사 · 자여 · 자려 · 자래의 이야기고, 또 다른 하나는 자상호와 맹자반 그리고 자금강의 이야기로 세상의 사물에 얽매이지 말고 천리를 따라 마음을 비우라는 이야기다.

어느 날 그들 네 사람이 서로 이야기를 나누었다.

"누가 능히 없는 것으로써 머리를 삼고, 삶으로써 척추를 삼고, 죽음으로써 엉덩이를 삼겠는가. 누가 삶과 죽음에 대하여 전부를 알겠는가. 내 이런 사람과 벗이 되리라."

☞ 또 다른 하나는 자상호와 맹자반 그리고 자금강의 이야기다.

자상호 · 맹자반 · 자금강이 이야기를 나누는데,

"누가 서로 더불어 함이 없는데도 누가 서로 더불어 하며, 서로 도움이 없는데 누가 서로 도울 수 있을까. 어느 누가 하늘에 올라가 안개 속에서 놀며, 끝이 없음에 날아 올라가며, 서로 잊음을 삶으로써 하고, 마침내 다하는 것이 있겠는가."

서로 그들은 마음이 통하자 웃으면서 마침내 벗이 되었다고 전한다.

이와 같이 막역지우란 본래 천지의 참된 이치를 깨달아 사물에 얽매이지 않는 마음을 가진 사람 간의 교류를 뜻하는 것이었으나, 오늘날에는 서로 허물없는 친구 사이를 말한다.

* 지식&파워..

막역지우(거슬림이 없는 벗. 즉 뜻이 맞아 서로 허물이 없이 지내는 친구를 일컫는 말.)

莫:없을 막 逆:거스릴 역 之:갈 지(…의) 友:벗 우

유의어: 수어지교(水魚之交) 죽마고우(竹馬故友) 지기지우(知己之友) 지음(知音)

출전: 장자의 내편 대종사

음란하고 사치한 음악은 나라를 망친다

☞ 춘추 시대의 이야기로 위나라 영공이 진나라로 가던 중 복수(산동성 내)에 이르자, 이제까지 들어본 적이 없는 새롭고도 멋진 음악 소리가 들려 왔다.

영공은 자신도 모르는 사이에 발길을 멈추고 음악에 넋을 잃었다. 잠시 후 그는 수행 중인 악사 사연에게 그 음악을 잘 기억해 두었다가 악보로 정리하라고 했다. 이윽고 진나라에 도착한 영공은 진나라 평공 앞에서 사연의 연주를 들으며 '이곳으로 오는 도중에 들은 새로운 음악' 이라고 자랑했다.

당시 진나라에는 음악을 연주하면 학이 춤을 추고 흰구름이 몰려들 정도로 유명한 사광이라는 악사가 있었다.

그는 위나라 영공이 새로운 음악을 들려준다기에 급히 입궐했는데, 그 음악을 듣고는 깜짝 놀랐다.

황급히 사연의 연주를 중지시키면서 이렇게 말했다.

"그것은 새로운 음악이 아니라 '망국의 음악' 이오"

이 말에 깜짝 놀란 영공과 평공에게 사광은 그 내력을 말해 주었다.

"그 옛날 은나라 폭군 주왕에게는 사연이란 악사가 있었습니다.

당시 사연이 만든 신성백리라는 음란하고 사치스런 음악에 도취된 그는 주지육림에서 음탕하게 놀다가 결국은 주나라 무왕에게 살해되었습니다.

그러자 사연도 동쪽으로 달아나다 복수(산동성 내)에서 악기를 안고 투신 자살했습니다.

이 음악을 들은 사람은 그 나라를 반드시 잃었으므로 그 곡을 끝까지 연주해서는 안 됩니다."

그래도 평공은 이 연주를 끝까지 들었다.

결국 진나라는 오랜 가뭄에 시달렸고, 영공은 심한 질병에 걸려 나라를 다스릴 수 없게 되었다. 그 후로도 복수(산동성 내)에서는 누구나 이 음악을 들을 수 있었는데, 사람들은 '망국의 음악' 이라고 무서워하여 그곳을 지날 때엔 귀를 막는 것이 당연하다고 생각했다.

☞ 예기의 악기에도 이런 기록이 있다.

"음악은 사람의 마음에서 우러나오는 자연적인 것으로 사람은 음악을 들음으로써 그 음악에 의해 정치적인 정세와 민심의 동향을 살필 수가 있다.

대체로 보아 음악은 사람의 마음에서 비롯되는 것이다. 그리고 감정의 움직임에 의해 소리가 나타난다. 소리는 글을 이루니 이것을 음악이라고 말한다."

그리고 복수에서 들려오는 음악 소리는 망국지음이라고 마지막 장에 나온다.

* 지식&파워…………………………………………………………………

망국지음(나라를 망치게 하는 음악이란 뜻으로, 음란하고 사치한 음악. 망한 나라의 음악. 슬픔을 가진 음악을 말함.)

亡:망할 망 國:나라 국 之:갈 지(…의) 音:소리 음

동의어: 망국지성(亡國之聲)

유의어: 정위지음(鄭衛之音)

출전: 한비자의 십과 편 / 예기의 악기 편

내가 있는 세상보다 더 넓은 세상이 있음을 알면 겸손해진다

옛날 황하 중류의 맹진(하남성 내)에 하백이라는 신이 있었다.
어느 날 아침, 그는 금빛 찬란한 강물을 보고 감탄하며 이렇게 큰 강은 또 없을 거야,

그러자 뒤에서 늙은 자라가 말을 했다.
"그렇지 않습니다."

"그럼, 황하보다 더 큰 강이 있단 말이지?"

"그렇습니다. 제가 듣기로는 해가 뜨는 쪽으로 북해가 있는데, 이 세상의 모든 강물이 봄 · 여름 · 가을 · 겨울 어느 때나 늘 그 곳으로 흘러들기 때문에 그 넓이는 실로 황하의 몇 배나 된다고 합니다."

황하 중류의 맹진을 떠나 본 적이 없는 하백은,
"정말 그런 큰 강이 있을까? 어쨌든 내 눈으로 직접 보기 전엔 못 믿겠어."

진정 하백은 늙은 자라의 말을 믿으려 들지 않았다.
이윽고 가을이 오자, 여러 날을 멈추지 않고 계속되는 비에 황하는 강폭이 몇 배나 넓어졌다. 그것을 본 하백은 불현듯 지난날 늙은 자라의 말이 생각났다.
그래서 그는 이 기회에 강의 하류를 따라 북해를 한 번 보기로 했다.

하백이 북해에 이르자,

그 곳의 해신인 약이 반겨 주었다.

"잘 왔소. 진심으로 환영합니다."

북해의 해신이 손을 들어 허공을 가르자 파도는 잠잠해지고 눈앞에는 거울과 같은 바다가 펼쳐졌다.
세상에 황하 말고도 이처럼 큰 강이 있었다는 것을 알게 된 하백은 자신이 너무나도 부끄러웠다.

"나는 북해가 크다는 말만 들었지 지금껏 믿지 않았습니다. 세상 모르고 살아온 내가 이렇게 북해를 보지 않았더라면 나는 나의 짧은 생각을 깨닫지 못했을 것입니다."

북해의 해신 약이 웃으면서,
"당신은 그 동안 '우물 안 개구리' 였군요. 넓은 바다가 있었다는 것을 몰랐다면 다른 세계가 있다는 것을 알리도 없고, 자신의 도리도 모를 뻔했습니다. 그러나 지금 그대는 깨닫게 된 것입니다."

* 지식&파워..

망양지탄(넓은 바다를 보고 감탄한다는 뜻으로, 남의 원대함에 감탄하고 나의 미흡함을 부끄러워함. 어떤 일에 있어서 자신의 힘이 미치지 못할 때의 탄식.)

望:바랄 · 바라볼 망 洋:바다 양 之:갈 지(…의) 歎:탄식할 · 감탄할 탄

참고: 정중지와(井中之蛙)

출전: 장자의 추수 편

나라의 멸망을 탄식하기에 이르면 이미 때는 늦은 것이다

☞ 중국 고대 3왕조의 하나인 은나라 주왕은 술과 포악한 정치를 일삼았다. 그때 이를 성실히 충언한 신하 중, 왕족 삼인(三仁)이 있었다.

그들이 바로 미자 · 기자 · 비간이다.

미자는 주왕의 배 다른 형이지만, 형으로서 누차 충언을 했다.

하지만 주왕이 그의 충언을 듣지 않자 국외로 망명을 했고, 이어서 기자도 뒤를 따랐다.

이때 기자는 신분을 숨기기 위해 천한 종살이를 하면서 살았다.

한편 왕자 비간도 끝까지 충언하다 결국 몸을 찢기는 극형을 당하고 말았다.

이런 일이 있은 후로 삼공(왕을 보좌하던 세 제후) 중 한 사람이었던 서백(훗날의 주문왕)의 아들 발이 주왕의 죄를 물어 처형을 하자 곧 천하는 바뀌었다.

주나라의 시조가 된 무왕 발은 은왕조의 제사를 모시기 위해 미자를 송왕(宋王)으로 봉했다.

그리고 기자도 무왕의 보좌로 있다가 조선왕(朝鮮王)으로 책봉되었다.

한때 기자는 망명지에서 무왕의 부름을 받고 주나라로 가던 중, 옛 도읍지인 은나라를 지나게 되었다.

기자는 그 찬란했던 옛 도읍지가 폐허로 변하여 지금은 온데간데없고, 보리와 기장만이 무성하게 자란 것을 탄식하여 다음과 같은 시를 읊었다.

'보리는 이삭이 돋아 무럭무럭 자라나고 벼와 기장(벼과의 일년초)도 윤기가 흐르는데,

교활하고 어리석은 자(주왕)가 나의 말을 듣지 않았음에 슬프구나.'

☞ 기자 동래설에 대하여

기자는 주왕의 횡포를 피하여, 혹은 주나라 무왕이 그를 조선왕으로 책봉함에 따라 조선에 들어와 예의와 밭갈이, 누에치기와 베 짜기, 백성의 교화를 위한 팔조지교(여덟 조항으로 된 금지 법령)를 가르쳤다고는 하지만, 그것은 후세 사람들에 의해 조작된 것이라는 주장이 제기 된 바있다.

그 실례로 진나라의 무신 정치가이면서도 학자인 두예가 그의 저서 춘추석례에 주석을 달면서,

"기자의 무덤이 양나라의 몽현에 있다."고 적시한 만큼 '기자 동래설' 은 사실이 아니다.

* 지식&파워……………………………………………………………………………

맥수지탄(보리 이삭이 무성하게 자란 것을 보면서 탄식한다는 뜻으로, 고국의 멸망을 탄식함.)

麥:보리 맥 秀:이삭 나올 수 之:갈(어조사) 지 歎:탄식할 · 감탄할 탄

원말: 서리맥수지탄(黍離麥秀之歎)

동의어: 맥수서유(麥秀黍油) 맥수지시(麥秀之詩)

참고: 은감불원(殷鑑不遠) 주지육림(酒池肉林)

출전: 사기의 송미자세가 / 시경의 왕풍 편

학문을 중도에 포기하는 것은 짜던 베의 날실을 끊는 것과 같다

맹자 어머니의 훈육에 관한 이야기다. 어느 날 공부를 하기 위해 집을 떠난 어린 맹자가 갑자기 어머니 생각이 떠올라 집으로 돌아왔다.

이때 맹자의 어머니는 반갑게 맞이하고 싶었지만 베틀에 앉은 채로 맹자에게 물었다.

"그래, 글은 얼마나 배웠느냐?"

"조금 배웠습니다."

맹자의 이와 같은 말에 어머니는 짜고 있던 베의 날실(세로로 놓인 실)을 끊어 버렸다. 그리고 이렇게 타일렀다.

"네가 공부를 중도에 포기하고 돌아온 것은 지금 내가 짜고 있던 이 베의 날실을 끊어 버리는 것과 같은 것이다."

크게 깨달은 맹자는 다시 스승에게로 돌아갔고, 이전보다 더욱 열심히 공부를 하여 마침내 공자에 버금가는 이름난 선비가 되었다.

* 지식&파워..

맹모단기(맹자가 유학을 중도에 포기하고 돌아왔을 때, 그의 어머니가 짜던 베의 날실(세로로 놓인 실)을 칼로 끊어 학업의 중단을 훈계했다는 뜻으로, 학문을 중도에 포기하는 것은 짜고 있던 베의 날실을 끊어 버리는 것과 같다는 말.)

孟:맏 맹 母:어미 모 斷:끊을 단 機:베틀 기

원말: 맹모단기지교(孟母斷機之教) 동의어: 단기계(斷機戒) 단기지계(斷機之戒)

유의어: 맹모단기지교(孟母斷機之教) 맹모삼천지교(孟母三遷之教)

출전: 열녀전의 모의전 / 몽구

교육에는 무엇보다 환경이 중요하다

성인 공자에 버금가는 맹자는 어렸을 적 아버지가 돌아가셨기 때문에 홀어머니 밑에서 성장했다.

처음 추나라 맹자의 어머니는 묘지 옆에 살았는데, 어릴 적 맹자는 묘지와 관련된 일을 따라 흉내를 내면서 즐겁게 놀았다.

맹자 어머니는 교육상 문제가 있다고 생각해 맹자와 함께 시장 옆으로 이사를 했다.

집이 시장 옆이라 장사하는 것을 본 맹자는 물건 파는 흉내를 내면서 즐겁게 놀았다.

이곳도 역시 안 되겠다고 생각한 맹자 어머니는 다시 서당 옆으로 이사를 했다.

그러자 맹자는 제사에 쓰이는 물건들을 늘어놓고 즐겁게 제사 지내는 흉내를 내면서 놀았는데, 이것은 서당에서 유교의 예절을 우선적으로 가르쳐기 때문이다.

맹자의 어머니는 이런 곳이야말로 진정 내 자식을 키울 수 있는 곳이라 생각하여 매우 기뻐했다고 한다.

* 지식&파워..

맹모삼천(맹자의 어머니가 아들의 교육을 위해 집을 세 번이나 옮겼다는 말이며, 곧 어린이의 교육에는 환경이 무엇보다 중요하다는 것을 이르는 말.)

孟:맏 맹 母:어미 모 三:석 삼 遷:옮길 천

원말: 맹모삼천지교(孟母三遷之敎)

동의어: 삼천지교(三遷之敎)

유의어: 맹모단기지교(孟母斷機之敎) 현모지교(賢母之敎)

출전: 열녀전의 모의전

사물에 대한 차별도 집착도 없으면 마음이 밝고 고요해 진다

춘추 시대 노나라에 덕망이 높은 왕태라는 울자(형벌에 의해 발뒤꿈치가 잘린 불구자)가 있었다.
그런데 그는 유교의 원조 격인 공자와 맞먹을 만큼 항상 많은 제자들이 있었다.

하루는 제자인 상계가 불만이 있는 듯 공자에게 물었다.

"선생님, 저 울자(왕태)는 어째서 많은 사람들이 기쁜 마음으로 우러러 받들고 있습니까?"

"그것은 그분의 마음이 고요하기 때문이다.
사람들이 흐르는 물에 자신을 비춰 보지 않고 고요한 물을 거울삼아 비춰 보는 것과 같은 이치다."

☞ 또 같은 덕충부 편에,

"거울이 맑으면 먼지가 앉지 않으나 먼지가 묻으면 흐려진다.
그와 마찬가지로 사람도 오랫동안 어진 사람과 함께 있으면 마음이 맑아져 허물이 없어진다."

☞ 응제왕 편에,

"지인의 마음가짐은 밝고 환한 거울에 비유할 수 있다.
명경은 사물의 자체를 달리 나타내지 않는다.

아름다운 사람이 오면 아름다운 사람을 비추고, 추한 사람이 오면 추한 사람을 비추어 어떤 것이라도 받아 주나 그 흔적을 남기는 일이 없다.

그러므로 어떤 많은 물건을 비추어도 본래의 맑음을 잃지 않는다.

그와 마찬가지로 지인의 마음가짐도 사물에 대해 차별이 없고 집착함도 없으면 자유로워질 수 있다."

* 지식&파워...

명경지수(맑은 거울과 고요한 물이라는 뜻으로, 밝고 고요한 마음의 상태를 이르는 말.)

明:밝을 명 鏡:거울 경 止:그칠 지 水:물 수

유의어: 평정지심(平靜之心)

출전: 장자의 덕충부 편 / 응제왕 편

앞뒤가 맞지 않는 말과 행동은 자신을 난처하게 한다

한비자는 요임금의 현명함과 순임금의 고결함에 대하여 누가 더 낫다고 한마디로 딱히 말할 수 없기 때문에 다음과 같은 비유를 했다.

어느 날 초나라 사람이 시장에서 창과 방패를 팔고 있었는데,

먼저 자신의 방패를 들고,

"자, 여기 이 방패를 보십시오. 이 방패는 아주 견고해서 어떤 날카로운 창으로도 뚫을 수가 없습니다."

이어서 창을 집어 들고는,

"자, 이 창을 보십시오. 이 창은 아주 날카로워서 어떤 방패라도 뚫을 수 있습니다."

이때 한 사람이,

"그럼, 당신이 들고 있는 창으로 그 방패를 뚫는다면 어떻게 되는 겁니까?"

그 사람은 아무 대답도 못했다.

한비자는 무엇이든지 뚫리지 않는 방패와 뚫을 수 있는 창이 같이 있을 수 없는 것과 같이 요임금과 순임금도 서로 평가될 수 없는 것이라 했다.

* 지식&파워..

모순(창과 방패라는 뜻으로, 말이나 행동에 있어서 앞뒤가 서로 맞지 않음을 이르는 말.)

矛:창 모 盾:방패 순

유의어: 모순당착(矛盾撞着) 상반(相反) 위착(違錯) 자가당착(自家撞着)
자기모순(自己矛盾) 선후당착(先後撞着)

출전: 한비자의 난세 편

목탁은 세상 사람들을 깨우치는 기구와도 같은 것이다

목탁은 일반적으로 스님들이 중생을 계도하기 위해 사용되는 기구쯤으로 알고 있는데, 사실은 불교가 중국에 들어오기 전부터 이미 사용되었다.

☞ 옛날에는 달력이 귀했으므로 백성들이 절기(이십사 절기 중에서 입춘·경칩·청명 따위)에 맞춰 농사를 짓기란 그리 쉽지 않았다.

따라서 통치자는 그때그때 해야 할 일을 백성들에게 알렸는데, 이때 사용했던 것이 목탁이다.

그 일을 맡은 관리는 매년 봄만 되면 커다란 방울을 치면서 마을을 돌아다녔다. 이때 그 소리를 듣고 모여든 사람들에게 그 관리는 "봄이 왔으니 씨를 뿌려라" 하고 알렸던 것이다.

목탁에는 방울 속의 혀가 나무로 된 것도 있고, 쇠로 된 것도 있다.

나무로 된 것은 교육적인 목적으로 쓰였고, 쇠로 된 것은 주로 군령을 하달할 때 쓰였다.

그 후로 불교가 전래되고 어느 정도 절기에 익숙해지면서 목탁은 절에서만 쓰였다.

그 역시도 식사나 염불 시간 및 공지 사항을 알리는데 목적이 있었던 것이다.

노나라에서 벼슬을 그만 둔 공자가 제자들과 함께 자기의 사상을 널리 알리기 위해 위나라 국경의 의라는 마을에 도착했다.

의의 봉인이 뵙기를 청하면서,

"군자가 이곳에 오시면, 내 일찍이 만나 뵙지 못한 적이 없습니다."

잠시 후 종자가 공자를 뵙게 하였더니, 공자와 몇 마디 말을 나눈 그는 나서서 말했다.

"여러분 어찌 잃는 것을 근심하십니까?

천하에 도가 없어진 지 오랩니다. 하늘은 당신의 선생님을 목탁으로 삼으실 것입니다."

여기서 백성들을 교화, 인도하는 사람을 목탁이라고 부르게 되었는데, 그 대표적인 사람이 공자이다.

☞ 고기 모양을 한 목탁의 유래에 대해 다음과 같은 전설이 있다.

옛날 어느 절에 큰스님이 불자를 가르치며 살았다.

그런데 그 중 한 불자가 하라는 공부는 안 하고 말썽만 부리다가 결국 몹쓸 병에 걸려 죽고 말았다.

그가 죽자 그는 물고기로 환생했다.

하지만 불행하게도 전생의 업(전세에서 지은 악행이나 선행으로 인해 현세에서 받아야 할 대가.) 때문에 그의 등에는 나무가 자라고 있었다.

어느 날 큰스님께서 배를 타고 강을 건너려는 순간 너무나도 이상하게 생긴 물고기가 뱃전에 나타나서 울고 있었다.

큰스님은 눈을 지그시 감고 그 물고기의 전생을 살펴보았다.

그런데 그 물고기는 공교롭게도 말썽만 부리던 바로 그 불자였다.

그를 가엾게 여긴 큰스님이 천도제(죽은 사람의 넋을 극락으로 인도하는 의식.)를 지내 주었다.

그날 밤 큰스님의 꿈에 나타난 불자가 자신의 잘못을 크게 뉘우치면서,

"큰스님! 제 등에 있는 나무를 베어 물고기 모양의 목어를 만들어 주십시오.
그리고 저와 같은 어리석은 자를 꾸짖어 주십시오."

큰스님은 말썽만 부리던 불자의 말대로 커다란 목어를 만들었다고 전해지는데, 오늘날 그 목어가 변해서 작고 둥그런 목탁이 되었다고 한다.

* 지식&파워..
목탁(나무를 둥글게 깎아 속을 파내어 방울처럼 만든 것으로,
① 염불할 때 사용하는 기구.
② 세상 사람들을 깨우쳐 지도하는 사람이나 기관을 비유하여 이르는 말.)
木:나무 목 鐸:방울(요령) 탁
출전: 논어의 팔일 편

원숭이가 머리를 감고 갓을 썼다 한들 사람다운 것은 아니다

항우는 홍문연(연회석)에서 진의 도읍을 손에 넣은 후, 유방(패공)을 살해했어야 됨에도 유방의 화해 제안을 경솔하게 받아 들여 결국 자기 손으로 원수를 놓아준 셈이 되었다.

이때 초나라의 패왕인 항우는 진나라의 도읍 함양을 불태워버리고 부귀영화 속에 고향으로 금의환향해야 한다고 말했다.

그러자 간의대부 한생은 함양이 지리적으로 천하를 얻을 수 있는 땅이라며 팽성으로의 천도를 극구 반대했다.

그러나 항우는 화를 내며 그를 멀리했다.

간의대부 한생이 자신의 말을 들어주지 않자 크게 탄식하며,

"머리를 감은 원숭이가 갓을 쓴 꼴이다."

그 말을 들은 항우가 그 뜻이 무슨 뜻인지 도대체 몰라 진평에게 물었다.

진평이,

"폐하를 못마땅히 여겨 한 말인데, 여기에는 세 가지 뜻이 있습니다. 원숭이는 관을 써도 사람이 못 된다는 것과, 원숭이는 끈기가 없어 관을 쓰고도 조바심을 낸다는 것과, 원숭이는 사람이 아니므로 자꾸 만지작거리다 결국 의관을 찢어버린다는 뜻입니다."

몹시 화가 난 항우가 간의대부 한생을 팽살(끓는 기름에 삶아 죽이는 형벌)했다.

간의대부 한생이 죽으면서,

"두고 봐라. 유방이 너를 망하게 할 것이다. 역시 초나라 사람들은 원숭이와 같아서 관을 씌워도 소용이 없다."

마침내 한생의 말대로 항우는 함양은 물론 천하를 모조리 유방에게 빼앗기고 말았다.

이처럼 항우는 용맹하지만 지략이 부족하고 고집이 세다. 또한 부하들의 충언을 귀담아 듣지 않았는데, 이것이 유방에게 패한 직접적인 원인이 되었다.
하지만 감정과 의리를 중히 여기는 것만은 분명하다.

* 지식&파워……………………………………………………………………………

목후이관(머리를 감은 원숭이가 갓을 썼다는 뜻으로, 겉치장을 했다 한들 생각과 행동이 사람답지 못함을 이르는 말.)
沐:머리 감을 목 猴:원숭이 후 而:말 이를 이 冠:갓 관
유의어: 호이관(虎而冠)
출전: 사기

쓸데없는 일에 간섭을 하면 스스로 화를 부르는 것과 같다

공자의 친구 유하계에게는 동생이 있었는데, 그 동생은 천하의 도적인 것이다.

그는 무려 9,000명의 무리를 거느린 도적으로 제후들의 영토를 공격하는 것은 물론 약탈과 함께 부녀자를 납치하는 등 온갖 만행을 일삼았다.

그는 욕심이 지나쳐 조상은 물론 부모 형제도 몰라볼 지경에 이르니, 그가 공격하는 큰 나라도 그것을 막기에 급급했고, 작은 나라 역시도 난을 피하기에 정신이 없었다.

공자는 도척 자신과 형인 유하계에게도 수치라는 것을 설득하기 위해 그를 찾아갔다. 그러나 도척은 공자를 보자마자 칼자루를 움켜잡으면서 크게 화가 난 듯 눈을 부릅뜨고 공자를 크게 꾸짖었다.

공자는 위협을 느낀 나머지 아무 말도 못하고 문밖으로 달려 나올 수뿐이 없었는데, 그때 수레에 올라 말의 고삐를 잡으려 했으나 세 번이나 놓친 것은 물론, 눈앞이 캄캄해져오고 얼굴 또한 잿빛이 되었다.
그런 그가 수레 앞의 나무에 기대어 선 채로 고개를 떨구고는 숨 한 번 제대로 내쉬지 못했다.

공자가 노나라의 동문에 이르자 마침 유하계가 있었다.

유하계는,

"요즘 며칠 동안 뵐 수가 없었습니다. 지금 말을 타고 있는 것으로 보건데, 혹여 도척을 만난 거지요?"

공자가 하늘을 보면서 크게 한숨을 쉬더니,

"맞습니다."

유하계가,

"전에도 말했지만, 아마 도척은 자네의 말을 듣지 않을 것이오."

공자가,

"그렇습니다. 나는 아프지도 않은데 스스로 뜸을 뜬 꼴이오.
급히 서둘러서 호랑이의 머리를 건드리고 수염을 만지다가 자칫 호랑이에게 잡아먹힐 뻔했소."

* 지식&파워..

무병자구(병이 없는데 스스로 뜸질을 한다는 뜻으로, 불필요한 노력으로 인해 정력을 낭비한다는 말.)

無:없을 무 病:질병 병 自:스스로 자 灸:뜸 구

출전: 장자의 잡 편

쓸모가 있고 없음은 처지에 따라 판단되는 것이다

☞ 인간세 편

학덕은 높으나 벼슬을 하지 않은 초나라의 광접여가 공자를 평하면서,

"산 속의 나무는 쓸모가 있기에 베어져 스스로를 해치고,
기름은 밝은 빛을 내기 위해 자신을 태우며,
계수나무는 먹을 수 있기 때문에 베어지고,
옻나무는 칠로 쓰이기 때문에 베어진다.
사람들은 모두 쓸모가 있는 것만 쓸려고 하지,
쓸모가 없는 것을 쓰려고 하지 아니하니 서글픈 일이다."

이 말은 공자가 인의로써 난세를 다스리려 함에 이를 풍자한 것으로, 조그만 유용은 오히려 자신을 망친다는 것이다.

☞ 외물 편

혜자가 친구 장자에게 말했다.

"자네의 말은 쓸모가 없네."

장자가,

"아니 쓸모가 없기 때문에 쓸모도 있는 것이라네. 사람이 서기 위해서는 아무리 땅이 넓다고는 하나 발을 딛고 설 자리만 있으면 족할 것이네.

그렇다고 해서 디딜 곳만 남기고 둘레의 땅을 끝까지 파내려갔다고 생각해 보게, 결국 발밑의 땅이 무슨 필요가 있겠는가?"

"그야 물론 쓸모가 없지"

"그렇다면 쓸모가 없는 것이 쓸모가 있음을 알 수 있지 않은가?"

☞ 산목 편

장자가 제자와 함께 산길을 걷다가 볼품없이 크게 자란 나무를 보았다. 나무꾼이 주변을 맴돌다 베지 않고 그냥 돌아서자, 장자가 다가서서 그 까닭을 물었다.

나무꾼은,

"옹이가 너무 많아 쓸모가 없습니다."

장자가 제자에게,

"이 나무는 쓸모가 없어 천수를 누리는 구나."

장자는 산을 내려와 친구의 집에 묵게 되었는데, 친구는 심부름하는 아이에게 기러기를 잡으라고 했다.

그러자 심부름하는 아이가 물었다.

"두 마리 중에 한 마리는 잘 울고, 한 마리는 울지 못합니다. 그 중 어느 것을 잡을까요?"

"울지 못하는 놈을 잡거라."

다음날 제자가 장자에게 물었다.

"어제 산에 있는 나무는 쓸모가 없어 천수를 다하고, 울지 못하는 기러기는 쓸모가 없어 일찍 죽었습니다. 선생님께서는 쓸모가 없는 것과 쓸모가 있는 것 중 어느 것을 택하겠습니까?"

장자가 웃으며 대답했다.

"나는 중간이다. 마땅히 지켜야 할 도리를 지키면서 어떤 피해도 남기지 않겠다."

* 지식&파워……………………………………………………………………

무용지용(쓸모가 없는 것이 때로는 더 쓸모가 있다는 말.)

無:없을 무 用:쓸 용 之:갈(어조사) 지 用:쓸 용

출전: 장자의 인간세 · 외물 · 산목 편

원하는 것이 있다면 그것을 위해 자기의 의견이나 주장을 끝까지 굽히지 마라

춘추 시대의 사상가인 묵자는 겸애교리설(서로가 차별없이 사랑하고 이롭게 하자는 설)과 비전론(전쟁 무용론)을 주창한 사람으로 뛰어난 기술자이며, 물리학자였다.

고대에 이러한 직업을 가진 사람들은 인정을 받지 못한 채 여기저기 무리를 지어 일을 했다.

그때 공수반 역시도 인정을 받지 못하자, 적국인 초나라로 건너가 공격 무기 운제계(구름 사다리)를 만들었는데, 때마침 그것으로 송나라를 칠 거라는 소문이 돌았다. 이에 묵자는 초나라의 도읍 영(호북성 내)에 있는 공수반을 찾아갔다.

"지금 송나라가 당신을 인정하지 않는다고 해서 당신이 나고 자란 송나라를 등지고 초나라를 도와 사람을 죽인다는 것이 선한 일입니까?"

그러자 공수반은 불쾌한 듯,

"나는 의에 어긋나는 일은 안 하는 만큼 살인 또한 하지 않습니다."

"그렇다면 왜 송나라 백성을 죽이려 하는 것입니까?"

답변이 궁색해진 공수반은 묵자를 초나라 왕과 만나게 했다.

"전하, 새 수레를 가진 사람이 이웃의 헌 수레를 훔치려 하고 비단옷을 입은 사람이 이웃의 헌옷을 훔치려 한다면 이를 어떻게 생각하십니까?"

“그것은 도벽이 있어서 그런 것 같소. 나는 다만 공수반의 운제계를 실험하고 싶은 것뿐이오.”

묵자는 즉시 공수반의 운제계를 막아보겠다고 초나라 왕에게 제안을 했다. 그러자 공수반과 묵자 사이에 기묘한 공방전이 벌어졌다.

묵자는 허리띠를 풀어 성곽의 모양을 만든 다음, 나뭇조각으로 방패 대용의 기계를 만들어 공수반의 공격 무기인 운제계와 모의 전쟁을 아홉 번이나 했다.

결국 묵자는 공수반의 공격을 모두 막아냈다. 그러나 공수반은 패배를 인정하지 않고 묵자만 죽이면 된다는 생각에 그를 해치려 했다.

이것을 눈치 챈 묵자가,

“나를 죽인 후 송나라를 공격하겠다면 그것은 착각입니다.

설령 내가 죽더라도 이미 송나라에는 나의 수많은 제자들이 내가 만든 기계와 똑같은 기계를 만들어 철저하게 대비하고 있을 겁니다.”

이 말을 들은 초나라 왕은 묵자에게 송나라를 치지 않겠다고 약속을 했다.

* 지식&파워..

묵적지수(묵적이 성을 견고하게 지켰다는 뜻으로 자기 의견이나 주장을 끝까지 굽히지 않고 이루어 냄, 또는 융통성이 없음을 비유하여 이르는 말.)

墨:먹 묵 翟:꿩 적 之:갈 지(…의) 守:지킬 수

준말: 묵수(墨守)

출전: 묵자의 공수반 편

목을 베어 줄 정도로 우정이 깊은 친구가 진정한 친구다

조나라 혜문왕 때의 일로, 신하 목현의 밑에서 일을 거드는 인상여라는 사람이 있었다.

그는 진나라 소양왕에게 빼앗길 뻔했던 천하의 보물 화씨지벽을 원래의 상태로 가지고 돌아온 것과, 그 후로 3년 뒤 주나라 소양왕이 혜문왕에게 모욕을 주려하자 도리어 인상여가 나서서 그에게 망신을 준 공로로 일약 상대부에서 종일품의 상경이 되었다.

결국 인상여의 지위가 명장인 염파보다 더 높아지자, 염파는 싸움터에서 공을 세운 자신보다 말로 공을 세운 인상여에 대해 불만을 품고 몹시 화를 냈다.

"내 어찌 그런 보잘것없는 자 밑에 있을 수 있겠는가. 언제든 그 자를 만나면 단단히 망신을 줄 테다."

이 말을 전해 들은 인상여는 염파를 피해 다닌 것은 물론 병을 핑계로 조정에도 나가지 않았다.

행여 길을 가다가도 염파가 보이면 옆길로 돌아가는 경우가 많았다.

이와 같은 인상여의 떳떳하지 못한 행동에 실망한 부하가 작별을 고했다.

그러자 인상여는 그를 붙잡고 말리면서,

"자네는 염파 장군과 소양왕 중 누구를 더 무서워하는가?"

"그야 물론 소양왕입니다."

그러자 인상여는,

"나는 그 소양왕도 겁내지 않고 많은 신하들 앞에서 망신을 준 사람이네. 그런 내가 어찌 염파 장군을 두려워한다고 생각하는가?

잘 생각해 보게, 강대국인 진나라가 쳐들어오지 못하는 것은 염파 장군과 내가 있기 때문이라네.

그런데 이 두 호랑이가 싸우면 결국은 모두 죽게 되는 것이라네. 그래서 나는 나라의 위기를 염려하여 염파 장군을 피하는 것이라네."

이 말을 전해들은 염파는 자신의 짧은 생각에 몸둘 바를 몰라 하며, 사죄의 뜻으로 윗도리를 벗은 다음 형틀을 짊어진 채로 인상여를 찾아가 사죄를 했다.

"나의 생각이 짧아서 대감의 높은 뜻을 앞서 헤아리지 못했소. 어서 나에게 벌을 주시오."

그 뒤 두 사람은 서로 마음이 통해 '문경지교'를 맺었다고 한다.

* 지식&파워

문경지교(목을 베어 줄 수 있을 정도로 절친한 사귐을 뜻하며, 우정이 깊어 생사를 같이 하는 친구를 이르는 말.)

刎:목 찌를 문 頸:목 경 之:갈 지(…의) 交:사귈 · 벗 교

동의어: 문경지계(刎頸之契) 문경지우(刎頸之友)

유의어: 관포지교(管鮑之交) 금란지계(金蘭之契) 단금지계(斷金之契)

참고: 완벽(完璧) 출전: 사기의 염파인상여열전

권력가나 부잣집에는 많은 사람들이 찾아든다

전한 말기 황제인 애제 때,

조정의 실권은 대마사(국방 장관) 왕망(훗날 전한을 멸망시키고 신나라를 세움)과 왕씨의 가문에서 외척 부씨(애제의 할머니), 정씨(어머니)의 손으로 넘어갔다.

당시 20세인 황제 애제는 동현이라는 어린 소년과 동성 연애에 빠져 국정을 돌보지 않았다.

이때 상서 복야(장관)로 있던 충신 정숭은 황제의 인척으로, 이름난 학자 포선, 중신인 왕선 등과 함께 매번 외척들의 횡포와 부패를 황제에게 직언했지만 미움만 사고 말았다.

이와 달리 상서령 조창이라는 아첨꾼은 왕실과 종친간인 정숭을 시기하여 모함할 기회를 노리고 있었다.

어느 날 그는 애제에게 정숭이 종친과 내통을 하고 있다고 거짓으로 고해 받쳤다.

애제는 즉시 정숭을 불러,

"듣자니 경의 문전이 저자와 같다고 하던데, 그게 사실이오?"
그러면서도 내게 이래라저래나 할 수 있는가."

정숭은,

"예, 폐하. 신의 문 앞은 저자와 같으나 신의 마음은 물처럼 깨끗합니다.

황공하오나 한 번 더 조사해 주십시오."

이 말을 들은 애제는 황제의 말에 대꾸를 한다 하여 정숭의 말을 무시한 채 그를 옥에 가두었다.

그러자 손보가 상소하여 조창의 거짓을 알리고 정숭을 변호했으나, 그런 손보를 삭탈관직(죄를 지은 사람에게서 벼슬과 품계를 빼앗고 벼슬 명부에서 삭제함.) 한 후 서인으로 내쳤다.

그 후 정숭은 옥에서 숨졌다.

* 지식&파워……………………………………………………………………

문전성시(문 앞에 저자를 이룬다는 뜻으로, 세도가나 부잣집에 사람들이 많이 드나드는 것을 이르는 말.)

門:문 문 前:앞 전 成:이룰 성 市:저자 · 도시 시

유의어: 문전여시(門前如市) 문정약시(門庭若市) 문정여시(門庭如市)

반의어: 문외가설작라(門外可設雀羅) 문전작라(門前雀羅)

출전: 한서의 손보전 / 정숭전

권력을 잃거나 가난으로 인해 천해지면 늘 찾던 사람도 찾지 않는 법이다

무제 때 급암과 정당시라는 두 신하가 있었다. 그들은 한때 높은 지위에 오르기도 했으나 면직되자 찾아오는 이의 발길이 뚝 끊겼다.

이것을 사마천은 사기의 급정열전에서 이렇게 썼다.

"급암과 정당시 같은 신하도 권세가 있을 때에는 손님이 열 배로 찾아오지만 권세를 잃으면 곧 손님의 발길이 끊긴다. 따라서 보통 사람의 경우는 더 말 할 것도 없다."

적공 또한 정위가 되자 손님이 문전성시를 이루었다. 하지만 그가 면직된 후로는 손님이 곧 발길을 끊었다. 이때 집 안팎이 어찌나 한가하고 쓸쓸한지 '문 앞에 새그물을 쳐 놓는 것과 같다.'

얼마 후 적공은 다시 정위가 되었다. 이에 손님이 몰려들자 적공은 대문에 이렇게 써 붙였다.

한 번 죽고 한 번 사는 일에 곧 사귐의 정을 알고,
한 번 가난하고 한 번 잘 살음에 곧 사귐의 태도를 알며,
한 번 귀하고 한 번 천함에 곧 사귐의 정도를 안다네.

* 지식&파워……………………………………………………………………

문전작라(문 앞에 새그물을 친 것과 같다는 뜻으로, 권세를 잃거나 가난하고 천해지면 찾아오는 사람도 없다는 말.)

門:문 문 前:앞 전 雀:참새 작 羅:벌일 라

원말: 문외가설작라(門外可設雀羅) 반의어: 문전성시(門前成市)

출전: 사기의 급정열전 / 백거이의 우의시

잘못된 것을 임시로 눈가림하지 마라

춘추 시대 환왕 13년 주나라는 말로만 천자국이지 세력이 점점 약화되는 반면에 주변국인 정나라의 장공은 점점 국력이 막강해졌다.
그러자 그는 천자인 환왕을 무시하기에 이르렀다.
따라서 환왕은 권위를 찾기 위해 정나라 장공을 치기로 했다.
환왕은 우선 장공으로부터 정치상 실권을 박탈했다.
이에 분개한 장공이 만나기를 거부하자 이를 빌미로 제후들에게 징벌을 명령했다.

징벌 명령을 받은 괵 · 채 · 위 · 진은 총사령관을 환왕으로 한 다음 정나라를 향해 출병했다.

한편 정나라의 공자 원은 이 같은 사실을 미리 알고 장공에게 진언했다.

"현재 좌군에 속해 있는 진나라는 국내 정세가 혼란스럽기 때문에 싸울 의지가 없습니다.
그러므로 진나라 군대를 먼저 공격한다면 그들은 분명 도망칠 것입니다.
그러면 나머지 군대도 혼란에 빠져 결국 버티지 못하고 퇴각할 것입니다.
이때를 노려 환왕이 지휘하는 본대를 공격하게 되면 틀림없이 승산이 있습니다."

장공이 공자 원의 진언대로 본대를 공격하기 위해 둥근 원형의 진을 쳤다.

이는 군사를 태운 수레가 보병을 뒤따르게 하는 전술로 군사를 실은 수레를 앞뒤로 두고 그 사이에 보병으로 미봉하는 것을 말한다.

이 전술에 의해 환왕이 이끄는 본대는 대패했고, 환왕 또한 어깨에 화살을 맞고 퇴각했다.

미봉책은 여기에서 유래된 말인데, 빈 구석을 채우다. 라는 의미인 것이다.

그러나 오늘날에는 잘못된 것을 임시로 눈가림하는 대책의 의미로 쓰인다.

* 지식&파워..

미봉(임시로 이리저리 꾸며대어 맞춤.)

彌:기울(수선할) 미 縫:꿰맬 봉

유의어: 고식(姑息) 임시변통(臨時變通)

출전: 춘추좌씨전의 환공5년조

쓸데없는 것에 목숨을 걸지 마라

☞ 춘추 시대 노나라에 미생이라는 사람이 있었다.

어느 날 다리 밑에서 사랑하는 여자와 만나기로 약속을 했다. 그런데 약속 시간이 지나도 그 여자는 오지를 않았다.

때마침 소나기가 억수로 쏟아지기 시작했고, 냇물은 순식간에 불어 미생을 쓸어 갈 지경이었다. 끝내 그는 약속 장소를 떠나지 않고 기다리다 냇물이 밀려오자 다리의 기둥을 끌어안고 죽었다.

전국 시대 종횡가 소진은 연나라의 소왕을 이야기할 때에 미생의 예를 들어 신의를 강조했다.

☞ 그러나 같은 시대를 살았던 장자는 도척 편에서 공자와 대화를 나누던 도둑 도척의 입을 빌어 미생의 융통성 없고 어리석음을 다음과 같이 따지듯 심하게 비난했다.

"이런 인간은 기둥에 묶인 채로 창에 찔려 죽은 개나, 물에 떠내려가는 돼지, 아니면 쪽박을 들고 빌어먹는 거지와 다를 바가 없다.

쓸데없는 명분에 사로잡혀 소중한 목숨을 가벼이 여기는 인간은 진정한 삶의 길을 모르는 놈이다."

* 지식&파워

미생지신(미생이라는 사람의 믿음을 뜻하며, 굳게 지키는 약속 또는 고지식하여 융통성이 없음을 이르는 말.)

尾:꼬리 미 生:날 생 之:갈 지(…의) 信:믿을 신

동의어: 포주지신(抱柱之信)

출전: 사기의 소진열전 / 장자의 도척 편

능력도 없이 자리만 차지하면 비웃음을 면치 못한다

당의 황제 현종은 일찍이 인재를 등용하는 한편 문예를 장려하여 전성기를 맞이했다. 이때 재상 요숭의 공로가 더없이 컸다.

개국 2년 망국의 근원인 관료들의 사치를 추방했고, 백성들의 조세와 부역을 감면했다. 또한 법을 정비하여 억울하게 죄인이 된 백성을 구제하고, 농민의 징병을 모병제로 바꾸었다. 이와 같은 개혁은 요숭의 진언에 따른 것이다.

요숭은 백성들을 위하는 것이 곧 나라의 번영을 이루는 것이라고 믿고 늘 이 원칙을 지키는 데 힘썼다. 특히 업무 처리에 있어 그 어느 재상도 요숭을 따르지는 못했다. 당시 노회신도 마찬가지였다.

환관 감독부서의 최고 벼슬을 한 노회신은 청렴결백하고 근면한 사람으로 재물에 욕심이 없는 것은 물론, 자신의 녹봉마저 아낌없이 어려운 이웃들에게 나누어 주었다.

어느 날 요숭이 휴가를 간 적이 있었는데, 그때 노회신은 요숭의 직무를 대행했다. 그러나 그는 일을 신속히 처리하지 못했기 때문에 일은 산더미처럼 쌓였다. 그러자 노회신은 매사를 요숭과 상의한 후 처리했다. 이것을 지켜본 사람들은 노회신을 가리켜 '자리만 차지하고 있는 무능한 재상' 이라 비꼬았다.

* 지식&파워...:...

반식재상(아무 능력도 없이 어떠한 직책만 차지하고 있는 재상(대신)을 비꼬아 이르는 말.)

伴:짝 반 食:밥 · 먹을 식 宰:재상 재 相:서로 상

동의어: 반식대신(伴食大臣)

유의어: 녹도인(祿盜人) 시위소찬(尸位素餐) 의관지도(衣冠之盜)

출전: 구당서의 노회신전

부패의 근본(바탕)을 뽑고 근원(흘러나오는 곳)을 막는 것이 세상에 이롭다

소공(昭公) 때의 좌씨전에 따르면,

"나에게 큰아버지가 계신 것은 마치 의복에 갓이나 면류관(정복에 갖추어 쓰던 관)을 갖춘 것과 같고, 나무의 뿌리는 마치 물이 흘러 나오는 근원과 같고, 백성들에게는 지혜로운 임금이 계신 것과 같다. 큰아버지께서 만약 갓을 찢고, 면류관을 부수고, 근본을 뽑고 근원을 막아 완전히 지혜로운 임금을 버린다면, 비록 오랑캐라 한들 어찌 한 사람이라도 남아 있겠는가"라고 쓰여 있다.

또한 명나라의 왕양명도 그의 저서 전습록에서 발본색원론을 이야기하였다. 왕양명은 발본색원론이 천하에 밝혀지지 않는다면 세상에 성인의 흉내를 내는 사람들이 갈수록 늘어나게 되고, 점점 세상은 어지러워질 것이다. 그리하면 그 사람들이 금수나 오랑캐같이 되어 성인의 학문을 한다고 여기게 될 것이다. 때문에 전형적인 이상 사회로는 중국 고대 국가인 요 · 순 · 우 나라를 꼽았다. 그가 말한 발본색원의 취지는 한 마디로 하늘의 이치를 알아 욕심을 버리라는 것이다. 즉, 사사로운 탐욕은 근원부터 뽑아버리고 그 근원을 철저히 틀어막아야 한다는 것이다.

* 지식&파워..

발본색원(사물의 근본 원인을 뽑아 없애고, 근원을 아주 없애 버린다는 뜻으로, 폐단의 근본 원인을 모조리 제거한다는 말.)

拔:뺄 발 本:근본 본 塞:막을 색 源:근원 원

동의어: 전초제근(剪草除根)

유의어: 삭주굴근(削株堀根)

출전: 춘추좌씨전의 소공 편

물러설 곳이 없으면 목숨을 걸게 된다

한나라 고조 유방이 제위에 오르기 2년 전의 일이다. 한신이 유방의 명령을 받아 위나라를 멸망시킨 다음 조나라를 공격했다.

그러자 조나라는 병사 20만을 동원하여 한신이 공격해 오는 길목의 협곡에 성과 요새를 구축하고 방어 계획을 세웠다. 이때 전술가인 이좌거가 재상 진여에게 한나라 병사가 협곡을 통과할 쯤 공격을 해야 한다고 주장했으나 받아들여 지지 않았다.

세작(자신의 나라와 적대되는 국가의 기밀을 알아내는 사람.)을 통해 이 사실을 알게 된 한신은 서둘러 협곡을 통과하다 방어선을 10리쯤 앞두고 일단 행군을 멈췄다. 이윽고 밤을 기다려 한신은 2,000여 기병을 조나라의 성과 요새 바로 뒷산에 매복시키기로 하고 이렇게 명령했다.

"본대는 내일 싸움에서 거짓으로 후퇴를 한다. 그러면 적군은 후퇴하는 아군을 추격하기 위해 성과 진지를 비울 것이다. 이때 병사들은 성과 진지를 점령하고 한나라 깃발을 꽂도록 하라."

그리고 한신은 1만여 병사를 협곡 쪽으로 보내어 강을 등지고 진을 치게 했다. 그런 다음 자신은 본대를 이끌고 성을 향했다.

이윽고 날이 밝았다. 한나라 병사가 북을 울리며 진격하자 조나라 병사는 성과 진지를 나와 반격에 나섰다. 몇 차례 접전이 시작되자 한나라 병사는 작전대로 퇴각하여 강가의 부대와 합류했다.

이때 조나라 병사는 승기를 잡았다는 듯 한나라 부대를 맹렬히 추격했다. 그러는 사이 2,000여 기병대는 성과 진지를 점령하고 한나라 깃발을 꽂았다.

한편 강가를 등지고 싸우는 한나라 병사는 필사적이었기 때문에 조나라 병사는 성으로 돌아올 수밖에 없었다. 그런데 이미 성은 한나라 깃발이 나부낀 후였다. 결국 전쟁은 한신의 대승으로 끝났다.

모든 장수들이 한신에게 물었다.
"병법에는 오른쪽에 산과 언덕을 등지고 앞쪽과 왼쪽엔 강을 끼고 있어야 한다. 라고 하였는데, 오늘 장군은 저희들에게 도리어 배수진을 치라 하시니 저희들은 승복하기 어렵습니다. 그런데 그 방법으로 이겼으니 이는 어떤 술책입니까?"

한신이 말하기를,
"이는 병법에 있는 것이다. 하지만 그대들이 알지 못한 것뿐이다.

'병법에서는 죽을 곳에 빠진 것 같으면 그 이후에 살 수 있고, 갈팡질팡한 후에야 보존할 수 있다.'

내가 이처럼 병사들을 이해 못하게 한 것은 이른바 훈련도 되지 않은 무리를 모아서 싸우게 할 때, 그 살려고 하는 힘이 죽음에 처하지 않고서는 불가능하기 때문이다."

* 지식&파워……………………………………………………………………

배수지진(물을 등지고 친 진지라는 뜻으로, 목숨을 걸고 어떤 일에 대처하는 경우를 이르는 말.)

背:등 배 水:물 수 之:갈 지(…의) 陣:진칠 진

동의어: 배수진(背水陣)

참고: 천려일실(千慮一失)

출전: 사기의 회음후열전 / 십팔사략의 한태조고황제

쓸데없는 의심이 마음을 병들게 한다

진나라에 악광이라는 사람이 살았다.

그는 어린 시절 아버지를 잃고 불우하게 자랐지만, 영리했기 때문에 늘 주변 사람들로부터 칭찬을 받고 자랐다.

훗날 악광은 한눈을 팔지 않고 학문에 정진하여 벼슬길에 오르게 되었는데, 그는 어린 시절에도 그랬던 것처럼 매사에 신중했다.

이 일은 악광이 하남 태수로 있을 때의 일이다.

그에게는 친한 친구가 있었다.
그 친구의 발길이 뜸해지자 악광은 이상이 여겨 그를 찾아갔다.

친구를 보는 순간 안색이 좋지 않자,

"어찌된 일인가? 요즘 얼굴 보기도 힘드니 말일세."

"전에 자네와 내가 술을 마시고 있었지 않나, 그때 술을 막 마시려는 순간 내 잔 속에 뱀이 보였어,
하지만 자네의 기분도 생각해서 그냥 마셨지, 그랬더니 이후로 몸이 좋지 않다네."

이상하게 여긴 악광은 지난번 술을 마셨던 곳으로 가보았다.

그리고 주위를 살폈는데, 마침 뱀이 그려진 활이 벽에 걸려 있는 것이 아닌가.

그 까닭을 알게 된 악광은 친구를 불러 전번 술을 마셨던 그 자리에 앉히고는 술잔에 술을 따랐다.

"자네 술잔엔 뭐가 보니는가?"

"전과 똑같이 뱀이 보이네."

악광이 웃으면서,

"자네 술잔 속에 비친 뱀은 저 활에 그려져 있는 뱀이라네."

그 말을 들은 친구는 어느새 씻은 듯 병이 나았다.

* 지식&파워

배중사영(술잔 속에 비친 뱀의 그림자란 뜻으로, 쓸데없는 의심을 품으면 탈이 난다는 것을 비유한 말.)

杯:술잔 배 中:가운데 중 蛇:뱀 사 影:그림자 영

유의어: 반신반의(半信半疑) 의심암귀(疑心暗鬼)

출전: 진서의 악광전 / 후한서의 풍속통의

황하의 물이 무작정 맑아지기를 바라지 마라

춘추 시대 중엽인 주나라 영왕 7년 정나라는 위기에 빠졌다.

초나라의 속국인 채나라를 치고 그곳의 사마공자 섭을 붙잡은 것이 화근이 되어 결국 초나라로부터 보복 공격을 받았다.

이에 정나라는 대책 회의를 소집했다.

그런데 회의는 초나라에 화친하자는 쪽과 진나라에 지원군을 요청하자는 쪽이 서로 팽팽히 맞서자 대부인 자사는 이렇게 말했다.

"주나라 시의 구절에 '황하의 흐린 물이 맑아지기를 기다린다 해도 사람의 짧은 수명으로는 그것이 불가능하다.' 라는 말이 있습니다. 지금 진나라의 지원군을 기다린다는 것은 '백년하청' 일 뿐입니다. 그러니 일단 초나라와 화친을 하여 백성들의 불안을 씻어 주도록 합시다."

이렇게 하여 결국 정나라는 초나라와 화친을 맺고 위기를 모면했다.

* 지식&파워...

백년하청(황하의 물이 맑기를 무작정 기다린다는 뜻으로, 아무리 바라고 기다려도 실현될 가망이 없음을 이르는 말.)

百:일백 백 年:해 년 河:물 하 淸:맑은 청

원말: 백년사하청(百年俟河淸) 동의어: 천년하청(千年河淸)

유의어: 부지하세월(不知何歲月)

참고: 연목구어(緣木求魚) 육지행선(陸地行船) 이란투석(以卵投石)

출전: 춘추좌씨전의 양공8년조

공부밖에 모르는 사람들과 함께하면 세상일에 어두워 진다

남북조 시대, 남조인 송나라 3대 황제인 문제 때 오(절강성) 땅에 심경지라는 사람이 있었다. 그는 어릴 적부터 무예를 배웠는데, 그 기량이 남달리 뛰어났다.

문제와 북위의 무제는 18세와 17세의 젊은 나이로 즉위한 이후, 건강(남경) 일대를 둘러싸고 싸움과 화해를 거듭했다.

그때 심경지는 도읍인 건강(남경)을 지키기 위한 방위 책임자로 승진했고, 그 후로도 수많은 공을 세워 건무 장군에 임명되었음은 물론 변방 수비군의 총대장이 되었다.

어느 날 무제는 대군을 일으켜 유연을 공격한 다음 심경지와 문신들을 불러 놓고 숙적인 문제의 북위를 치기 위한 출병을 논의했다.

이때 심경지는 북벌(北伐) 실패의 전례를 들어 출병을 반대했다.

"폐하, 밭일은 종들에게 물어야 하고, 베를 짜는 일은 아낙에게 물어야 합니다. 북위를 정벌하고자 하시면서 오직 책뿐이 모르는 선비들과 그 일을 도모한다면 어찌 성공하겠습니까?"

그러나 무제는 심경지의 의견을 듣지 않고 문신들의 의견을 받아들여 출병했으나 크게 패하고 말았다.

* 지식&파워

백면서생(오직 글만 읽고 세상일에 경험이 없는 젊은이를 이르는 말.)

白:흰 백 面:얼굴 면 書:글 서 生:날 생

동의어: 백면랑(白面郎) 백면서랑(白面書郎)

출전: 송서의 심경지전

백 번 말로 하는 것보다 한 번 보는 것이 낫다

한나라 선제 때, 서북 변방에 사는 강족(티베트계 유목민)이 쳐들어왔고, 그때 한나라 병사는 필사적으로 항전을 했으나 크게 패했다.

그래서 선제는 어사대부(검찰총장)인 병길에게 후장군 조충국을 찾아가 토벌에 필요한 사람이 누군지를 알아 오라고 명령을 했다.

당시 조충국은 나이 70이 넘은 늙은 장수였다.

그는 일찍이 7대 황제인 무제 때 이사장군 이광리의 휘하 장수로 흉노 토벌에 나섰다가 포위되었다. 그러나 불과 100여 명의 병사와 함께 포위망을 뚫고 전원 탈출에 성공했다.

그 공으로 거기장군에 임명된 후, 그는 오랑캐 토벌전의 선봉장이 되었다.

어느 날 그를 찾아온 병길이 이렇게 말을 했다.

"강족을 치는데 누가 적임자인지, 장군께 물어 보라는 어명을 받고 왔습니다."

그러자 조충국은 서슴없이 대답했다.

"어디 늙은 신하를 능가할 사람이 있겠소?"

선제는 조충국을 불러 강족 토벌에 대하여 물었다.

"강족 토벌에 대한 계책이 있으면 말해 보시오. 또 병력은 얼마나 필요하오?"

조충국은,

“폐하, 백 번 듣는 것이 한 번 보는 것만 못합니다.

군사에 관한 일이란 실제를 보지 않고서는 작전을 짤 수가 없는 것입니다.

원컨대 신을 급히 금성(감숙성 난주)으로 보내 주시오. 그리하면 계책을 마련해 올리겠습니다.”

선제는 쾌히 허락했다.

현지 정세를 살피고 돌아온 조충국은 둔전책을 세웠다. 즉, 보병을 대략 10,000명 정도 장기적으로 주둔시킨 다음, 병영 생활과 농사일을 병행케 하는 것이다.

그 계책으로 강족의 반란은 잠잠해졌다.

* 지식&파워……………………………………………………………………

백문불여일견(백 번 듣는 것이 한 번 보는 것만 못하다는 뜻으로, 여러 번 말로 듣는 것보다 실제로 한 번 보는 것이 더 낫다는 말.)

百:일백 백 聞:들을 문 不:아니 불 如:같을 여 一:한 일 見:볼 견

출전: 한서의 조충국전

모든 사물 중에 뛰어난 것을 백미라고 한다

천하에는 위 · 오 · 촉이란 삼국의 나라가 있었다.

그 중 촉나라에는 문무를 두루 갖춘 마량이라는 유명한 참모가 있었는데, 그야말로 제갈량(자: 공명)과는 생사를 함께 할 만큼 절친한 사이다.

마량은 양양 의성 사람으로서 자는 계상이다.

그들의 자(본명이 아닌 이름)에 모두 '상' 자가 있었으므로 사람들은 그들을 '오상' 이라 하였다.

그리고 이들 형제 중 맏이인 마량은 재능이 가장 뛰어났고 눈썹이 희기 때문에 '백미(흰 눈썹이 최고)' 라고 했다.

그들 형제는 '읍참마속(촉한의 제갈량이 눈물을 흘리면서 군령을 어긴 마속의 목을 베었다는 고사로, 군율을 세우기 위해서는 사랑하고 아끼는 사람도 버린다는 말.)' 으로 유명하다.

촉한의 유비는 적벽대전 이후에 군사인 제갈량의 계책에 의해 형주 · 양양 · 남군을 얻자 매우 만족해 했다.

그때 군신들을 모아 놓고 구원지계를 물었는데 갑자기 한 사람이 계책을 올리고자 대청으로 올라왔다.

지난날 두 번씩이나 유비를 구해 준 이적이라는 사람이었다.

즉시 유비는 예우를 갖추어 그에게 자리를 내주고 계책을 물었다.

그러자 이적이 말했다.

"형주의 구원지계를 아시려고 하면 다섯 형제 모두가 뛰어난 재주를 갖고 있습니다. 하지만 그 중에서도 가장 마음이 너그럽고 인정 많은 사람이 있습니다.

그는 눈썹에 흰털이 있으며, 자는 계상이라고 합니다.

향리에서 평판이 자자한데, 공께서는 어찌하여 불러 물으시지 않으십니까?"

이에 유비는 즉시 명하여 그를 불러 오게 했다.

그 후로 유비는 촉 땅에 들어와서 마량을 좌장군연으로 임명하였으며, 제위에 즉위 한 후에는 그를 시중에 등용하였다.

그 후 마량은 유비를 수행하여 이릉 전투에 참가했다가 35세의 젊은 나이로 죽었다.

* 지식&파워

백미(흰 눈썹이라는 뜻으로, 여러 사람 중에서 가장 뛰어난 사람. 또는 많은 것 중에서 가장 뛰어난 것을 이르는 말.)

白:흰 백 眉:눈썹 미

유의어: 학립계군(鶴立鷄群) 참고: 군계일학(群鷄一鶴)

출전: 삼국지의 촉지 마량전

자신의 마음을 알아주는 친구가 없다면 무슨 소용인가

춘추 시대 백아라는 거문고의 달인이 있었다.

그는 원래 초나라 사람으로 진나라에서 관직 생활을 했는데, 추석 무렵 진의 사신 자격으로 초나라에 갈 기회가 있어 잠시 고향을 찾게 되었다.

실로 오랜 세월 귀향이라 그는 달을 보며 설레이는 마음으로 거문고를 뜯었다.

그때 인기척이 들리고 이어서 남루한 나무꾼이 다가오자 백아는 의아해서 물었다.

"누구시오".

"예, 사실은 선생님의 거문고 연주를 엿듣고 있었습니다."

"아니 그럼, 당신이 내 음악을 안단 말이오?"

"방금 선생님께서 연주하신 음악은 공자의 수제자인 안회의 죽음에 대한 슬픔을 노래한 것 아닙니까?"

"당신이야 말로 진정 나의 음악을 아시는 군요."

알고 보니 그가 바로 종자기인데, 그는 거문고를 감상하는데에 있어서 달인의 경지에 오른 사람이다.

백아가 높은 산과 큰 강의 분위기를 거문고로 타면 옆에서 듣고 있던 종자기의 입에서는 탄성이 절로 났다.

"아, 멋지구나. 하늘 높이 우뚝 솟는 그 느낌은 마치 태산과도 같구나."

"음, 훌륭해. 넘칠 듯이 흘러가는 그 느낌은 마치 황하와도 같구나."

그들은 서로 마음이 통해 의형제를 맺고 내년 이맘 때 다시 만나기로 약속한 뒤 헤어졌다.

이듬해 다시 그곳을 찾은 백아는 깜짝 놀랐다. 종자기는 이미 병으로 죽어 이 세상 사람이 아니었다.
그러자 백아는 너무도 슬픈 나머지 그의 무덤을 찾아가 거문고를 연주한 뒤 거문고의 줄을 끊고 다시는 연주를 하지 않았다.

그것은 자신의 음악을 들어줄 친구가 없어졌기 때문이다.

* 지식&파워

백아절현(백아가 거문고의 줄을 끊었다는 뜻으로, 서로 마음이 통하는 참다운 벗의 죽음을 이르는 말.)
伯:맏 백 牙:어금니 아 絕:끊을 절 絃:악기 줄 현
동의어: 백아파금(伯牙破琴)
유의어: 고산유수(高山流水) 지기지우(知己之友) 지음(知音)
준말: 절현(絕絃)
출전: 열자의 탕문 편

사람을 못마땅하게 생각하거나 싫어하는 것을 삼가해라

위진 시대의 이야기이다.

죽림에 묻혀 청담을 일삼았던 죽림 칠현(유영 · 완적 · 혜강 · 산도 · 상수 · 완함 · 왕융 등.) 중의 한 사람인 완적은 위나라가 진나라로 바뀌는 사이 너무 세상이 어수선하자 속세를 등지고 술과 자연을 벗삼아 노장의 허무주의에 심취했다.

그런 그가 유교의 형식주의에 얽매인 지식인을 보면 속물이라 하여 백안시했다.

이처럼 그는 평소 선비들에 대한 마음의 감정을 까만 눈동자와 흰 눈동자로 표현했다.

그래서 그런지 세속의 예절에 물든 선비를 만나면 흰 눈동자가 보이도록 눈을 흘겼던 것이다.

어느 날 죽림 칠현의 한 사람인 혜강의 동생 혜희가 오자 흰 눈으로 흘겨보았다.

이때 혜희는 완적의 속물 취급에 섬짓함을 느끼고는 황급히 돌아갔다. 이 말을 전해 들은 혜강이 술과 거문고를 들고 완적을 찾아갔는데, 완적은 크게 기뻐하며 검은 눈동자로 반겼다.

이처럼 완적은 속세의 지식인에게는 청안시하지 않고 백안시했으므로, 당시 조정과 재야의 지식인들은 그를 마치 원수처럼 미워했다.

* 지식&파워..

백안시(흘겨보는 눈을 뜻함, 사람을 못마땅하게 생각하거나 싫어함을 이르는 말.)

白:흰 백 眼:눈 안 視:볼 시

유의어: 백안(白眼) 무시(無視)

반의어: 청안시(青眼視)

출전: 진서의 완적전

적을 알고 나를 알면 싸울 때마다 이긴다

적을 알고 나를 알면 백번 싸워도 위태롭지 않다(백전불태: 百戰不殆).
적의 상황을 모르면서 나의 상황만 알면 한 번은 승리하고 한 번은 패배한다.
적의 상황도 모르고 나의 상황도 모르면 매번 싸움에서 필히 위태로워진다.

승리에는 두 가지가 있다.

첫째는 적을 공격하지 않고서도 승리하는 것과,

둘째는 적을 공격해서 승리하는 것이 그것이다.

싸움에서 첫째 방법은 최선책이고, 둘째 방법은 차선책이다.

'백 번 싸워 백 번 이겼다. 해도 그것은 최상의 승리가 아니다.
싸우지 않고 적을 굴복시키는 것이 최상의 승리이다.'
여기서 백은 많은 횟수를 가리키는 것이다.

* 지식&파워..
백전백승(백 번 싸워 백 번 이긴다는 뜻으로, 싸울 때 마다 번번이 다 이긴다는 말.)
百:일백 백 戰:싸울 전 百:일백 백 勝:이길 승
동의어: 연전연승(連戰連勝) 반의어: 백전백패(百戰百敗)
참고: 백발백중(百發百中) 출전: 손자의 모공 편

특별하지 않으면 딱히 우열을 가리기가 힘들다

삼국 시대 위나라를 세운 조비는 전론에서 한서의 저자 반고와 부의의 문장 실력은 가히 우열을 가리기가 힘들다는 뜻으로,

"문인들이 서로를 경시하는 것은 예로부터 있었는데, 부의와 반고의 실력은 백중지간이었다."

이 말에서 우열을 가릴 수 없다는 뜻의 백중지간이 유래했다.

여기서 조비가 백중지간이라는 말을 처음 사용했지만 백과 중은 본디 형제의 순서를 구분하기 위한 것이다.

맏형을 백, 둘째를 중, 셋째를 숙, 넷째를 계라고 불렀다. 따라서 백중은 형과 아우 또는 맏이와 둘째라는 뜻이다.
형제가 많다 보면 형제간에 서로 나이 차이가 크겠지만 아무래도 첫째와 둘째는 엇비슷한 경우가 많다.

또 나이 50이 되어 지천명의 경지에 이르면 형제간의 구별은 더욱 애매하게 된다.
따라서 난형난제란 말도 나오게 되는데, 백중 또는 백중세라면 맏이와 둘째의 구별이 거의 없는 것과 같이 세력이 엇비슷한 경우를 말한다.

예기의 '단궁 편'에서 보면 남자는 태어나서 이름을 짓고, 커서 20세가 되면 성인식을 하고 '자(字)'를 붙인다.

자는 2~3자로 만들었는데, 그 중 한 글자는 형제간의 서열을 딴 경우가 많았다.

그래서 '자(字)'를 보면 그 사람의 항렬을 알 수 있다.

예를 들어 공자는 중니이므로 둘째, 충절로 유명한 백이와 숙제는 각각 맏이와 셋째임을 알 수 있다.

후에 넷째까지 구별하는 것은 번잡스럽기 때문에 그냥 큰 사람을 백(伯), 작은 사람을 숙(叔)이라고만 불렀다.

그래서 백부는 큰아버지, 숙부는 작은 아버지를 뜻한다.

* 지식&파워……………………………………………………………………………

백중지세(맏형과 둘째 형을 뜻하는데, 서로 비슷하여 우열을 가리기가 힘들다는 것을 이르는 말.)

伯:맏 백 仲:버금 중 之:갈 지(…의) 勢:형세 세

동의어: 난형난제(難兄難弟) 백중(伯仲) 백중세(伯仲勢) 백중지간(伯仲之間)

유의어: 막상막하(莫上莫下) 춘란추국(春蘭秋菊)

출전: 문제 조비의 전론

한번 엎지른 물은 다시 그릇에 담을 수 없다

주나라 시조인 무왕의 아버지 서백(문왕)이 사냥을 나갔다가 위수(황하의 큰 지류)에서 낚시질하는 어느 초라한 노인을 목격했다.

서백은 노인에게 다가가 근시의 눈으로 살피더니 이야기를 나누었다.

그 이유는 어느 날 꿈속에서 본 그 노인의 모습과 너무나도 똑같아기 때문이다.

"선친이신 태공이 꿈에 나타나 제게 말하기를 머지않아 반드시 성인이 나타나실 것이며,

그로 인하여 주나라가 번성하게 될 것이라고 했는데 노인이 바로 그 성인이 아니신지요?"

이렇게 말하고는 그를 수레로 모셔서 태공망(천제가 태공에게 준 이름)이라 부른 다음 국사에 봉했다.

그 이후 강태공(성은 강 씨, 이름은 여상)은 문왕의 청을 받아들여 문왕의 스승이 되었다가 후에 제나라의 제후로 봉해졌다.

사실 강태공은 서백(문왕)을 만나 입신 출세하기 전까지는 끼니조차 해결하지 못하는 서생으로 날마다 낚시와 책으로 시간을 보냈다.

그래서 강태공의 부인 사마 씨는 결혼 초부터 시작된 생활고에 시달리다 못해 결국 보따리를 싸가지고 친정으로 도망쳤다.

오랜 세월이 흐른 어느 날,

강태공이 제나라의 제후에 봉해졌다는 소식을 듣고 부인 사마 씨가

찾아와서 이렇게 말했다.

"그때는 끼니를 잇지 못해 떠났지만, 이젠 그럴 걱정도 없을 것 같아 돌아왔지요."

그러자 강태공은 부인 사마 씨에게 물 한 동이를 떠오라고 했다. 그리고 그것을 마당에 쏟은 다음 그릇에 담아 보라고 했다.

부인 사마 씨는 쏟은 물을 물동이에 담으려 했다. 그러나 손에는 진흙만이 잡힐 뿐이었다.

그러자 여상은,

"한번 엎지른 물은 다시 그릇에 담을 수 없고, 한번 떠난 아내는 돌아올 수 없는 법이오."

* 지식&파워...

복수불반분(한번 엎지른 물은 다시 그릇에 담을 수 없다는 뜻으로, 일단 저지른 일은 다시 되돌릴 수 없다는 비유의 말.)

覆:엎을 복 水:물 수 不:아니 불 返:돌이킬 반 盆:동이 분

동의어: 복배지수(覆杯之水) 복수불수(覆水不收)

유의어: 낙화불반지(落花不返枝) 파경부조(破鏡不照) 파경지탄(破鏡之歎)

출전: 습유기

임금의 사위가 된 도탁

옛날 농서(감숙성)에 신도탁이라는 젊은이가 살았다.

그는 유학길의 길목에 있는 옹주에서 날이 저물자, 묵을 곳을 찾다 마침 어느 큰 기와집 앞에 이르게 되었다.

잠시 서성이던 도탁이 대문을 두드리자 하녀가 나왔다.

도탁은 그에게 하룻밤 재워 줄 것을 부탁했다.

하녀는 기다리라며 잠시 안으로 들어갔다 나오더니 그를 정중히 집 안으로 안내했다.

무슨 영문인지 방안에는 근사한 밥상이 차려져 있었다.

이때 하녀는 도탁에게 배도 고플 터이니 많이 드시라고 했다.

식사가 끝나자 여인이 들어와 간곡히 청하기를,

"저는 진나라 민왕의 딸로 조나라에 시집을 갔습니다.

하지만 불행하게도 남편이 죽게 된 후로 23년 동안이나 이곳에서 혼자 살았습니다.

그러니 3일 동안만이라도 부부의 연을 맺게 해 주십시오."

도탁은 여인의 청을 거절하려 했으나 여인의 끈질긴 간청에 못 이겨 결국 3일간의 연을 맺게 되었다.

3일째 되던 날 도탁이 떠나려 하자, 슬픔에 쌓인 여인은 황금으로 만든 베개를 그에게 정표로 준 뒤 하녀에게 대문 밖까지 배웅케 했다.

도탁이 대문을 나와 뒤를 돌아보니 순간 그 큰 기와집은 오간데 없이 사라지고 허허 벌판에는 무성한 잡초와 무덤뿐이었다.
그런데 이상하게도 품속의 황금베개는 그대로 남아 있었다.

진나라로 간 도탁은 황금베개를 팔아 여비를 마련하려 했다.
곧 황금베개에 대한 소문이 나돌자, 황비가 이 소문을 듣고는 그를 잡아들이도록 했다.

황비는 도탁에게 황금베개에 대한 연유를 캐묻고는 그 즉시 하인을 시켜 무덤을 파보게 했다.
그런데 이상하게도 파헤친 흔적은 없고 황금베개만 없어졌다.

황비는 이 모든 사실이 도탁의 말과 일치했으므로, 도탁을 자신의 사위로 인정하고 그에게 '부마도위'의 벼슬을 내렸다.
그리고 금과 비단을 수레에 실어 고향으로 돌아가게 했다.

* 지식&파워

부마(임금의 사위. 공주의 남편.)
駙:곁말 부 馬:말 마.
원말: 부마도위(駙馬都尉)
출전: 간보의 수신기

자신의 뜻과 맞지 않는다고 하여 책을 불사르고 선비를 묻어 죽이는 일은 가혹한 정치 탄압이다

기원전 222년 제나라를 끝으로 6국을 평정한 진나라 시황제는 천하를 통일한 후, 주왕조 때의 봉건 제도를 폐지하고 사상 처음으로 강력한 중앙집권정책을 추진했다.

이어서 법령의 정비와 전국적인 군현제를 실시하는 한편 문자 · 도량형 · 화폐의 통일과 도로망 건설 · 구 6국 성곽의 요새 등을 철거했다.

군현제를 실시한 지 8년이 되는 그 해 어느 날,

시황제 밑에서 박사 벼슬을 한 순우월이 황실의 무궁한 안녕을 기대하기가 어렵다는 이유로 봉건 제도 부활을 주장했는데, 이것이 불행한 사태의 시발점이 되었다.

시황제가 신하들에게 순우월의 의견을 조정의 공론에 붙였으나, 군현 제도를 입안한 승상 이사는 그것에 반대하는 데 그치지 않고 시황제에게,

"폐하, 봉건 제도에 물든 유생들의 사적인 정치 비판는 근본적으로 봉쇄되어야 합니다.

그리고 진기 이외의 사서는 모두 불태우되 이를 어긴 자는 엄단에 처해야 하고, 옛 것을 들먹이며 현실 정치를 비방한 자는 족형에 처해야 합니다.

단 필요한 의약 · 점서 · 농업에 관계되는 서적은 제외하는 것이 바람직합니다."

이와 같은 승상 이사의 진언을 시황제가 받아들임으로써 관청에 제출된 귀한 책들을 불태웠다. 이 일을 가리켜 '분서'라고 한다.
당시 책은 모두 댓조각을 엮어서 만든 죽간이었다. 그래서 한번 잃으면 복원하기 어려운 것도 많았다.

이듬해 아방궁이 완성되자, 시황제는 방사(불로장수의 신선술법을 닦는 사람)들에게 불로장생의 선약을 구하라는 의미로 후한 대접을 했는데, 그들 중에서도 특히 노생과 후생을 신임했다.
그러나 노생과 후생은 권력을 남용해 많은 재물을 사취했고, 그것도 부족해 시황제의 부도덕함을 비난한 뒤 종적을 감췄다.
시황제는 이것에 분노했다.
그 분노가 사라지기도 전에 함양에서 황제를 비방하는 유생들이 잡히자 시황제의 노여움은 극에 달했다.

이때 연루된 자를 모두 산 채로 묻었는데, 그 인원은 무려 460명에 달했다. 이 일을 가리켜 '갱유'라고 한다.

* 지식&파워

분서갱유(책을 불사르고 선비들을 산 채로 구덩이에 묻어 죽인다는 뜻으로, 진나라 시황제의 가혹한 정치 탄압을 이르는 말.)
焚:불사를 분 書:글 서 坑:묻을 갱 儒:선비 유
동의어: 갱유분서(坑儒焚書)
유의어: 진화(秦火)
출전: 사기의 진시황본기

원수와는 한 하늘 아래 살 수 없다. 따라서 원한을 사지 않도록 배려해야 한다

☞ 예기의 곡례 편에는 '불구대천지수'에 대해 다음과 같은 글이 실려 있다.

아버지의 원수와는 같은 하늘을 이고 살 수 없고, 형제의 원수와는 무기를 돌이키지 않으며, 친구의 원수와는 나라를 함께하지 않는다. 다시 말해 아버지의 원수와는 같이 하늘을 이고 살 수 없기 때문에 타협할 여지도 없이 반드시 원수를 갚아야 한다. 형제의 원수를 만났을 땐 집으로 무기를 가지러 갈 여유가 없으므로 항상 무기를 휴대하고 있다가 원수를 만나게 되면 도망갈 틈도 없이 즉시 원수를 갚아야 한다. 친구간의 원수와는 한 나라에서 같이 살 수 없으므로 나라 밖으로 쫓아내던가 아니면 원수를 갚아야 한다.

☞ 이 말은 맹자의 진심 편에 나오는 말과 비교가 된다.

"내 이제야 남의 아버지를 죽이는 것이 중한 줄을 알았다. 남의 아버지를 죽이면 남이 또한 그 아버지를 죽이고, 남의 형을 죽이면 남이 또한 그 형을 죽일 것이다. 그러면 스스로 자신의 아버지나 형을 죽이지는 않았다고 해도 결과는 마찬가지이다."

* 지식&파워……………………………………………………………………

불구대천지수(한 하늘 아래서는 같이 살 수 없는 원수란 뜻으로, 도저히 그냥 둘 수 없을 만큼 원한이 사무친 원수를 이르는 말.)

不:아니 불 俱:함께 구 戴:머리에 일 대 天:하늘 천 之:갈 지(…의) 讎:원수 수

동의어: 불공대천지수(不共戴天之讎)

준말: 대천지수(戴天之讎) 불공대천(不共戴天) 불구대천(不俱戴天)

출전: 예기의 곡례 편 / 맹자의 진심 편

굽은 것과 곧은 것을 묻지 않는다면 옳고 그름은 없는 것이다

이사는 진나라에서 벼슬을 한 초나라 사람이지만, 진나라가 통치 체제를 강화하고 6국을 통일하는 과정에서 숱한 건의와 정책을 내놓았다. 그리고 진시황이 제왕에 오를 때에도 큰 역할을 했다.

어느 날 종친과 신하들이 모여 진나라 사람을 제외한 다른 제후국의 신하들은 믿을 수가 없기 때문에 쫓아내야 한다는 상소를 진시황에게 올렸다.

그때 상소 명단에 이사 자신도 포함되었음을 알고 다음과 같은 상소를 진시황에게 올렸다.

"지금 황제께서는 곤륜산의 옥을 비롯하여 가지고 있는 보배가 많다고는 하지만, 그것을 제외한 대부분의 보배들은 진나라에서 생산되는 것이 아닌데도 폐하께서 그것을 좋아하시는 까닭이 무엇입니까?

반드시 진나라에서 생산된 것만 좋다하신다면,

야광 벽으로 조정 내부를 장식하지 못하고, 코뿔소나 코끼리로 만든 그릇을 즐겨 쓰지 못하고,

정나라와 위나라의 여자들로 하여금 후궁을 채우지 못하고, 좋은 말로 마구간을 채우지 못하고,

강남의 금속 기둥을 사용하지 못하고, 서쪽 촉의 단청으로 꾸미지 못합니다.

또한 후궁을 치장하여 마음을 즐겁게 하고 눈과 귀를 기쁘게 하는 것들이 반드시 진나라에서 생산되는 것이어야 한다고 하면,

완주의 비녀와 부기의 귀걸이,
아호의 옷, 금수의 장식을 황제께 드릴 수 없으며,
아름다운 조나라 여인을 곁에 둘 수 없습니다.

저 옹(장단을 맞추는 타악기)을 치고,
부(장단을 맞추는 악기)를 두드리며,
쟁(거문고 비슷한 13현의 악기)을 타고 무릎을 두드리고 노래하여 눈과 귀를 즐겁게 하는 것만이 진나라의 음악이라고 한다면,
정이나 위의 음악 그리고 소우와 상무는 다른 나라의 음악인데, 어찌 버리지 않고 연주하게 하는 까닭이 무엇입니까? 즐기는 것만을 앞에 놓고 보시면 되는 것입니까?

지금 사람을 쓰는 것은 그와 달라서 옳고 그름은 묻지 않고,
진나라 사람이 아닌 자는 떠나가게 하고, 내 나라 사람이 아닌 사람은 내쫓으시려 하니,
그렇다면 중시하는 것은 여색과 음악과 주옥이요, 대수롭지 않은 것은 백성이니 이는 천하를 통치하고 제후를 다스리는 법이 아닙니다."

* 지식&파워..

불문곡직(굽은 것과 곧은 것을 묻지 않는다는 뜻으로, 옳고 그름을 묻지 아니함.)
不:아닐 불 問:물을 문 曲:굽을 곡 直:곧을 직
출전: 사기의 이사열전

40살은 판단에 흔들림이 없었야 한다

공자가 노년에 자신의 일생을 돌아보고, 그 정신적인 성장 과정을 짤막하게 엮은 일종의 자서전적인 요소가 포함된 글.

공자가 말하기를,
"나는 15세가 되어서 학문에 뜻을 두었고, 30세가 되어서 학문의 기초를 이루었으며,
40세가 되어서는 판단에 흔들리지 않았고, 50세가 되어서는 하늘의 뜻을 알았으며,
60세가 되어서는 귀로 들은 것에 대한 뜻을 알았고, 70세가 되어서는 마음이 하고자 하는 대로 하여도 법도에 벗어나지 않았다."

· 15세-지학(志學) · 남자 나이 20세-약관(弱冠) · 여자 나이 20세-방년(芳年)
· 30세-이립(而立) · 32세-이모년(二毛年) · 40세-불혹(不惑)
· 48세-상년(桑年) · 50세-지명(知命) · 60세-이순(耳順)
· 61세-화갑, 회갑, 환갑(華甲, 回甲, 還甲) · 62세-진갑(進甲)
· 70세-고희, 종심(古稀, 從心) · 77세-희수(喜壽) · 80세-산수(傘壽)
· 88세-미수(米壽) · 90세-졸수(卒壽) · 99세-백수(白壽)
· 100세-上壽(상수), 期年(기년).

* 지식&파워..
불혹(정신적인 판단에 있어 흔들리지 않을 나이. 나이 마흔 살을 이르는 말.)
不:아니 불 惑:미혹할 혹
동의어: 불혹지년(不惑之年)
출전: 논어의 위정 편

싸움에서 협상이란 또 다른 싸움을 준비하는 것과 마찬가지다. 그렇지 않다면 결국 적에게 포위된다

항우(초나라)와 유방(한나라)의 대결에서 유래된 것이다.

진나라를 무너뜨린 초나라 왕인 항우와 한나라 왕 유방은 홍구(하남성)에 있는 강을 경계로 한, 5년간의 패권 다툼을 끝내고 결국은 항우의 휴전 제의를 받아들였다.

항우는 곧 주둔해 있던 군대를 철수하여 도읍인 팽성(서주)으로 향할 쯤, 서쪽의 한중(섬서성의 한강 북안의 땅)으로 돌아가던 유방이 참모 장량 · 진평의 진언에 따라 말머리를 돌려 항우를 추격했고, 그 결과 해하(안휘성 내)에서 한나라 장수인 한신에게 겹겹이 포위되었다.

이때 초나라 진영은 싸움에서 많은 병사를 잃은 것은 물론 군량마저 떨어졌기 때문에 사기가 크게 떨어져 있었다.
설상가상으로 밤은 이슥해 오고 사방에서는 초나라 노래가 들려 왔다.
초나라 병사들은 그리운 고향의 노랫소리에 눈물을 흘리면서 누가 먼저라고도 할 것 없이 도망을 쳤다.

이런 심리적 전술은 장량이 생각한 것이다.

한나라의 포로가 된 초나라 병사들로 하여금 고향에 대한 노래를 부르게 할 때, 적군 병사가 듣게 되면 향수에 젖어 싸울 의지가 없게 되는 것이다. 따라서 장량의 이 작전은 맞아떨어졌다.

한편 부하들의 도망으로 세력이 약화된 항우는 마지막 술잔치를 벌렸다.

그리고 그때까지 남아있던 소수의 부하들을 위로한 다음, 불과 800여 명의 기마병을 이끌고 포위망을 탈출한 항우는,

이튿날 혼자 적국으로 뛰어들어 수백 명을 벤 뒤 당초 군사를 일으켰던 땅〈강동의 길목인 오강(안휘성 내)〉으로 달려갔다.

하지만 항우는 자신의 병사를 다 잃고 난 터라 혼자 돌아갈 면목이 없었기 때문에 스스로 목을 쳐서 자결했다. 그때 그의 나이는 31세였다.

* 지식&파워..

사면초가(사면에서 들려오는 초나라의 노래란 뜻으로, 사방이 모두 '적으로 둘러싸인 형국' 이나 누구의 도움도 받을 수 없는 '고립된 상태' 를 이르는 말.)

四:넉 사 面:낯 · 겉 · 대할 면 楚:초나라 초 歌:노래 가

동의어: 사면초가성(四面楚歌聲)

유의어: 고립무원(孤立無援) 진퇴양난(進退兩難) 진퇴유곡(進退維谷)

준말: 초가(楚歌)

참고: 건곤일척(乾坤一擲) 걸해골(乞骸骨) 권토중래(捲土重來)

출전: 사기의 항우본기

전략적인 분열은 새로운 질서를 만든다

전국 시대 정책에 관련된 이야기이다.

장의가 주장하는 연횡론은 합종론에 맞서서 진나라가 이들 여섯 나라와 각각 동맹을 맺어 화친할 것을 주장한 것이다. 그런데 소진이 주장하는 합종론은, 한나라 · 위나라 · 조나라 · 초나라 · 연나라 · 제나라 등이 함께 동맹을 맺어 서쪽의 진나라에 대항하자는 것이었다.

"위나라는 땅이 사방 천리도 되지 않고 군대도 30만에 불과합니다.

또한 높은 산이나 요충지가 없는 평지이기 때문에 적을 방어할 수가 없습니다. 더구나 남쪽에는 초나라, 서쪽에는 한나라, 북쪽에는 조나라, 동쪽에는 제나라가 있습니다. 만약 위나라가 남쪽으로 초나라와 연합하고 제나라와 연합하지 않으면, 제나라가 위나라의 동쪽을 공격할 것이고, 동쪽으로 제나라와 연합하고 조나라와 연합하지 않으면 조나라가 위나라의 북쪽을 공격할 것이며, 한나라와 연합하지 않으면 한나라가 위나라의 서쪽을 공격을 공격할 것이며, 초나라와 연합하지 않으면 초나라가 위나라의 남쪽을 공격할 것입니다. 이것을 이른바 '사분오열의 도라고 하는 것입니다."

실은 여기서 '사분오열' 이라는 말이 나왔지만, 오늘날에는 집단이나 세력의 분산으로 힘을 쓸 수 없게 된 상태를 말한다.

* 지식&파워..

사분오열(넷으로 다섯으로 나누어 분산시킨다는 뜻으로 여러 갈래로 갈기갈기 찢기거나, 분열되어 질서가 없어짐을 일컫는 말.)

四:넉 사 分:나눌 분 五:다섯 오 裂:찢어질 열

출전: 전국책의 위책

정도를 벗어난 행위는 사이비에 불과하다

어느 날 맹자에게 제자 만장이 찾아갔다.

"한 마을 사람들이 유지를 모두 훌륭한 사람이라고 칭찬한다면 그가 어디를 가더라도 훌륭한 사람이라고 말을 해야 하는데, 어찌 공자께선 그를 '덕을 해치는 사람' 이라고 하셨습니까?"

맹자는,

"그를 비난하려고 해도 특별히 비난할 것이 없고, 세상살이에도 어긋남이 없다. 또한 집에 있어서는 성실한 것 같고, 밖에서 청렴결백한 것 같아 모두가 그를 스스로 좋아하지만, 요순(요 임금과 순 임금)의 정직한 도에 견줄 수 없기 때문에 '덕을 해치는 사람' 이라고 한 것이다."

공자께서는 말씀하셨다.

'나는 사이비한 것을 미워한다. 들판의 강아지풀을 미워하는 것은 그것이 곡식의 싹으로 보일까 두려워서이고, 말로 득을 보고자 하는 것을 미워하는 것은 정의로 보일까 두려워서이고, 정나라의 음악을 미워하는 것은 아악(雅樂)으로 보일까 두려워서이고, 자주 색깔을 미워하는 것은 붉은 색깔로 보일까 두려워서이다.'

이처럼 인의에 뿌리를 내리지 못하고 겉만 번지르르하며, 처세술에 능한 사이비를 공자는 '덕을 해치는 사람' 으로 보았기 때문에 미워한 것이다.

* 지식&파워……………………………………………………………………

사이비(겉으로는 그것이 제법 그럴듯하지만 실제로는 전혀 다르거나 가짜인 것을 이르는 말.)

似:같을 사 而:어조사 이 非:아닐 비

원말: 사이비자(似而非者) 사시이비(似是而非)

출전: 맹자의 진심 편 / 논어의 양화 편

불필요한 행동은 덧붙이지 마라

전국 시대의 초나라 회왕 때, 초나라에 제사를 관장하는 사람이 있었다. 그런데 그는 제사를 지낸 뒤 집안사람들과 상의하여 술을 내놓았다.

"여러 사람이 마시기에는 부족하고 한 사람이 마실 만큼 있다."

그러자 모여 있는 사람들은 궁리 끝에, 땅바닥에 뱀을 먼저 그리는 사람에게 술을 마시게 하자고 제안했다.

한 사람이 먼저 뱀을 그린 후, 술이 있는 곳으로 가서 왼손에 술잔을 들고 오른손으로 다리를 그리면서,

"나는 능히 그 뱀의 발도 그릴 수 있다네."

다른 사람이 뱀을 다 그리고 나서 술잔을 빼앗으며 하는 말이,

"뱀은 원래 발이 없네, 그런데 당신은 어째서 그것에 다리를 그리는가?"

그런 후에 그 술을 몽땅 마셔 버렸다.

뱀의 다리를 그리던 사람은 결국 그 술을 마시지 못하게 되었다.

술잔을 빼앗긴 사람은 공연히 쓸데없는 짓을 했다고 후회를 했지만 소용이 없었다.

'사족'은 제나라에 간 진나라의 사신 진진이 제나라 민왕의 요청에 따라 당초 제나라를 공격하려 했던 계획을 철회해 달라고 초나라 재상 소양을 설득하는 과정에서 인용된 말이다.

* 지식&파워..

사족(뱀의 발을 뜻하는 것으로, 있는 것보다 없는 편이 더 낫고, 안 해도 될 쓸데없는 일을 덧붙여 하다가 도리어 일을 그르친다는 말.)

蛇:뱀 사 足:발 족

출전: 전국책의 제책 / 사기의 초세가

옳은 일을 위해서라면 자신을 희생할 줄 알아야 한다

공자가 말씀하시기를,

"높은 뜻을 지닌 선비와 어진 사람은, 삶을 구하여 '인(仁)'을 저버리지 않으며, 스스로 몸을 죽여서 '인(仁)'을 이룬다."

공자의 제자인 증자는 논어 이인 편에서, 부자(공자에 대한 경칭)의 도는 '충', '서' 일 뿐이다. '충' 이란 규정된 질서에 자신을 버려 최선을 다하는 정신이고, '서' 란 '충' 의 정신을 그대로 남에게 미치도록 하는 마음이다.

증자는 춘추 시대의 유학자. 이름은 삼, 자는 자여. 공자의 제자로 효성이 지극했으며 공자의 덕행과 학설을 기록했다.

비록 선천적으로는 뛰어나지 못하더라도 덕을 쌓고 노력하면 성인이 될 수 있다는 유교의 '이상적인 인간상' 을 잘 구현한 사람이라 할 수 있다.

증자에게 전해진 공자의 도는 공자의 손자인 자사에게 전해지는데, 자사는 사서 중의 하나인 '중용' 을 지었다고 전해진다.

여기서 유교의 성립은 공자 → 안자 → 증자 → 자사 → 맹자로 이어진다.

* 지식&파워..

살신성인(몸을 죽여 어질게 한다는 뜻으로, 곧 옳은 일을 위하여 자기 몸을 희생한다는 말.)

殺:죽일 살 身:몸 신 成:이룰 성 仁:어질 인

유의어: 맹왈취의(孟曰取義) 명연의경(命緣義輕) 사생취의(捨生取義) 살신입절(殺身立節)

참고: 공이망사(公而忘私) 대공무사(大公無私)

출전: 논어 위령공 편

필요한 인재를 얻기 위해서는 인내심을 가져라

후한 말엽 관우(자는 운장), 장비(자는 익덕)와 의형제를 맺고 무너져 가는 한나라의 부흥을 위해 유비(자는 현덕)는 군사를 일으켰다.

그러나 군사적인 지략을 가진 인재가 없었기 때문에 유비는 유표에게 몸을 맡기는 신세가 되었고, 강한 군사력을 가지고 있으면서도 조조에게 여러 차례 당했다.

이때 유비는 전술적인 참모가 없음을 깨닫고 그런 유능한 참모를 알아보기로 했다.

어느 날 유비가 은사인 사마휘를 찾아가 유능한 책사를 천거해 달라고 청하자 사마휘는,

"복룡(초야에 묻혀 있는 재사)과 봉추(봉황의 새끼라는 뜻으로, 아직 세상에 알려지지 않은 영웅.) 가운데 한 사람만 얻으시오."

유비는 제갈량의 별명이 복룡이라는 것을 알고 즉시 관우 · 장비와 함께 수레에 예물을 싣고 그가 사는 양양의 초가집으로 갔다.

그러나 제갈량은 없었다.

며칠 후 또 찾아가도 없었는데, 비로소 세 번째 찾아간 날 만날 수 있었다.

이때 제갈량은 27세, 유비는 47세였다.

삼고지례는 유비가 제갈량을 얻기 위해 관우와 장비의 만류에도 불구하고 그의 초가집을 세 번씩이나 찾아간 데서 유래되었다.

즉 유능한 인재를 얻기 위해서는 인내심을 가지고 최선을 다해야 한다는 뜻이 있다.

또한 인재를 알아 볼 줄 아는 안목도 갖추어야 한다.

유비는 제갈량을 얻은 이후 자신과 제갈량의 사이를 수어지교(물고기가 물을 만난 것과 같은 사이)라고 말했다.

제갈량은 원래 신분이 낮은 사람으로 손수 농사를 지으면서 살았는데, 그는 관중을 악으로 비유한 인물로 최주평과 서서 외에는 아무도 알아주지 않았다.

이후 자기를 찾은 유비의 지극한 정성에 감동한 나머지 유비의 군사가 되어 적벽대전을 승리로 이끌었다.

또한 그는 위나라의 조조, 오나라의 손권과 더불어 한나라 황실의 맥을 잇는 촉한을 세워 황제(소열제) 반열에 올랐다.

* 지식&파워……………………………………………………………………

삼고초려(초가집을 세 번 찾아간다는 뜻으로, 인재를 맞아들이려면 여러 번 찾아가서 예를 다해야 한다는 말.)

三:석 삼 顧:돌아볼 고 草:풀 초 廬:풀집 려

동의어: 삼고지례(三顧之禮) 초려삼고(草廬三顧)

유의어: 삼고지우(三顧知遇)

준말: 삼고(三顧)

참고: 수어지교(水魚之交)

출전: 삼국지의 촉지 제갈량전

위급한 상황이 닥치면 우선 피하는 것이 상책이다

남북조 시대 제나라 때의 사건으로, 명제는 소도성의 사촌 형제인 고제의 증손들을 죽이고 제5대 황제의 자리에 즉위했다.

그는 황제에 즉위한 이후 후환이 두려워 형제와 조카 14명을 살해하고, 반대파도 모두 죽여 버렸다.

황제가 된 후 병치레를 하면서도 마음에 부담이 가는 왕족들을 계속해서 죽이는 한편 개국에 공을 세운 회계 지방 태수 왕경칙 마저 죽이려 했다.

이것을 알아차린 왕경칙은 생명에 위협을 느낀 나머지 군사 1만을 이끌고 건강(지금의 난징)을 향해 진격을 했다.

진격이 시작되자 오죽하면 명제에게 불만을 품은 마을의 농민들까지도 합세하고 나섰다.
이와 같이 농민들이 왕경칙에게 힘을 보태고 나서니 무려 군사는 10만으로 늘었다.

그는 이 여세를 몰아 군사를 일으킨 지 10여 일 만에 거침없이 건강(지금의 난징)과 흥성성을 함락할 수 있었다.

이때 태자 소보권이 병석에 누워 있던 명제를 대신하여 정사를 돌보고 있었는데, 건강(지금의 난징)과 흥성성이 함락되었다는 소식을 듣게 되자 우왕좌왕 피난 준비를 서둘렀다.

소보권의 피난 소식을 전해 듣자 왕경칙은,

"단장군(남조 송나라 초기의 명장 단도제)의 36가지 계책 가운데 도망치는 것이 제일 상책이다. 그러니 너희들 부자는 어서 빨리 도망가는 것이 좋을 것이다."

그러나 이렇게 당당한 왕경칙도 대비가 없었던 탓에 결국은 제나라 군사에게 포위되어 참수를 당했다.

* 지식&파워..

삼십육계 주위상계(36가지 계책 가운데 피하는 것이 제일 좋은 계책이라는 뜻으로, 불리하거나 도망가야 할 상황이 닥치면 우선적으로 피하는 것이 상책이라는 말.)

三:석 삼 十:열 십 六:여섯 육 計:꾀할 계 走:달아날 주 爲:할 위 上:위 상 計:꾀할 계

동의어: 삼십육계 주위상책(三十六計走爲上策)

출전: 자치통감의 141권 / 제서의 왕경칙전

근거 없는 말(거짓말)이라도 여러 사람이 하면 진실이 된다

☞ 전국 시대 위나라 혜왕 때의 일이다.

위나라는 외교적 관례에 따라서 조나라에 볼모로 가야 하는데, 그 볼모로 태자와 중신 방총이 선발되었다.

방총은 조나라의 도읍 한단으로 떠나기 며칠 전 왕을 알현했다.

방총은 심각한 표정으로 혜왕에게 물었다.

"전하, 지금 누가 저잣거리에 호랑이가 나타났다고 하면 믿으시겠습니까?"

"그런 말을 누가 믿겠는가."

"그렇다면 두 사람이 똑같이 저잣거리에 호랑이가 나타났다고 말을 한다면 믿으시겠습니까?"

"반쯤은 믿고 반쯤은 의심하겠지."

"이번에는 세 사람이 똑같이 저잣거리에 호랑이가 나타났다고 말을 한다면 믿으시겠습니까?"

"그땐 믿을 것 같다."

그러자 방총이,

"저잣거리에 분명히 호랑이가 없습니다.

그러나 세 사람이 연이어 똑같은 말을 하면 호랑이가 나타난 것이 됩니다.

신은 이제 조나라 한단으로 떠납니다.

전하 바라옵건대, 신이 떠난 뒤 신을 향해 이러쿵저러쿵 말이 많을 것입니다.

이때 전하께선 그들의 헛된 말을 귀담아 듣지 마십시오."

왕은 어떤 일이든 두 눈으로 본 것 외에는 믿지 않겠다고 방총에게 말했다.

그러나 방총이 조나라 한단으로 떠나자마자 방총을 모함하는 자가 있었다.

몇 년 후 볼모로 있다가 풀려났지만, 태자만이 돌아오고 방총은 왕의 의심을 받는 처지라 결국은 귀국할 수 없었다.

☞ 증자가 노나라의 비라는 곳에 살고 있었다.

당시 그곳에는 증자와 동일한 이름과 성을 가진 사람이 있었는데, 그가 사람을 죽였다.

그러자 어떤 사람이 그 소문을 듣고는 증자의 어머니에게 전해 주었다.

"증자가 사람을 죽였습니다."

"내 자식은 사람을 죽일 리가 없습니다."

그리고는 베를 짜는 일에 열중했다.

조금 뒤, 또 한 사람이 왔다.

"증자가 사람을 죽였습니다."

증자의 어머니는 못들은 척 베를 짜는 일에 열중했다.

그러나 세 번째 또 한 사람이 와서 증자가 사람을 죽였다고 하자, 증자의 어머니는 자신의 몸을 숨겼다고 한다.

* 지식&파워...

삼인성호(세 사람이 서로 짜면 저잣거리에 호랑이가 나타났다고 말을 할 수 있다는 뜻으로, 근거 없는 말(거짓말)이라도 여러 사람이 하면 이를 믿게 된다는 말.

三:석 삼 人:사람 인 成:이룰 성 虎:범 호

동의어: 삼인언이성호(三人言而成虎) 시유호(市有虎) 시호삼전(市虎三傳)

유의어: 십작목무부전(十斫木無不顚)

증삼살인(曾參殺人: 공자의 제자인 증삼이 사람을 죽였다는 말인데, 거짓말이라도 여러 사람이 하면 믿을 수밖에 없다는 뜻.)

출전: 전국책의 위책 혜왕 / 진책

뽕밭이 변하여 푸른 바다가 되는 것처럼 세상도 덧없이 바뀌는 것이다

어느 날 마고(늙은) 선녀가 신선 왕방평에게 말했다.

"제가 신선님을 모신 이래로 동해가 세 번이나 뽕나무(6월경에 엷은 노랑의 작은 꽃이 이삭 모양으로 피고, 열매인 '오디'는 검은 자줏빛으로 달콤함.) 밭으로 변하는 것을 보았습니다.
이번에 봉래에 갔더니 바다가 다시 얕아져서 이전의 반쯤 되었습니다. 또 육지로 변하는 것일까요?"

그러자 신선 왕방평이,

"동해가 다시 흙먼지를 일으키고 있구나."

* 지식&파워..

상전벽해(뽕밭이 변하여 푸른 바다가 된다는 뜻으로, 세상이 덧없이 바뀜을 이르는 말.)

桑:뽕나무 상 田:밭 전 碧:푸를 벽 海:바다 해

동의어: 벽해상전(碧海桑田) 창상지변(滄桑之變) 창해상전(滄海桑田)

유의어: 능곡지변(陵谷之變)

준말: 상해(桑海)

출전: 신선전의 마고(늙은) 선녀 이야기

세상일이란 종잡을 없는 것과 마찬가지로 사람의 운수는 항상 바뀌기 때문에 예측할 수 없는 것이다

옛날 중국 북방의 국경 근처에 점을 잘 치는 한 노인이 살고 있었다.

그런데 하루는 그가 기르던 말이 무슨 까닭인지는 모르겠으나 국경을 넘어 오랑캐들이 사는 땅으로 달아났다. 마을 사람들이 이를 위로하고 동정하자, 노인은 아쉬운 기색도 없이 태연스럽게 말했다.

"누가 압니까? 이것이 어떤 복이 될런지."

몇 달 후, 달아났던 말이 뜻밖에도 오랑캐의 준마를 데리고 돌아왔다. 마을 사람들이 이를 축하하자, 노인은 기쁜 기색도 없이 태연스럽게 말했다. "누가 압니까? 이것이 어떤 화가 될런지."

그러던 어느 날, 좋은 말이 생기자 전부터 말 타기를 좋아하던 노인의 아들이 그 말을 타고 달리다가 그만 낙마하여 다리를 부러뜨렸다. 마을 사람들은 병신이 된 아들에 대해 위로하자, 노인은 슬픈 기색도 없이 태연스럽게 말했다. "누가 압니까? 이것이 어떤 복이 될런지?"

그로부터 1년이 지난 어느 날, 많은 오랑캐들이 쳐들어왔다. 그때 마을 장정들은 적을 맞아 싸우다가 거의 죽게 되었는데, 노인의 아들만은 다리가 병신이어서 무사할 수 있었다.

* 지식&파워..

새옹지마(세상일이란 종잡을 없는 것과 마찬가지로 길흉화복(사람의 운수)은 항상 바뀌기 때문에 예측할 수 없다는 말.)

塞:변방 새 翁:늙은이 옹 之:갈 지(…의) 馬:말 마

원말: 인간 만사 새옹지마(人間萬事塞翁之馬)

동의어: 북옹마(北翁馬) 새옹마(塞翁馬)

유의어: 새옹화복(塞翁禍福) 전화위복(轉禍爲福) 화복규승(禍福糾繩)

참고: 새옹득실(塞翁得失) 출전: 회남자의 인간훈

본질도 파악하지 못하는 상황에서 그것을 흉내내는 행위는 비난을 받아 마땅하다

춘추 시대 말엽, 오나라와의 전쟁에서 패한 월왕 구천은 오왕 부차의 방심을 유도하기 위해 절세의 미인 서시를 바쳤다.

서시는 월나라의 가난한 나무꾼의 딸로 태어났는데, 그는 본디 빼어난 용모를 갖추고 있었다.

월왕의 신하 범려는 미인계를 쓰기 위해 그녀를 즉시 궁중으로 불러드렸다.

서시의 얼굴이 얼마나 예뻤던지 구경꾼들이 길가로 몰리는 바람에 그녀의 일행은 궁중까지 사흘이나 걸렸다.

그 후에도 서시의 얼굴을 보려는 사람들이 몰리자 범여는 일 전씩 돈을 내도록 했다. 그리고 그 돈으로 무기를 만들어 병사들에게 훈련을 시키는 한편 서시에게 문장과 예절을 3년 동안 배우게 했다.

드디어 서시는 오나라 왕 부차에게 보내졌는데, 부차는 그를 본 순간 첫눈에 반했다.

따라서 부차는 그녀가 하고 싶은 일은 무엇이든 하게 했고, 특히 그녀가 뱃놀이를 좋아했기 때문에 부차는 대운하 공사를 했다.

결국 엄청난 세금 징수와 강제 노역으로 국력은 바닥이 나고 백성들은 도탄에 빠졌다.

이렇게 서시는 오나라 왕 부차의 넋을 빼앗아 정치보다는 사치와 환락의 세월을 보내게 했다.

그 후로 서시는 병 때문에 오나라인 고향으로 돌아왔다.

서시는 어릴 적부터 병이 있었는데, 그 병이 주는 고통으로 인해 얼굴을 몹시 찡그렸다.

하지만 그 찡그리는 모습은 오히려 형용할 수 없을 만큼의 아름다운 자태로 비추어져 부차도 그 모습에 넋이 나갈 정도였다.

이 소문이 궁중 밖으로 퍼지자 어느 마을의 아주 못생긴 여자도 서시의 흉내를 내고 다녔다.

그러자 마을 사람들은 모두 질겁하여 문밖으로 나오려 하지 않았다.

한편 사람들은 이런 흉내를 효빈(찡그린 것을 본뜬다)이라 했다. 또한 '빈축을 산다.' 는 말도 여기에서 유래된 것이다.

장자의 천운 편에 나오는 이 이야기는 원래 반유교적인 장자가 외형에만 치중한 나머지 본질을 꿰뚫어 볼 능력이 없는 사람을 신랄하게 풍자한 것이다.

춘추 시대 말엽, 공자가 그 옛날 주왕조의 이상 정치를 그대로 노나라와 위나라에 재현시키려는 것은 마치 '서시빈목' 을 흉내 내는 추녀의 행동과 같은 것이라 했다.

* 지식&파워..

서시빈목(서시가 눈살을 찌푸린다는 뜻으로 무조건 남의 흉내를 내거나 단점을 장점인 줄 알고 본뜨는 것을 이르는 말.)

西:서녁 서 施:베풀 시 矉:눈살 찌푸릴 빈 目:눈 목

원말: 효빈(效矉)

동의어: 서시봉심(西施捧心) 서시효빈(西施效矉)

출전: 장자의 천운 편

가까이 있는 사람부터 챙겨라

전국 시대의 연나라는 제나라에 부왕과 영토 대부분을 잃었다.

그때 즉위한 소왕이 제나라를 치고자 스승인 곽외에게 인재 모으는 법을 물었다.

"옛날 어떤 왕이 천금을 가지고 천리마를 구하기 위해 무척 애를 썼으나 오랫동안 구하지 못했습니다.

그러던 어느 날, 잡무를 맡아보던 신하가 왕을 뵙고는 자신에게 천금을 주면 천리마를 구해 오겠노라고 장담을 한 것입니다.

왕은 그를 믿고 천금을 주었습니다.

신하가 천리마를 찾기 위해 전국을 돌다 마침내 천리마가 있는 곳을 찾아냈습니다.

그러나 애석하게도 그 말은 며칠 전에 죽었습니다. 그것도 모르는 왕은 천리마가 당도하기를 손꼽아 기다린 것입니다.

그런데 신하는 산 것도 아닌 죽은 천리마의 뼈를 오백 금이나 주고 사왔습니다.

화가 난 왕은 신하를 불러 크게 꾸짖고는 어떻게 된 영문인지 따졌습니다."

그러자 신하는,

"전하, 천리마는 귀한 말이라 함부로 내놓지 않습니다. 그런데 전하께서 그 죽은 말의 뼈를 오백 금에 샀다는 소문이 퍼지면 반드시 전하 앞으로 많은 사람들이 천리마를 끌고 올 것입니다."

과연 신하의 말대로 천리마를 가진 사람들이 모여들었다.

신하가 말하기를,

"전하께서 진정한 인재를 원하신다면 저를 오백 금에 사십시오.
그러면 천하의 인재들이 이 소문을 듣고 전하 앞으로 모여들 것이 분명합니다."

소왕이 곽외의 이야기를 듣고 깨달은 바가 있어서 그에게 황금대를 지어 주고 스승으로 모셨다.

이 일이 제국에 알려지자 과연 연나라로 인재들이 모여들었다. 그 중에는 조나라의 명장 악의, 음양설의 원조 격인 추연, 그리고 대정치가인 극신과 같은 인재도 있었다.

그 후로 소왕은 그들과 함께 제나라를 쳐서 마침내 복수를 했다.

* 지식&파워..

선시어외(먼저 외〈사람(나라) 이름〉부터 시작하라는 뜻으로, 가까이 있는 사람(말한 사람)부터 먼저 시작하라는 말.)

先:먼저 선 始:비로소 시 於:어조사 어(…에, …보다) 隗:사람(나라) 이름 외 · 높을 외

출전: 전국책의 연책 소왕

상대편이 수를 쓰기 전에 먼저 수를 쓰면 상대를 제압할 수 있다

항량은 옛 초나라의 명장 항연의 아들이다.

그는 고향에서 사람을 죽이고 조카인 항우의 집에 피신해 있었는데, 오나라에서는 그가 통솔력이 뛰어난 인물쯤으로 여겼다. 때문에 그는 큰 일이 있을 적마다 지휘봉을 잡게 되었다.

진시황이 죽고 정국이 혼란에 빠지자 강동의 회계 태수 은통이 반란을 준비하면서 항량에게,

"지금 강서(안휘성 · 하남성)에서는 반기를 들었다고 하는데, 이는 하늘이 진나라를 멸망케 하기 위한 것이오.

내가 들은 바로는 '선수를 치면 상대를 제압할 수 있고, 뒤따르면 상대에게 제압을 당한다.'는 말이 있잖소. 따라서 나는 군대를 일으켜 공과 환초를 장군으로 삼으려 하오."

그러자 병법에 밝은 항량이 미리 은통의 계략을 알아채고는,

"거병을 하려면 태수가 생각한 대로 환초를 찾아야 하는데, 그가 있는 곳을 아는 사람은 오직 제 조카인 항우뿐입니다. 그러니 그를 불러 환초를 데려오라 하십시오."

이에 은통은 항우를 부르게 했다.

밖으로 나온 항량은 뜰아래 대기하고 있던 항우에게 귓속말로,

"방으로 들어가면 무조건 태수인 은통의 목을 쳐라."

항우는 방으로 들어서기가 무섭게 은통의 목을 쳤다. 이어서 항량은 관아를 점령했다.

그리고 스스로 회계 군수가 된 항량은 8,000의 군사로 함양을 향해 진격하다 도중에 전사했다.

항량이 죽자 이어서 회계군의 총수가 된 항우는 유방과 더불어 진나라를 멸망시켰다.

그 후로 5년여 동안 유방과의 패권 다툼에서 지자 결국 항우는 자결했다.

* 지식&파워..

선즉제인(상대편이 수를 쓰기 전에 먼저 수를 쓰면 상대를 제압할 수 있다는 뜻.)

先:먼저 선 則:곧 즉 制:억제할 제 人:사람 인

유의어: 진승오광(陳勝吳廣)

대응어: 후즉위인소제(後則爲人所制)

출전: 사기의 항우본기 / 한서의 항적전

세월은 사람을 기다려 주지 않는다

☞ 잡시 12수 중 첫째 수 끝의 4구

인생은 뿌리도 줄기도 없이,
길 위에 흩날리는 티끌과 같은 것이라.
흩어져 바람 따라 굴러다니니,
이것은 이미 떳떳한 몸이 아니다.

땅위에 떨어지면 형제가 되는 것을,
어찌 꼭 혈육만 가깝다 하는가.
기쁜 일이 생기면 마땅히 즐기고,
한 말의 술이 이웃을 모은다.

한창 때의 나이는 다시 오지 않고,
하루에 새벽은 두 번 오지 않는다.
늦기 전에 마땅히 힘써야 하는 것을,
세월은 사람을 기다리지 않는다.

* 지식&파워..

세월부대인(세월은 사람을 기다려 주지 않는다.)
歲:해 세 月:달 월 不:아니 불 待:기다릴 대 人:사람 인
출전: 도연명의 고문진보에 나오는 잡시
주요 작품: 귀원전거, 오류선생전, 도화원기, 귀거래사.

쓸데없이 인정을 베푸는 것은 어리석은 짓이다

춘추 시대인 주나라 양왕 때 송나라 환공이 죽었다. 환공이 죽기 전에 태자인 자부가 어진 서형(작은마누라가 난 형) 목이에게 태자의 자리를 양보하려 했으나 목이는 사양했다. 결국 목이는 재상이 되었고 자부가 환공의 자리를 물려받아 양공이 되었다. 그리고 그 후로 송 · 제 · 초 세 나라의 맹주가 되었다. 재상 목이는 작은 나라가 패권 다툼에 끼어드는 것을 보고는 크게 걱정을 했다. 이듬해 여름, 송나라 양공은 자기를 무시하고 정나라가 초나라와 우호적인 관계를 맺자 정나라를 쳤다. 그러자 그 해 겨울 동짓달(음력 11월) 초하루, 초나라는 정나라를 구원하기 위해 대군을 파병했다. 양공은 초나라 군사와 싸우기로 하고 먼저 강(홍구: 하남성 내) 쪽에 진을 치고 있었다. 그런데 양공은 초나라 병사들이 강을 건너기 전에는 절대로 공격하지 않겠다고 말했다.

재상 목이가,

"적이 강을 건너기 전에 공격을 해야 합니다."

그러자 양공은,

"군자는 적이 어려울 때 공격을 하지 않는 법이오."

양공은 초나라 군사가 전열을 가다듬고 나서야 공격 명령을 내렸다.

그 결과 병사가 적은 송나라가 참패했다. 이때 양공 자신도 허벅다리에 부상을 입고, 결국 상처의 악화로 이듬해 죽고 말았다.

* 지식&파워..

송양지인(송나라 양공의 인정이란 뜻으로, 쓸데없이 인정을 베푸는 어리석음을 일컫는 말.)

宋:송나라 송 襄:도울 양 之:갈 지(…의) 人:사람 인

출전: 십팔사략

구멍 속에서 쥐가 머리만을 내밀고 주변을 살피듯이 주저하면 자신에게 욕을 보이는 것이다

전한 경제부터 무제에 걸쳐 벌어진 일이다.

문제의 황후 조카 위기후 두영과 경제의 황후 동생 무안후 전분은 외척으로 경쟁 관계에 있었다.

경제가 죽은 후로 나이가 많은 두영은 몰락하는 대장군으로 있고, 기세등등한 전분은 신진 재상으로 길을 걷게 되었다.

이 두 사람이 서로 원수가 된 것은 다름 아닌 위기후 두영의 친구인 장군 관부가 술자리에서 전분에게 대들었기 때문이다.

다시 말해 장군 관부가 두영을 무시한 고관을 꾸짖자 이것을 본 전분이 그를 두둔했는데, 이때 관부에게 사과를 요구하자 이를 거절했다.

결국 이 일이 조정의 안건으로 다루어지자, 황제 앞에서 서로가 정당성을 주장하는 것도 모자라 상대를 헐뜯기에 바빴다.

양쪽 주장을 들은 후, 무제는 중신들에게 물었다.

"경들이 보기엔 어느 쪽이 잘못한 것 같소."

감찰을 맡은 어사대부 한안국이,

"폐하, 양쪽 다 일리가 있으므로 판단하기 곤란합니다. 따라서 폐하의 결단이 필요합니다."

그때 도읍을 다스리는 내사 정당시가 위기후 두영의 편을 들려했으나 상황이 불리해지자 자신의 의견을 분명하게 제시하지 않았다.

그러자 황제는 정당시에게,

"너는 두 사람에 대해 평소 비판을 잘하더니 이처럼 중요한 때에 아무 말도 없구나.
이래서야 어찌 맡은 바 소임을 다할 수 있겠는가? 너를 벌하는 것이 천하를 위하는 길이다."

무제가 자리를 뜨자 무안후 전분은 황제의 마음을 어지럽힌 것에 대해 사죄의 뜻으로 사직서를 낸 후 어사대부 한안국을 불러 책망했다.

"그대는 왜 구멍에서 머리만 내밀고 주변을 살피는 쥐처럼, 이토록 사건은 명료한데 눈치만 보는가."

* 지식&파워..

수서양단(구멍 속에서 쥐가 머리만을 내밀고 주변을 살핀다는 뜻으로, 어느 쪽으로도 마음을 정하지 못한 채 주저함을 일컫는 말.)

首:머리 수 鼠:쥐 서 兩:두 양 端:바를 · 실마리 단

동의어: 수시양단(首施兩端) 유의어: 좌고우면(左顧右眄)

출전: 사기의 위기무안후열전

자신의 잘못을 인정도 안 하면서 억지를 부리지 마라

진나라 초기에 풍익 태수를 지낸 손초가 있었는데, 이 이야기는 벼슬길에 오르기 전 그의 젊은 시절 이야기이다.

당시 세속적인 도덕을 무시하고 노장의 철학을 중시하는 이른바 청담(속되지 않은 이야기)이 유행했다. 재주가 탁월하고 문장에 뛰어난 손초는 속세를 떠나 산속에 은거하기로 마음먹은 뒤, 친구인 왕제에게 마음속에 있는 이야기를 털어놓았다.

"돌로 양치질을 하고, 흐르는 물을 베개로 삼겠다."

왕제가 웃으면서,

"흐르는 물을 어찌 베개로 삼을 수 있으며, 돌로 어찌 양치질을 할 수 있단 말인가? 그게 아니라 돌을 베개로 삼아 눕고, 흐르는 물로 양치질하는 생활을 하고 싶다. 라는 것일세."

그러자 자존심이 강한 손초가,

"흐르는 물을 베개로 삼겠다는 것은 옛날에 살았던 은사 허유와 같이 쓸데없는 말을 들었을 때에는 귀를 씻기 위한 것이고, 돌로 양치질한다는 것은 이를 닦으려는 것이라네."

이처럼 우겼지만 자신의 말이 틀렸다는 것을 그는 알았다.

* 지식&파워..

수석침류(돌로 양치질을 하고 흐르는 물을 베게로 삼는다는 뜻으로, 자기의 잘못을 인정하지 않고 억지스럽게 우긴다는 말.)

漱:양치질할 수 石:돌 석 枕:베개 침 流:흐를 류

동의어: 침류수석(枕流漱石)

유의어: 견강부회(牽强附會) 궤변(詭辯) 아전인수(我田引水)
추주어륙(推舟於陸)

참조: 영천세이(潁川世耳) 청담(淸談) 출전: 진서의 손초전

물방울이 끊임없이 떨어지면 돌을 뚫고 작은 노력이 지속되면 큰 뜻을 이룰 수 있다

☞ 새끼줄로 톱질을 하면 나무가 잘리고,
물방울이 끊임없이 떨어지면 돌을 뚫는다.
도를 배우는 사람은 모름지기 힘써 구하라.
물이 모이면 개천을 이루고,
참외는 익으면 꼭지가 떨어진다.
도를 얻으려는 사람은 모든 것을 자연에 맡겨라.

☞ 북송 때에 현령 장괴애가 한 고을을 다스리며 살았다.

어느 날 장괴애는 관아를 두루 살피던 중, 창고에서 구실아치(지난날, 각 관아의 벼슬아치 밑에서 일을 보던 사람.)가 놀란 듯 뛰어나오는 것을 목격했다.
현령 장괴애는 그 구실아치의 이상한 행동을 수상히 여겨 그를 당장 잡아들이게 했다.
아니나 다를까 그 구실아치를 조사해 본 결과 상투 속에는 한 푼짜리 엽전이 있었다.
장괴애가 이유를 끝까지 캐묻자 창고에서 훔친 것이라고 실토했다.

그러자 그는 즉시 형리(지방 관아의 형방에 딸렸던 아전)에게 곤장을 치라고 명했는데, 구실아치는 따지 듯 말했다.

"이건 너무 합니다. 엽전 한 푼이 뭐 그리 대단한 것이라고 그러십니까?"

장괴애가,

"네 이놈 티끌 모아 태산이라는 말도 못 들었느냐? 하루에 한 푼이라도 1,000일이면 1,000전이요.
먹줄에 쓸려 나무가 잘리고, 물방울이 끊임없이 돌에 떨어지면 구멍이 뚫리는 법이다."

크게 진노한 장괴애가 구실아치의 곁으로 다가서더니 그의 목을 가차없이 쳤다.

우리나라에도 수적천석이란 말과 같은 뜻으로 쓰이는 '낙숫물이 댓돌(집채의 낙수 고랑 안쪽으로 조금 높게 돌려가며 놓은 돌.)을 뚫는다.' 라는 속담이 있다.

* 지식&파워……………………………………………………………………

수적천석(물방울이 돌을 뚫는다는 뜻으로, 작은 노력이라도 지속적으로 하면 큰 것을 이룰 수 있다는 비유의 말.)

水:물 수 滴:물망울 적 穿:뚫을 천 石:돌 석

동의어: 점적천석(點滴穿石)

유의어: 산류천석(山溜穿石) 우공이산(愚公移山) 적수성연(積水成淵) 적토성산(積土成山)

출전: 채근담 / 나대경의 학림옥로

노력없이 기회를 기다리는 것은 어리석은 일이다

송나라 사람 중에 밭을 가는 사람이 있었다. 그런데 갑자기 토끼 한 마리가 밭으로 뛰어들더니 밭에 있는 그루터기(나무나 풀 따위를 베고 남은 밑동)에 부딪혀 곧장 목이 부러져 죽었다.

토끼 한 마리를 공짜로 얻은 농부는 농사일을 팽개치고 매일 밭두둑에 앉아 그루터기를 지키며 토끼가 오기만을 기다렸다. 그러나 토끼는 그곳에 두 번 다시 나타나지 않았다.

그러는 사이 밭은 무성한 풀밭으로 변해 농사만 망치게 되었고, 자신 또한 사람들에게 웃음거리가 된 셈이다.

한비자는 이 이야기로 언제까지나 낡은 습관에 묶여 세상의 변화에 대응하지 못하는 사람들을 비꼬았다. 그리고 그는 시대의 변화는 돌고 도는 것이 아니라 진화하는 것이며, 복고주의는 변화에 역행하는 것이라고 말했다.

한비자가 살았던 시기는 전국 시대 말기인데, 그때는 전 시대 보다 기술과 생산성도 향상되었으며, 사회 또한 변했다. 그럼에도 불구하고 정치인들 중에는 옛날의 정치가 이상적이라고 말을 하며 예전으로 돌아갈 것을 주장했다.

예전에 훌륭한 것이라고 해서 그것을 오늘날에 맞는다고 하는 것은 그루터기 옆에서 토끼를 기다리고 있는 것과 같은 이치라고 한비자는 말했다.

* 지식&파워……………………………………………………………………

수주대토(그루터기〈나무나 풀 따위를 베고 남은 밑동〉를 지키면서 토끼를 기다린다는 뜻으로, 노력도 않은 채 기회가 찾아오기만을 어리석게 기다린다는 말.)

守:지킬 수 株:그루터기 주 待:기다릴 대 兎:토끼 토

유의어: 연목구어(緣木求魚) 출전: 한비자의 오두 편

오래 살다 보면 그만큼 망신스러운 일을 많이 겪는다

전국 시대를 살다간 사상가 장자는 송의 몽읍(하남성 상부구현 근처)에서 태어났으며, 맹자와 거의 비슷한 시대에 활약한 것으로 전해진다.

장자의 저서는 원래 52편이었다고 하는데, 현존하는 것은 진대의 곽상이 고쳐 쓴 33편(내편 7, 외편 15, 잡편 11)으로, 그 중에서도 내편이 원형에 가장 가깝다고 한다. 이것은 천지 중에 있는 글이다.

그 옛날 요 임금이 나라 안을 두루 돌아다니며 살피던 중, 화산 지방의 변방에 이르게 되었다.

그곳의 관리가 정중히 맞이하며,

"성인이시여! 성인에게 축복이 내려 오래 살기를 기원합니다."

그러자 요 임금은,

"허허 나는 사양하겠네."

"그러시다면 부를 누리십시오."

"그것도 사양하겠네."

"그러시다면 성인께서 아들이 많기를 기원합니다."

"그것도 사양하겠네."

그러자 변방의 관리가,

"오래 사는 것과 부자가 되는 것과 그리고 아들을 많이 갖는 것은 모두의 바람입니다."

요 임금은,
"아들이 많으면 그 중에 못난 아들이 있어 걱정의 씨앗이 되고, 부를 누리면 쓸데없는 잡일로 번거롭고, 오래 살면 욕되는 일이 많아지는 법이다."

이 말을 들은 관리가,
"저는 요 임금이 성인이라고 들었는데, 이제 보니 군자에 불과하군요. 아들이 많으면 반드시 그에게 맞는 일이 있고, 재물이 늘면 남에게 나누어 주면 될 것입니다. 무릇 성인이란 메추라기처럼 자유롭게 머무를 곳을 정하지 않고, 병아리처럼 주는 대로 먹고, 새처럼 날아다니면 아무런 흔적도 남기지 않는 법입니다.
천하에 올바른 도가 실천되면 사물과 더불어 번창하고, 그렇지 않으면 덕이나 닦으며 홀로 지낼 뿐입니다.
천 년을 살다 세상이 싫증나면 훌쩍 떠나 신선처럼 저 흰구름을 타고 옥황상제께 가면 됩니다. 그리하면 어떤 걱정도 없을 것입니다. 또한 욕될 것도 없습니다."

요 임금이 좀 더 관리의 말을 들어보려 했으나 그는 어디론가 사라져 버렸다.

* 지식&파워

수즉다욕(오래 살면 욕되는 일이 많다는 뜻으로, 오래 살다 보면 그만큼 망신스러운 일을 많이 겪게 된다는 말.)

壽:목숨 수 則:곧 즉 · 법칙 칙 多:많을 다 辱:욕되게 할 욕

출전: 장자의 천지 편

물이 맑으면 큰 물고기가 살 수 없듯이 사람도 너무 결백하면 따르는 사람이 없는 법이다

후한 초기 서역의 주역을 맡았던 반초는 중국 역사서의 하나인 한서의 저자 아버지 반표, 형 반고, 여류 역사학자 반소 등과는 달리 무장으로 이름을 떨쳤다.

AD. 73년 반초는 36명을 이끌고 사신 자격으로 서역을 향했다.

그의 주요 사명은 서역의 한 나라인 선선국(지금의 신강성에 위치)과의 관계 개선을 위해 끊임없이 노력하는 것이다.

이미 선선국에 들어와서 활동하고 있는 흉노의 사신을 제거한 것은 물론, 50여 나라를 복속시켜 결속을 다지고 돌아왔다.

따라서 흉노의 세력은 약화되었고, 그는 그것에 대한 공로를 인정받아 정원후에 봉해졌다.

그 후 동로마제국에 사신을 파견하여 비록 많은 숫자는 아니지만 중국인들에게 페르시아만 일대를 여행할 수 있게 해 주었는데, 반초는 31년간을 서역에 머무르다 70세에 수도 낙양으로 돌아온 후로 얼마 지나지 않아 죽었다.

영원 때, 지금의 신강성 위구르 자치구 고차(당시 실크로드의 요충지)에서 소임을 다한 도호부 도호(총독) 반초의 뒤를 이어 임상이 후임으로 내정되었다.

임상이 현지로 떠나기 전 반초를 찾아뵙고 이런 질문을 했다.

"서역을 다스림에 있어 어떤 점을 유의해야 합니까?"

반초가,

"자네는 너무 결백하고 성급한 것 같아 그게 걱정이네. 원래 물이 너무 맑으면 큰 물고기는 숨을 곳이 없어 살지 못한다네.

마찬가지로 정치도 너무 결백하고 성급하면 아무도 따라오질 않는 법이라네.

그러니 사소한 일은 사소한 대로 큰일은 큰 대로 처리하는 것이 무엇보다 중요하다네."

임상은 반초의 말이 너무 상식적이었으므로 묘책을 듣고자한 그의 기대에 어긋나자 그는 반초의 조언을 무시했다.

결국 부임 5년 후인 안제 때 서역의 50여 나라가 한나라를 배척하기에 이르렀다.

* 지식&파워..

수청무대어(물이 맑으면 큰 물고기가 살 수 없다는 뜻으로, 사람이 너무 결백하면 사람들이 가까이하지 않음을 비유하여 이르는 말.)

水:물 수 淸:맑을 청 無:없을 무 大:클 대 魚:고기 어

원말: 수지청즉무어(水至淸則無魚)

동의어: 수청무어(水淸無魚) 수청어불〈주〉서(水淸魚不〈住〉棲)

참고: 불입호혈 부득호자(不入虎穴不得虎子)

출전: 후한서의 반초전

서로의 이해 관계에 있어서 한쪽이 망하면 다른 한쪽도 보전하기 어렵다

춘추 시대 말엽, 진나라 문공의 아버지인 헌공이 괵과 우, 두 나라(지금의 강서성)를 공략할 때의 일이다.

괵나라를 공격할 욕심으로 헌공은 통과국인 우나라 우공에게 뇌물을 주고 그곳을 지나가게 해 달라고 요청했다.

우공이 보석에 눈이 먼 관계로 이 제의를 수락하자, 우나라의 대부 궁지기는 헌공의 속셈을 알고 우왕에게 극구 만류했다.

"전하, 괵나라와 우나라는 한 몸이나 다름없는 사이입니다.
괵나라가 망하면 우나라도 망할 것입니다.
옛 속담에도 수레의 짐받이 판자와 수레는 서로 의지하는 것처럼 입술이 없어지면 이가 시리다고 했습니다.
이는 바로 괵나라와 우나라를 두고 한 말입니다.
결코 길을 열어 주어서는 안 될 것입니다."

그러나 우왕은,

"진과 우리는 모두 주황실에서 갈려 나온 같은 뿌리인데, 어찌 우리를 해칠 수 있겠는가?"

"괵나라 역시 같은 뿌리입니다. 하오나 진나라는 옛날의 같은 뿌리가 아닙니다.
예컨대 과거의 진나라는 종친인 한 핏줄 제나라 환공과 초나라 장공을 죽인 일도 있습니다.
전하, 그처럼 도리에서 벗어난 진나라를 믿어서는 안 됩니다."

그러나 보석에 눈이 먼 우공은 결국 진나라에 길을 열어 주고 말았다.

그러자 대부 궁지기는 후환이 두려운 나머지 이런 말을 남기고 가족과 함께 우나라를 떠났다.

"우나라는 올해를 넘기지 못할 것이다."

진나라는 대부 궁지기의 예견대로 12월에 괵나라를 정벌하고 돌아오는 길에 우나라도 정복하여 우왕을 사로잡았다.

* 지식&파워..

순망치한(입술이 없으면 이가 시리다는 뜻으로, 이해 관계가 서로 밀접하여 한쪽이 망하면 다른 한쪽도 보전하기 어려움을 비유하여 이르는 말.)
脣:입술 순 亡:망할 · 잃을 망 齒:이 치 寒:찰 한
동의어: 순치보거(脣齒輔車) 순치지국(脣齒之國)
유의어: 거지양륜(車之兩輪) 조지양익(鳥之兩翼)
참고: 보거상의(輔車相依)
출전: 춘추좌씨전의 희공5년조

혀만 있으면 천하도 움직일 수 있다

장의는 전국 시대의 유세가로 귀곡자의 제자이다. 혜공이 그를 받아들여 난국을 극복했다.

장의는 합종책에 의한 동맹 관계에 있었던 6국(조 · 한 · 위 · 제 · 연 · 초)을 돌아다니면서 진을 적으로 삼으면 패망하게 된다고 설득을 하고, 지금이라도 합종의 동맹을 깨고 연횡을 하자고 제안했다.

조나라를 시작으로 사이가 좋지 않던 제나라와 초나라를 이간하여 합종을 깨고 연횡을 성공시켰다.

장의는 스승 귀곡자 밑에서 수학을 한 후, 그는 자기를 써 줄 사람을 찾아 여러 나라로 전전하다가 초나라 재상의 식객으로 등용의 기회를 엿보고 있었다.

어느 날 잔치를 베푸는 자리에서 초왕이 하사한 '화씨지벽' 이라는 진귀한 구슬이 없어졌다.
그때 장의는 누명을 쓰고 곤장과 함께 자백을 강요받다 결국 실신을 하게 되자 소양은 그를 방면했다.

장의가 도망치듯 위나라로 돌아오자 아내는 눈물을 흘리면서 말했다.

"이젠, 유세는 그만두고 농사나 지으세요."

그러자 장의는 불쑥 혀를 내밀며 이렇게 말했다.

"내 혀를 보시오. 아직도 있소?"

"있어요."

"이 혀가 있는 동안 나는 유세를 멈추지 않을 것이오."

그 후 혀 하나로 진나라의 재상이 되었으며 연횡책을 성공시켰다.

장의는 각 제후국들 사이의 미묘한 갈등 관계를 이용하여 그들을 진나라에 복속시키기도 하고, 그들의 동맹을 이간시켜 그 세력을 약화시키기도 했다.

진나라 혜왕 때, 그는 성공적인 외교 정책으로 영토 확장과 국력 신장에 큰 공훈을 세웠으며, 통일의 기반을 다지는 데에도 한 몫을 했다.

* 지식&파워……………………………………………………………………

시오설(내 혀를 보라는 뜻으로, 혀만 있으면 천하도 움직일 수 있다는 말.)

視:볼 시 吾:나(자신) 오 舌:혀 설

동의어: 상존오설(尙存吾舌)

참고: 계구우후(鷄口牛後) 고침안면(高枕安眠)

출전: 사기의 장의열전

자리만을 차지하고 있으면서 녹(나라에서 주는 연봉)을 축낸다는 것은 부끄러운 일이다

옛날 중국에서는 제사를 지낼 때 신주 대신으로 조상의 피를 이어받은 아이를 조상의 신위에 앉혀 놓는 풍습이 있었다. 이때 신위에 앉아 있는 아이를 시동이라고 하는데, 이와 같은 풍습은 토속 신앙에 근거를 둔 듯하다.

조상의 혼백이 거짓됨이 없고 순수한 아이의 몸을 통하면 신통한 능력이 생겨 무엇이든 먹고 마시는 것을 마음대로 할 수 있다는 발상에서 이 풍습이 전해진 것 같다.

여기서 시위는 신위를 말하며 시동의 자리를 말한다. 다시 말해 아무것도 모르는 시동을 신위에 앉혀 놓고 조상 대접을 받게 하듯, 아무런 능력이나 공적도 없이 남이 만들어 놓은 자리에 앉아 있는 것을 가리켜 시위라고 한다.

소찬은 찬을 말하는 것인데, 이것은 공짜로 먹는 것을 말한다. 즉 능력도 공적도 없이 녹(녹봉: 벼슬아치에게 연봉으로 주는 곡식 · 피륙 · 돈 따위를 통틀어 이르는 말. 봉록. 식록.)만 받아먹는 것을 의미한다.

당시 중신이었던 주운은 이렇게 탄식했다. 오늘날 조정의 대신들이 위로는 임금을 바로잡지 못하고, 아래로는 백성을 유익하게 못하니, 다 공적도 없이 녹만 받는 시위소찬들이다.

* 지식&파워..

시위소찬(신위 앞에 차려진 찬이란 뜻으로, 자리만 차지하고 하는 일없이 녹만 받아먹는 사람을 일컫는 말.)

尸:시동 시 位:자리 위 素:힐 소 餐:먹을 찬

유의어: 녹도인(祿盜人) 반식대신(伴食大臣) 의관진도(衣冠之盜)

출전: 한서의 주운전

기러기가 보내 온 편지

한나라의 무제 때 포로 문제로 협상을 하러 갔던 소무가 훈(흉노)의 내분에 의해 억류되었고, 북해(바이칼 호)로 추방되어 몇 해를 보냈다.

무제가 죽고 난 다음, 소제가 즉위하자 훈(흉노)에 특사를 보내어 소무의 석방을 요구했다. 그러나 훈(흉노)의 수장(우두머리)은 그가 이미 몇 해 전에 죽었다고 말을 했다.

그날 밤 소무와 함께 왔던 상혜가 특사의 숙소로 찾아와 무언가 은밀한 말을 전했다.

"나는 소무와 함께 온 사람 중 한 사람인데, 흉노의 내란에 휘말려 억류된 후 투항했소. 그때 그는 끝까지 투항을 거부했기 때문에 결국 북해(바이칼 호)로 추방된 뒤 지금까지 그곳에서 지내고 있소."

다음날 특사는 흉노의 수장을 만나 따지듯이 말했다.

"내가 이곳에 오기 전에 황제께서 상림원으로 사냥을 나가셨는데, 거기서 기러기 한 마리를 잡았소. 그런데 어찌된 일인지 그 기러기 발목에는 베 조각이 감겨져 있었고, 그 베 조각에 '소부는 대택(큰 못) 근처에 있다.' 라고 적혀 있었소. 이것으로 미루어 짐작컨대 분명 소무는 살아 있는 것이오."

안색이 변한 수장은 부하와 몇 마디 나누더니,

"어제는 내가 잘 모르고 한 말이오. 그는 살아 있소."

결국 특사가 꾸며낸 말이 적중하자, 며칠 후 소무는 석방되었다.

* 지식&파워……………………………………………………………

안서(기러기가 소식을 전한다는 뜻으로, 편지를 일컫는 말.)

雁:기러기 안 書:쓸 · 편지 서

동의어: 안백(雁帛) 안보(雁報) 안신(雁信) 안찰(雁札)

참고: 인생조로(人生朝露) 출전: 한서의 소무전

사람이 살면서 도움은 못 줄 망정 눈엣가시가 되어서는 안 된다

조재례는 당나라 말기에 살았던 사람으로 혼란기를 틈타 백성들에게 수단과 방법을 가리지 않고 긁어 모은 재물로 권력자를 매수하여 후양 · 후당 · 후진 등 세 왕조에 걸쳐 절도사를 역임했다.

조재례는 송주(하남성 내)의 백성들을 못살게 들볶는 것은 물론 조세를 가혹하게 거두어들인 인물이다. 그런 그가 영흥 절도사로 영전되어 떠나자 백성들은 서로를 위로하며 기뻐했다.

"눈에 박힌 못이 빠진 것처럼 시원하다."

이 소문을 들은 조재례는 앙갚음으로 1년만 더 송주에 있겠다고 조정에 뇌물을 주고는 청원했다. 청원은 받아들여져 다시 송주로 돌아온 그는 집집마다 '발상 전(못 빼기 돈)' 이란 명목으로 1년 안에 돈 1천 전씩을 받치게 했다. 그리고 다음과 같이 엄명을 내렸다.

"눈의 못을 빼려거든 1천 전씩을 내라. 그러면 내가 깨끗이 떠나 주마."

그때 조재례는 이 같은 수법으로 1년간 긁어 모은 돈이 무려 수천 전이 달했다.

* 지식&파워..

안중지정(눈에 박힌 못이라는 뜻으로, 나에게 해를 끼치기 때문에 몹시 밉고, 늘 눈에 거슬리는 사람을 일컫는 말.)

眼:눈 안 中:가운데 중 之:갈 지(…의) 釘:못 정

동의어: 안중정(眼中釘) 출전: 신오대사

확실한 방법도 없이 헤매는 것은 그야말로 캄캄한 어둠 속에서 물건을 찾는 격이다

당나라 3대 고종이 황후인 왕씨를 폐하고 중국 역사상 유일의 여제였던 측천무후를 맞이하려 할 때, 왕씨의 지지 세력을 누른 무씨 옹립파에 허경종이란 학자가 있었다.

그의 집안은 대대로 남조에 벼슬을 해 왔고, 그도 훗날 재상이 되었다. 그러나 그의 행동은 경솔했으므로 방금 만났던 사람조차 기억하지 못했다.

어느 날, 친구가 비웃으며,

"학문도 깊은 사람이 사람의 얼굴을 기억조차도 못하는데, 혹시 일부러 그러는 것이 아니오?"

허경종이 말하기를,

"자네의 얼굴처럼 평범한 사람은 기억하기도 힘드네, 하지만 초나라 하손 · 유효작 · 심약과 같은 문장의 대가들은 어둠 속에서도 손으로 더듬어 찾듯이 기억할 수 있다네."

* 지식&파워

암중모색(어둠 속에서 손으로 더듬으며 물건을 찾는다는 뜻으로, 확실한 방법을 모르는 채 이리저리 시도하는 것을 이르는 말.)

暗:어두울 암 中:가운데 중 摸:더듬을 모 索:찾을 색

동의어: 암중모착(暗中摸捉) 유의어: 오리무중(五里霧中)

준말: 암색(暗索) 출전: 수당가화

항상 약장 속의 약이 되어라

당나라 3대 황제인 고종의 황후였던 측천무후의 이름은 무조로, 중국의 정식 여자 황제로는 처음이자 마지막이다.

그런 측천무후가 14세가 되던 해 당 2대 황제인 태종의 후궁 무수리로 입궁했는데, 태종은 그녀의 용모가 출중하여 후궁의 마지막 서열인 재인으로 임명했다.
그러나 아름다운 외모와는 달리 애교가 없자, 태종 이세민의 사랑을 받지 못했다.

아무튼 무후는 26세가 되던 해에 태종이 죽었으므로 전례대로 감업사에서 비구니 생활을 했다. 그러나 태종 5주기 고종 때 다시 입궁하여 황후가 되었다.

그 후로 고종이 중풍에 걸리자 이것을 빌미로 무후는 천후라 일컫고 포악한 정치를 일삼았는데, 당시 권력층에겐 시련이요, 백성들에겐 태평성대였다.

당시 백성들이,

"황제가 이씨든 무씨든 우리에겐 무슨 상관인가?"라는 말이 유행했을 정도로 측천무후의 치세는 대단했다.

그때 측천무후는 당대뿐 아니라 후대에도 명재상으로 칭송받았던 적인걸이라는 식견이 높은 인물을 곁에 두고 있었다. 그는 청렴하면서도 바른말을 잘했기 때문에 그의 문하에는 인재들이 많았다. 그 중에서도 원행충은 매우 뛰어난 인재이다.

어느 날 원행충은 적인걸에게 이렇게 말했다.

"선생님의 집에는 산해진미(온갖 인재)가 많습니다. 행여 과식으로 배탈이 날지도 모르니 저 같은 쓴 약도 곁에 놔두십시오."

그러자 적인걸이 웃으면서 말했다.

"자네야말로 내 약장 속의 약이라네. 단 하루라도 곁에 없어서는 안 될 인재 중의 인재이지."

*적인걸: 당나라 때의 정치가로 당 태종을 거쳐 고종과 측천무후의 시대에 재상을 지냄.

* 지식&파워..

약롱중물(약장 속의 약이라는 뜻으로, 항상 곁에 없어서는 안 될 중요한 인재를 일컫는 말.)

藥:약 약 籠:대그릇 롱 中:가운데 중 物:만물 물

동의어: 약롱지물(藥籠之物)

참고: 양약고구(良藥苦口) 출전: 당서의 적인걸전

새도 좋은 나무를 가려 앉는다

춘추 시대 유가의 시조인 공자가 정치에 대한 도를 알리려 위나라에 갔다. 위나라에는 많은 공자의 제자들이 관직에 있었는 데도, 위의 군주는 공자를 등용하려 했다. 어느 날 위나라 공문자가 정적 대숙질을 공격하기 위해 그 계책을 공자에게 물었다.

"제사에 관한 것을 배운 적은 있으나 군사에 관한 것은 들어 본 적이 없습니다."

화가 난 공자는 제자들에게 당장 수레에 말을 매라고 했다. 제자가 그 까닭을 물었다.

공자는,

"새는 앉아 있을 나무를 택하는 것이다. 나무가 어찌 새를 택할 수 있겠느냐?"

그때 공문자가 공자의 귀국을 막으며,

"제가 어찌 사사로운 일로 그러겠습니까? 다만 저는 위나라의 어려운 일을 물었을 뿐입니다. 하오니 너무 언짢게 생각하지 마시고 이곳에 좀 더 계십시오."

이 말을 듣고 난 후에야 기분이 풀린 듯, 공자는 위나라에 머무르려 했으나, 때마침 노나라 사람이 찾아와 귀국을 청했고, 그는 노령에 고향 생각도 나고 해서 14년 만에 노나라로 돌아갔다.

* 지식&파워

양금택목(새는 좋은 나무를 가려 택한다는 뜻으로, 현명한 사람은 자기를 키워 줄 사람을 가려서 모신다는 말.)

良:좋을 양[량] 禽:새 금 擇:가릴 택 木:나무 목

동의어: 양금상목서(良禽相木棲)

출전: 춘추좌씨전의 애공11년조 / 삼국지의 촉지

겉과 속이 다른 행동은 하지 마라

제나라 영공 때의 일이다. '안자춘추' 에 보면 영공은 궁중에서 여인들에게 남장을 시켜 놓고 즐기는 괴이한 버릇이 있다고 했다. 그런데 이러한 일은 백성들에게도 퍼져 남장하는 여인들이 나라 곳곳에서 생겨났다. 이 소문을 듣자 영공은 궁중 밖에서 여자들이 남장하는 것을 금했다. 그러나 이런 현상은 좀처럼 수그러들지를 않았다. 영공이 안영(안자)에게 그 까닭을 묻자 안영(안자)은 이렇게 대답했다.

"전하, 궁중에서의 남장은 허용하면서, 백성들의 남장은 금지했습니다. 이것은 마치 소의 머리를 문에 걸어놓고 안에서는 말고기를 파는 것과 같은 것입니다. 왜 궁중에서는 미인들에게 남장시키는 것을 금하지 않는 것입니까? 궁중에서 금한다면 궁중 밖에서도 감히 남장하는 사람이 없을 것입니다."

영공이 안영(안자)의 진언에 따라 즉시 궁중의 여인들에게 남장 금지령을 내렸다. 그러자 제나라에서는 채 한 달도 안 돼 남장한 여인을 찾아볼 수 없었다고 한다.

☞ '무문관' 에는, "양의 머리를 걸어놓고 말고기를 판다."

☞ '설원' 에는, "소의 뼈를 걸어놓고 말고기를 안에서 판다." 라고 적혀 있다.

* 지식&파워...

양두구육(양의 머리를 내걸어 놓고 실제로는 개고기를 판다는 뜻으로, 선전은 그럴싸하지만 내실이 따르지 못함, 또는 겉과 속이 다름을 비유하여 이르는 말.)

羊:양 양 頭:머리 두 狗:개 구 肉:고기 육

원말: 현양두 매구육(懸羊頭賣狗肉)

동의어: 현양수매마육(懸羊首賣馬肉) 현우수(매)마육(懸牛首(賣)馬肉)

유의어: 현옥매석(懸玉賣石)

출전: 안자춘추 / 무문관 / 설원

도둑은 본디 도둑이 아니라 행실 자체가 습관화 된 것이다

후한 말, 진식(자는 공중)이 태구현(하남성 내)령으로 부임할 당시의 일이다.

그는 학식이 뛰어나면서도 인품이 맑고 깨끗한 사람으로 늘 겸손함과 공정함을 잃지 않았기에 고을 사람들로부터 존경을 받아 왔다.

그러던 어느 해인가, 흉년이 들어 고을의 인심은 날로 흉흉해지고 사방에는 도둑들이 들끓었다.

어느 날 밤, 진식이 대청에서 책을 보고 있었다. 그런데 누군가가 몰래 들어와 대들보 위에 숨는 것이었다.

도둑이라는 것을 알면서도 진식은 모르는 체 책에만 열중했다. 그러다 별안간 아들과 손자들을 방으로 불러 놓고 정색하며 이렇게 훈계를 했다.

"무릇 사람이란 스스로 노력하지 않으면 안 된다. 착하지 않은 사람도 그 본성은 악한 것이 아니다.
다만 행실 자체가 습관이 되어 결국 지금에 이른 것이다. 지금 대들보 위의 군자도 이와 같다."

진식의 훈계를 대들보 위에서 듣고 있던 도둑이 크게 놀란 모습으로 내려와 머리를 숙인 채 죄를 청했다.

진식은 그 모습을 보고,

"너의 얼굴을 보니 악한 사람은 아니구나.

마땅히 착한 사람으로 돌아가야 하며, 지금은 가난 때문에 잠시 잘못한 것이다."

진식은 그런 말을 한 연후 그에게 비단 두 필을 주어 돌려보냈다. 그 뒤로 고을에서는 도둑이 사라졌다 한다.

* 지식&파워……………………………………………………………………………

양상군자(대들보 위에 있는 군자라는 뜻으로, 도둑을 점잖게 이르거나 또는 쥐를 비유하여 이르는 말.)

梁:들보 량 上:위 상 君:임금 · 군자 군 子:아들 · 사람 자

유의어: 무본대상(無本大商) 녹림호걸(綠林豪傑)

출전: 후한서의 진식전

좋은 약은 입에 쓰다

☞ 진의 시황제가 천하 통일의 업적을 이룬 후 그가 죽자, 혼란이 시작되었다.

그때 유방(훗날의 한고조)과 항우가 서로 합의 아래 함양(진나라 도읍)에 먼저 입성하는 사람이 왕이 되기로 했다.
먼저 입성한 유방이 진왕 자영에게 항복을 받고 아방궁에 들어서자, 금은보화와 아름다운 궁녀가 있었다.
본래 술과 여자를 좋아했던 유방은 마음이 끌려 그곳을 떠나지 않으려고 했다.
그러자 용장 번쾌가 서둘러 그곳을 떠나자고 말을 했음에도 불구하고 유방이 듣지 않자.

이번에는 참모 장량이,

"우리가 궁전에 들어온 이유는 진의 폭정으로 인해 들끓는 민심을 달래려 하는 것입니다.
함양에 입성하자마자 곧 재물과 미색에 빠진다면 도탄에 빠진 백성은 누가 구하겠습니까.
그리고 진왕이나 걸주(하나라의 걸왕과 은나라의 주왕을 일컫는 말로, 폭군을 말할 때 흔히 비유되는 인물)의 전철을 밟아야 되겠습니까.
본디 '충언은 귀에 거슬리나 행실에 이롭고, 좋은 약은 입에 쓰나 병에 이롭다' 고 했습니다."

이 말을 들은 후 유방은 아방궁을 물러나 패상(함양 근처)에 진을 쳤다.

☞ 공자의 가어에 보면,

"좋은 약은 입에 쓰나 병에 이롭고, 충언은 귀에 거슬리나 행실에 이롭다.

은나라 탕왕은 바른말을 하는 충신이 있었기 때문에 번창했고, 하나라의 걸왕과 은나라의 주왕은 무조건 따르는 신하들이 있었기 때문에 멸망했다.

그러므로 임금이 잘못하면 신하가 바른말을 해야 하고, 아버지가 잘못하면 아들이 바른말을 해야 하고,

형이 잘못하면 동생이 바른말을 해야 하고, 자신이 잘못을 하면 친구가 바른말을 해야 한다.

이렇게 할 때, 나라가 위태롭거나 망하는 법이 없고, 집안에 불화가 없고,

부자와 형제간에 잘못이 없고, 친구와의 사귐도 끊임이 없을 것이다."

* 지식&파워..

양약고구(좋은 약은 입에 쓰다는 뜻으로, 바르게 충고하는 말은 귀에 거슬리지만 자신을 이롭게 한다는 말의 비유.)

良:좋을 량 藥:약 약 苦:쓸 고 口:입 구

원말: 양약고어구(良藥苦於口)

동의어: 간언역어이(諫言逆於耳) 금언역어이(金言逆於耳)
충언역어이(忠言逆於耳)

출전: 사기의 유후세가 / 공자가어의 육본 편

서로 다툰다는 것은 엉뚱한 사람에게 이익을 챙겨 주는 것과 같다

전국 시대, 연나라가 제나라에 많은 군사를 파병한 상태에서 흉년이 지속되자, 이웃의 조나라 혜문왕은 기다렸다는 듯이 연나라를 침공하려 했다.

연나라 소왕은 소진(합종설을 펴 6개국의 재상을 겸함.)의 아우 종횡가(전국 시대에 독자적인 정책을 가지고 제후 사이를 오가며 유세를 펴던 사람.) 소대에게 혜문왕을 설득해 보라고 했다.

조나라에 도착한 소대는 소진의 아우답게 거침없이 혜문왕을 설득하여 혜문왕의 연나라 침공 계획을 철회시켰다.

"제가 이곳으로 오던 중 역수(연 · 조와 국경을 이루는 강.)를 건너게 되었는데, 마침 민물조개가 강변으로 나와 입을 벌린 채 볕을 쬐고 있었습니다.

이때 황새란 놈이 지나가다 뾰족한 부리로 조갯살을 쪼아 먹으려 했습니다.

깜짝 놀란 조개는 입을 오므렸는데, 순간 황새의 주둥이가 조개의 입에 물리고 말았습니다.

그러자 다급해진 황새가,

'오늘도 내일도 비가 오지 않으면 너는 바짝 말라 죽을 것이다.'

그러자 조개가 ,

'오늘도 내일도 놓아주지 않으면 너야말로 굶어 죽고 말 것이다.' 하며 서로 버티고 있는데, 때마침 어부가 이 광경을 보고는 황새와 조개를 한꺼번에 잡아 망태(새끼나 노 따위로 엮어서 만든 가방) 속에 넣었습니다."

"지금 전하께서는 연나라를 치려고 하시는데, 연나라가 조개라면 조나라는 황새입니다.

연 · 조 두 나라가 공연히 싸우고 있을 때 백성들은 지치게 되고 결국 인접해 있는 강한 진나라가 어부가 되어 두 나라를 집어삼킬까 저는 염려됩니다.

따라서 대왕께서는 깊이 생각해야 합니다."

"과연 옳은 말이다."

이 말을 들은 혜문왕은 즉시 침공을 포기했다.

* 지식&파워...

어부지리(황새와 조개가 싸우고 있는 사이에 어부가 쉽게 둘을 다 잡았다는 뜻으로, 둘이 다투고 있는 사이에 엉뚱한 사람이 힘들이지 않고 이익을 챙긴다는 말.)

漁:고기 잡을 어 父:아비 부 之:갈 지(…의) 利:이로울 리

동의어: 견토지쟁(犬兎之爭) 방휼지쟁(蚌鷸之爭) 어인지공(漁人之功)
좌수어인지공(坐收漁人之功)

참고: 전부지공(田夫之功)

출전: 전국책의 연책

부모는 자식을 직접 가르치기 어렵다

논어에 보면, 공자는 자기의 하나밖에 없는 자식을 직접 가르치지 않았다.

이것을 궁금하게 여긴 나머지 제자 공손추가 스승 맹자에게 그 까닭을 물었다.

"군자가 자기 아들을 직접 가르치지 않은 까닭은 무엇입니까?"

그 물음에 대해 맹자는 이유를 이렇게 설명했다.

"형편상 어쩔 수 없기 때문이다. 가르치는 사람은 반드시 바르게 하라고 가르친다. 바르게 하라고 가르쳐도 그것을 그대로 실행하지 않으면, 자연 노여움이 따르게 되는데, 그렇게 되면 오히려 아버지와 자식 사이에 인정과 도리가 무너진다.

자식이 속으로 생각함에 있어, 아버지는 나를 보고 바르게 하라고 가르치지만, 아버지 역시도 그렇게 하지 못한다고 할 것이다.

이것은 아버지와 자식 사이에 있어 인정과 도리를 저버리게 하는 것이 된다. 그러기에 옛날 사람들은 자식을 바꾸어 가르쳤다. 아버지와 자식 사이에는 잘못을 들어 꾸짖는 것이 아니다.

잘못을 한다고 꾸짖게 되면 서로의 인정과 도리가 없어지게 되고, 인정과 도리가 없어지게 되면, 그보다 더 불행한 일이 또 어디에 있겠는가?"

* 지식&파워..

역자교지(남의 자식을 내가 가르치고, 내 자식을 남에게 부탁하여 가르친다는 뜻으로, 자기 자식을 가르치기는 어렵다는 말.)

易:바꿀 역 子:아들 자 敎:가르칠 교 之:갈 지(…의)

동의어: 역자이교지(易子而敎之)

출전: 맹자의 이루상

나무에 올라가 물고기를 얻는다는 것은 불가능한 일이다

전국 시대인 주나라 신정왕 3년, 양나라 혜왕과 헤어진 맹자는 50이 넘은 나이에 제나라로 갔다. 그 동안 그는 제후들을 찾아다니며 왕도정치론을 전했다.

그때 동쪽의 제나라는 서쪽의 진나라 그리고 남쪽의 초나라와 함께 강대국이었고, 선왕 또한 역량이 있는 명군으로 맹자는 그 점에 대해 기대를 걸고 있었다.

그러나 시대가 요구하는 것은 인의의 왕도 정치가 아니라 무력과 권모 술수를 수단으로 하는 패도 정치였다.

맹자는 제나라 선왕에게 인자한 마음을 높이 평가하며,

"왕께서 천하를 다스리지 못함은 하지 않는 것이지 못하는 것이 아닙니다."

왕이 그 차이를 묻자,

"태산을 옆에 끼고 바다를 건너뛰지 못함은 못하는 일이고, 어른을 위해 작은 나뭇가지 하나 꺾지 못함은 하지 않는 것입니다."

패왕(제후들의 우두머리)을 꿈꾸고 있던 제나라 선왕은 춘추 시대 패왕이었던 제나라 환공과 진나라 문공에 대해 물었다.

"왕께서는 전쟁으로 백성이 목숨을 잃고, 또한 이웃 나라 제후들과 원수가 되기를 원합니까?"

"그렇지 않소. 다만 과인에겐 큰 뜻이 있소."

"왕께서 큰 뜻이란 무엇입니까?"

제나라 선왕이 멋쩍은 듯 대답을 피하자,

"왕께서 말씀하시는 큰 뜻은 진나라나 초나라 등등 사방의 오랑캐들까지도 천하통일을 하여 복종케 하려는 것이지요?
하오나 그것은 '나무에 올라가 물고기를 구하는 것' 과 같습니다."

"아니, 그토록 어려운 일이오?"

"오히려 그보다 더 어렵습니다. 나무에 올라가 물고기를 구하는 것은 물고기만 구하지 못할 뿐 뒤탈이 없습니다.
왕께서 무력으로 뜻을 이루고자 하시면 백성을 잃고 나라를 망치는 재난이 따를 것입니다."

맹자는 제나라 선왕에게 고기를 잡으려면 바다로 가야 하는 것과 같이 통일천하를 이루려면 왕이 가야 할 길이 있음을 일깨웠다.

* 지식&파워..
연목구어(나무에 올라가 물고기를 구한다는 뜻으로, 불가능한 일을 하려 함의 비유. 또는 수고한 만큼의 어떤 것도 얻지 못함에 대한 비유.)
緣:인연 · 인할 연 木:나무 목 求:구할 구 魚:고기 어
유의어: 건목수생(乾木水生) 사어지천(射魚指天) 상산구어(上山求魚)
출전: 맹자의 양혜왕 편

인생은 깊은 안개 속과 같다. 따라서 그것을 헤쳐 나가는 것은 바로 자신뿐이다

후한 때 장해라는 선비가 있었는데, 순제는 그를 여러 번 등용하려 했으나 아프다는 핑계로 벼슬길에 오르지 않았다. 그의 아버지 장패는 후한 중엽 유명한 학자인데, 시중의 고문관으로 명성 또한 자자했다. 그래서 그런지 친분을 갖고자 하는 세도가의 요청이 많았다. 하지만 그 요청을 마다하고 고고한 삶을 살다 세상을 떠났다. 아들 장해 역시 춘추 · 고문상서 등에 정통한 학자로서 문하생만도 100여 명에 이르렀으며, 학문과 덕망이 높은 선비들과 세도가 역시도 그와 친분을 가지려 무진 애를 썼다. 하지만 그도 아버지와 마찬가지로 시골에 묻혀 살았다. 장해는 학문만 잘한 것이 아니다. 도술에도 능하여 손쉽게 5리(약 2km)에 걸쳐 안개를 만든다. 당시 관서에 살던 배우라는 사람도 도술로 3리에 걸쳐 안개를 만드는데, 5리에 걸쳐 안개를 만드는 그에게 도술을 배우고자 많은 사람들이 찾아왔다. 하지만 장해는 5리 안개에 자취를 감춘 뒤 그들을 만나주지 않았다. 그래서 '오리무중'이란 말이 생겨난 것이다.

이후 관서에 살던 배우가 안개를 일으키는 도술로 나쁜 짓을 하다 결국 체포되었다. 이때 배우는 장해에게 도술을 배웠다고 거짓 진술을 했고, 그것 때문에 2년 동안 옥살이를 했다. 하지만 그는 옥중에서도 틈틈이 경적을 읽고 상서의 주를 썼다.

* 지식&파워……………………………………………………………………

오리무중(5리에 걸친 깊은 안개 속이라는 뜻으로, 어디에 있는지 찾을 길이 막연하거나, 갈피조차 잡지 못하는 것을 이르는 말.)

五:다섯 오 里:마을 · 이수 리 霧:안개 무 中:가운데 중

동의어: 오리무(五里霧) 출전: 후한서의 장해전

50보나 100보나 도망가는 것은 마찬가지이다

전국 시대 중엽 위나라의 혜왕은 진나라의 시달림을 견디다 못해 도읍을 대량(지금의 하남성 내 개봉으로 옮긴 후에는 양나라라고도 함.)으로 옮겼다. 하지만 제나라와 싸움이 생긴 이후로 국력은 더욱 약해졌다.

따라서 혜왕은 맹자에게 자문을 얻고자 초청을 했다.

"선생이 이렇게 천리 길도 멀다 하지 않고 온 것은 과인의 나라가 어떻게 하면 부강해 질 수 있는가를 알려 주기 위함이다.

지금 과인은 나라를 위해서 어떤 일이든 최선을 다했다. 하내가 흉년이 들면 그곳(하내)의 백성들을 하동으로 이주시키고, 그곳(하동)의 곡식을 하내로 보낸 것과 마찬가지로 하동 역시 마찬가지다. 이웃나라를 보더라도 과인만큼 마음을 쓰는 자가 없다.

그런데 이웃나라 백성들은 늘어나고 과인의 백성들은 줄어드니 어찌된 영문인가?"

공자가 말하기를,

"왕께서 이를 아신다면 이웃나라보다 백성이 많아지기를 바라지 않는 것이 좋습니다.

농사철을 놓치면 곡식을 누구나 먹을 수가 없고, 촘촘한 그물을 웅덩이와 연못에 넣지 않으면 고기와 자라를 누구나 먹을 수가 없고,

도끼와 자귀로 시도 때도 없이 산에 있는 나무를 베면 재목을 누구나 쓸 수 없습니다.

다시 말해, 곡식과 더불어 고기와 자라를 잘 먹게 하고, 재목을 잘 쓰게 하는 것처럼 백성으로 하여금 살아있는 사람을 봉양케 하고, 죽

은 사람에게 장사를 지낼 근심이 없게 하는 것이 왕도의 시작입니다.
왕의 나라가 강해지느냐 않느냐는 둘째 문제고, 나는 우선 인과 의에 대해서 말씀드리고자 왔습니다.
그럼 왕께서 전쟁을 좋아하시니 전쟁에 비유하겠습니다. 전쟁을 알리는 북소리가 들리자, 병사가 겁을 먹은 나머지 갑옷과 병기를 모두 버리고 도망치던 중 어떤 병사는 100보를 가서 멈추어 섰고, 어떤 병사는 50보를 가서 멈추어 섰습니다.
그런데 50보를 도망친 병사가 100보를 도망친 병사에게 비겁한 놈이라고 욕을 했습니다."

그러자 혜왕은,

"그건 말도 안 되는 소리다. 50보나 100보나 도망친 것은 마찬가지가 아닌가!"

"그것을 아신다면 왕께서, 이웃 나라보다는 자기 나라 백성을 많이 보살핀다고 하시는 왕의 생각도 이와 비슷한 것입니다."

* 지식&파워..

오십보백보(50보를 달아난 사람이 100보를 달아난 사람을 보고 비웃더라도, 달아나기는 매일반이란 뜻으로, 약간의 차이는 있으나 본질적으로 같음을 말함.)
五:다섯 오 十:열 십 步:걸음 보 百:일백 백 步:걸음 보
동의어: 오십보소백보(五十步笑百步)
유의어: 대동소이(大同小異) 주축일반(走逐一般) 피차일반(彼此一般)
출전: 맹자의 양혜왕 상 편

같은 배를 타게 되면 서로 미워하면서도 이해 관계에 따라 협력하기 마련이다

춘추 시대의 '손자'라는 책은 중국의 유명한 병서로 오나라 손무가 쓴 것이다.

"병사를 쓰는 구지(아홉 개의 땅) 중 마지막이 사지로 나가면 살 길이 있다. 그렇지 않고 겁이나 먹고 망설이면 반드시 패망하여 죽음의 땅이 된다. 그런 곳에서는 죽을 각오로 싸우는 것이 필요하다.

이때 중요한 것은 병사들의 싸우고자 하는 의지가 있어야 한다. 그러면 난국을 돌파할 수 있다.

여기서 등장하는 것이 한 줄로 길게 늘어서는 진법 즉 '장사진'이다.

솔연이라는 뱀은 회계의 상산에 산다. 이 뱀은 거대한 뱀으로 머리를 치면 꼬리로, 꼬리를 치면 머리로 공격해 온다.

또 허리를 치면 이번에는 머리와 꼬리가 함께 달려든다.

이처럼 병사도 솔연의 머리와 꼬리처럼 합심하여 싸우면 못 당할 적이 없다."

하지만 그것이 가능할까. 많은 사람들이 의심을 품자, 그는 옛날 오와 월나라 사람들이 함께 배를 타고 강을 건너는 것에 비유하여 설명했다.

오의 합려와 월의 윤상이 서로 원한을 품은 상태에서 윤상이 죽자, 그의 아들 구천이 오나라를 침략하여 합려를 죽였다.

그 이후 합려의 아들 부차가 구천을 회계산에서 굴복시키는 등, 서로가 물리고 무는 관계로 발전하여 두 나라는 견원지간이 되었는데,

와신상담 고사도 여기서 나왔다.

가령 두 나라 사람들이 함께 배를 타고 강을 건너고 있다. 그런데 갑작스레 강풍이 휘몰아쳤다고 하자.

평소의 적개심만으로 서로 싸우기만 한다면 배는 뒤집어지고 말 것이다.

그러면 둘 다 물에 빠져죽게 되므로 그들은 서로 돕기를 좌우의 손같이 해야 된다.

결국 살기 위해서는 어쩔 수 없이 힘을 합쳐 강풍과 맞서야 하는 것이다.

이처럼 평소 사이가 좋지 않았던 사람이 같은 목적을 위해 잠시 힘을 합칠 때 우리는 오월동주라 한다.

* 지식&파워……………………………………………………………………

오월동주(적대 관계에 있는 오나라 사람과 월나라 사람이 같은 배를 타고 있다는 뜻으로, 서로 적의를 품은 사람끼리 한 자리나 같은 처지에 있게 된 경우, 또는 서로 미워하면서도 이해 관계에 따라 협력하는 경우를 이르는 말.)

吳:오나라 오 越:넘을 월나라 월 同:한가지 동 舟:배 주

동의어: 오월지쟁(吳越之爭) 오월지사(吳越之思)

유의어: 동주상구(同舟相救) 동주제강(同舟濟江) 오월지부(吳越之富)
호월동주(胡越同舟)

참고: 와신상담(臥薪嘗膽) 출전: 손자의 구지 편

까마귀 떼처럼 이곳저곳에서 모여든 무리는 힘을 발휘할 수 없다

한 말기 천하가 혼란에 빠지자, 대사마인 왕망은 평제를 죽이고 나이 어린 영을 황제에 앉혔다. 그 후 3년 영을 끌어내리고 자신이 제위에 올라 국호를 신이라 칭했다. 이때 유수(후한의 시조)는 군사를 일으켜 왕망을 쫓아내고 경제의 후손인 유현을 황제로 내세웠다.

대마사가 된 유수가 바로 그 다음 해 왕랑이 성제의 아들 유자여를 사칭하여 황제처럼 행세하자 그를 토벌하러 나섰는데, 이때 상곡 태수 경황은 아들 경감에게 군사를 주어 유수를 돕게 했다. 그러나 경감의 군사인 손창과 위포 등이 토벌을 위한 행군에 반기를 들었다.

"유자여는 한왕조의 성제 아들이오. 그런 사람을 두고 대체 어쩌자는 것이요."

경감은 크게 노한 나머지, 칼을 빼들고 말했다.

"왕랑은 도둑에 불과하다. 그런 놈이 황제의 아들을 사칭하여 질서를 문란케 했다. 내가 장안(섬서성 서안)의 정예 군사와 협력하여 공격을 한다면 그까짓 '오합지중'은 마른 나뭇가지보다도 더 쉽게 꺾일 것이다. 너희가 지금 오판을 한다면 크게 화를 입을 것이다."

그러나 그들은 밤을 틈타 왕랑에게로 도망을 쳤는데, 경감은 뒤쫓지 않았다. 서둘러 유수의 토벌군에 합류한 경감은 마침내 혁혁한 공을 세우고 건위대장군에 올랐다.

* 지식&파워

오합지중(까마귀 떼처럼 아무 규율도 통일성도 없이 몰려 있는 무리를 뜻하는 것으로, 이곳저곳에서 모인 훈련되지 않은 군사를 이르는 말.)

烏:까마귀 오 合:합할 합 之:갈 지(…의) 衆:무리 중

동의어: 오합지졸(烏合之卒) 유의어: 와합지중(瓦合之衆)

출전: 후한서의 경감전

옥과 돌이 함께 뒤섞이면 옥도 돌처럼 보잘것없게 된다

동진의 갈홍이 쓴 포박자에는 내편(신선의 도)과 외편(정치 도덕)이 있는데, 외편 상박에 다음과 같은 글이 있다. 공자가 편찬한 시경(삼경의 하나, 춘추 시대의 민요를 중심으로 하여 모은 중국에서 가장 오래된 시집)이나 서경(삼경의 하나, 중국의 요순 시절부터 주대에 이르기까지 정사에 관한 문헌)이 도의 큰 바다라면 제자백가(중국 춘추 전국 시대의 여러 학파를 통틀어 이르는 말.)의 글은 그것을 채우기 위한 강물이라 할 수 있다. 이처럼 방법은 달라도 결국 덕을 쌓는 데는 차이가 없다.

예로부터 성인의 말이 아무리 어렵다고는 하나 그 말이 수양에 도움이 되는 말이라면 하나도 버리지 않았다. 그럼에도 불구하고 한나라 위나라 이래 귀감이 될 만한 말이 많이 있는데도 어리석은 사람들은 자신의 좁은 식견으로 그것을 해석하려 하거나 안중에 두는 법이 없다. 또한 소도(유가의 제자들이 제자백가의 여러 학설을 '작은 도'라는 뜻으로 이르는 말.)이므로 전혀 가치가 없고 그 뜻이 너무나 넓고 깊어서 사람들의 머리만 아프게 할 뿐이라고 했다. 티끌이 쌓여 태산이 되고 많은 색깔이 어우러져 아름다운 무지개를 이룬다는 것도 모르는 것이다. 그래서 참된 것과 거짓된 것이 바뀌고, 옥과 돌이 섞이게 되면 옥과 돌을 같게 보는 것처럼 좋은 음악과 나쁜 음악을 한 가지로 보는데, 이것은 용의 무늬를 풀로 짠 옷과 동일시하는 것으로 개탄스럽기 짝없다.

*삼경: 시경 · 서경 · 주역

* 지식&파워..

옥석혼효(옥과 돌이 섞여 있다는 뜻으로, 좋은 것과 나쁜 것, 또는 훌륭한 것과 보잘것없는 것이 한데 뒤섞여 있음을 비유하여 이르는 말.)

玉:옥 옥 石:돌 석 混:섞을 혼 淆:뒤섞일 효

동의어: 옥석동가(玉石同架) 옥석혼교(玉石混交)

유의어: 옥석구분(玉石俱焚) 옥석동쇄(玉石同碎) 출전: 포박자의 외편

옛 것을 알아 새로운 것을 구하라

공자는 논어의 위정 편에서 아래와 같이 말했다.

"옛 것을 익히어 새로운 것을 알면 이로써 남의 스승이 될 수 있다."

공자가 말한 '온(溫)'이란 고기를 약한 불에 삶아서 국을 만든다는 뜻이다. '고(故)'란 과거의 사상 곧 역사를 말한다.

다시 말해 역사를 깊이 연구함으로써 현대에 대한 인식을 깊게 하는 것이 '온고지신'이다.

남의 스승이 된 사람은 고전에 대한 지식이 많다고 해서 되는 것만은 아니다.

즉 고전을 바탕으로 현재나 미래에 적용할 수 있는 새로운 도리를 깨달아야 된다는 것이다.

정현은 심온을 온과 같다고 했는데, 심이란 뜻은 고기를 뜨거운 물 속에 넣어 따뜻하게 하는 것을 말한다.

즉 옛 것을 배워 가슴 속에 따뜻함을 품는다는 말이다.

주자는 심역이라고 했는데, 이것은 찾아 연구한다는 뜻이다. 또한 예기의 학기에는 이런 글이 있다.

"기문지학(피상적인 학문)은 이로써 남의 스승이 되기에는 부족하다."

지식을 단순히 암기해서 질문에 대답하는 것만으로는 남의 스승이 될 자격이 없다는 뜻으로, 이 말은 실로 '온고지신'과 잘 맞는 말이다.

과거와 현재 그리고 미래에 대한 원인과 결과의 관계를 터득하지 못한 사람은 후진 양성에 있어 스승으로서 자격이 없다.

결국 '온고이지신'은 옛 것과 새 것이 불가분의 관계에 있음을 말해준다.

다시 말해 옛 것에 대한 올바른 지식이 없고서는 오늘의 새로운 사태를 파악할 수 없다.

그리고 새로운 사태를 알지 못한다면 미래의 사태에 대한 올바른 판단도 설 수 없다.

* 지식&파워..

온고지신(옛 것을 익혀 새로운 지식이나 도리를 미루어 안다는 뜻.)

溫:따뜻할 · 복습할 온　故:연고 · 예 고　知:알 · 깨달을 지　新:새 신

원말: 온고이지신 가이위사의(溫故而知新 可以爲師矣)

유의어: 박고지금(博古知今) 이고위감(以告爲鑑) 학우고훈(學于古訓)

출전: 논어의 위정 편

사소한 싸움은 넓은 의미로 볼 때 별것도 아니다

전국 시대 위나라 혜왕과 제나라 위왕이 동맹을 맺기는 했으나 제나라가 일방적으로 동맹을 어기자, 이에 화가 난 혜왕이 위왕에 대한 보복을 신하들과 논의를 했다.

하지만 그들의 생각은 제각각이었다.

신하 공손연은 당당히 군사를 일으켜 제나라를 치자고 했고, 계자는 무고한 백성을 괴롭히는 일이라며 반대했다.

이에 혜왕은 결정을 내리지 못한 채, 재상 혜자가 데려온 대진인에게 의견을 구했다.

도교(황제와 노자를 교조로 삼은 중국의 토착 종교)를 믿고 있는 대진인은 이렇게 말했다.

"전하, 달팽이를 아시는지요?"

"물론 알고 있다."

"그 달팽이의 왼쪽 뿔(더듬이) 위에는 촉씨 나라가 있고 오른쪽 뿔(더듬이)에는 만씨 나라가 있습니다.

그 두 나라는 서로 영토를 차지하기 위해 전쟁을 했습니다.

결국 전쟁은 많은 사상자를 내고 심지어 적을 보름씩이나 추격한 적도 있습니다."

"왜, 그런 말도 안 되는 소리를 하는가?"

"그렇다면 전하, 우주가 사방과 위아래로 끝이 있다고 생각하시는지요?

무한한 우주에 비하면 제나라와 위나라는 촉씨와 만씨에 비해 무엇이 다를 바가 있습니까?"

"다를 것이 없다."

"그 나라들 가운데 위나라가 있고, 위나라 안에 도읍 대량(개봉)도 있으며, 그 도읍의 궁에 전하가 있습니다.

이렇듯 우주의 무궁함에 비한다면, 지금 제나라와 위나라의 싸움은 달팽이 뿔(더듬이) 위에서의 싸움과 같습니다."

"과연 그렇구나."

대진인이 물러나자 감탄하며 혜자에게,

"그는 성인도 미치지 못할 대단한 인물이오."

* 지식&파워..

와각지쟁(달팽이 뿔(더듬이) 위에서의 싸움이란 뜻으로, 넓은 의미의 우주로 보면 별것도 아닌 사소한 일로 다툼, 또는 작은 나라끼리 싸우는 일을 비유한 말.)

蝸:달팽이 와 角:뿔 각 之:갈 지(…의) 爭:다툴 쟁

원말: 와우각상지쟁(蝸牛角上之爭)

동의어: 와각상쟁(蝸角相爭) 와우각상(蝸牛角上) 와우지쟁(蝸牛之爭)

유의어: 만촉지쟁(蠻觸之爭) 와각지세(蝸角之勢)

출전: 장자의 즉양 편

하고자 하는 목적이 있다면 어떤 어려움도 이겨내야 한다

춘추 시대 월왕 구천과 취리(절강성의 가흥)에서 싸워 크게 패한 오왕 합려는 적의 독화살에 손가락을 맞고 쓰러졌다.

그 후로 부상이 악화되어 결국 죽음에 이르자, 합려는 태자인 부차에게 반드시 구천을 쳐서 원수를 갚으라고 유언을 했다.

아버지인 합려의 뒤를 이어 즉위한 부차는 아버지의 유언을 잊지 않으려고 덤불 위에서 잠을 자는 한편, 자신의 방을 오가는 사람들에게 이렇게 외치도록 했다.

"부차야! 월나라 군대가 너의 아버지를 죽인 것에 대해 잊었는가?"

그때마다 돌아가신 아버지에게 부차는 대답했다.

"예, 결코 잊지 않고 3년 안에 반드시 원수를 갚겠습니다."

이처럼 밤낮 없이 복수를 맹세한 부차는 때를 기다렸다.

이 사실을 안 월왕 구천은 참모인 범려의 말을 듣지 않고 선제 공격을 감행했다.

그러나 부초에서 월나라 군사는 복수심에 불타는 오나라 군사에게 대패했다.

그 후 회계산으로 도망갔으나, 여기서 오나라 군사에게 완전히 포위당했다.

패한 구천은 참모인 범려의 계책을 받아들여 우선 오나라 태재인 백비를 매수했다.

그리고 그를 사주하여 월나라 부차에게 뇌물을 주게 한 다음, 구천의 항복을 받아들이도록 했다.

이때 오나라의 중신 오자서가 '후환을 남기지 않으려면 지금 구천을 쳐야 한다.' 고 말했으나 부차는 백비의 말에 따라 구천의 항복을 받아들이고 귀국까지 허락했다.

구천은 오나라의 속국이 된 고국으로 돌아오자, 곧 몸을 괴롭힐 생각으로 애를 태우며 쓸개를 항상 곁에 놓았다.

그리고 앉을 때나 누울 때나 늘 쓸개를 쳐다보는 것은 물론, 음식을 먹을 때에도 쓸개를 핥았다. 그러면서 회계의 치욕을 되살려 복수의 칼을 갈았다.

드디어 회계에서 당한 치욕 20년 만에 오나라의 도읍 고소(소주)에 다다른 구천은 오나라와 부차를 굴복시키고 마침내 회계의 치욕을 씻었다. 이때 부차는 용동(절강성 정하)에서 여생을 보내라는 구천의 호의를 사양하고 스스로 목숨을 끊었다.

* 지식&파워..

와신상담(일부러 섶 위에서 잠을 자고, 쓸개를 핥는다는 뜻으로, 원수를 갚거나 어떤 목적을 이루기 위해 괴로움을 참고 견딤을 비유하여 이르는 말.)

臥:누울 와 薪:섶(땔)나무 신 嘗:맛볼 상 膽:쓸개 담

유의어: 절치액완(切齒扼腕) 회계지치(會稽之恥)

출전: 사기의 월세가

흠잡을 데 없는 구슬처럼 완전한 것을 완벽이라 한다

초나라의 화씨라는 사람이 산에서 옥 덩어리를 주워 이를 여왕에게 바쳤는데, 그것을 본 옥장이(옥공)가 평범한 돌이라고 말하자, 여왕은 화씨가 속였다고 여겨 왼쪽 발꿈치를 잘랐다(월형).

여왕이 죽은 후 그는 다시 무왕에게 옥돌을 바쳤는데, 무왕도 역시 속였다고 하여 그의 오른쪽 발꿈치마저 잘라버렸다.

무왕이 죽고 문왕이 즉위하자, 화씨는 옥 덩어리를 품에 안고 초산 아래에서 사흘(세 날) 남낮으로 통곡했다.

그가 얼마나 울었는지 눈물이 마르기가 무섭게 눈에는 피가 흘렀다.

문왕이 이 소문을 듣고 사람을 시켜 그 까닭을 묻게 했다.

"너는 어쩌면 그렇게도 슬피 우느냐?"

화씨가 말하기를,

"나는 월형을 받아서 슬퍼하는 것이 아닙니다. 이것은 보옥(보배로운 구슬.)인데 이를 돌이라 감정하고, 또한 곧은 선비에게 남을 속이는 사람이라고 하니 이것을 저는 슬퍼하는 것입니다."

왕이 이말을 전해 듣고 옥장이(옥공)를 시켜 그 옥 덩어리를 다듬게 하니 그 옥 덩어리는 세상에 다시없는 보석으로 변했다.

문왕은 화씨에게 상을 내리고 그 옥을 '화씨의 옥' 이라 불렀다.

이처럼 어리석은 왕이 올바른 인재를 등용한다는 것이 얼마나 어려운 일인가.

'화씨지벽' 은 '천하제일의 보물' 또는 '고난에 굴복하지 않고 자기 뜻을 관철한다는 말로 쓰인다.

'화씨지벽' 은 후에 조나라 혜문왕이 가지게 되는데, 이 소문을 들은 진나라 소양왕은 '화씨지벽' 을 갖기 위해 조나라에 사신을 보내어 15개의 성과 맞바꾸자고 제안했다.

혜문왕에게는 참으로 난처한 일이다. 제안을 거절하면 당장이라도 쳐들어올 것이고, '화씨지벽' 을 넘겨주면 그냥 뺏길 것이 분명했기 때문이다.

혜문왕은 중신들과 논의 끝에 진나라 소양왕의 제안을 받아들이기로 결정했다.

그리고 중신들에게 물었다.

"사신으로는 누가 좋겠는가?"

그러자 대부인 목현이,

"신의 밑에서 일을 돕는 인상여라는 사람이 있는데, 그는 지략이 출중하여 임무를 완수할 수 있을 것입니다."

인상여는 떠나면서 말했다.

"신은 '화씨지벽' 을 받들고 사신으로 가고자 합니다. 약속한 15개의 성이 조나라에 넘겨지면 그것을 진나라에 두고 올 것입니다.

그러나 15개의 성을 넘겨주지 않으면 그것을 온전히 보존하여 조나라로 다시 돌아오게 하겠습니다."

인상여는 소양왕에게 '화씨지벽' 을 바쳤다. 그런데 소양왕은 '화씨지벽' 에 감탄할 뿐 약속한 15개 성에 대해서는 아무 말도 없었다.

그래서 인상여는,

"전하 그 화씨지벽에는 작은 흠집이 있습니다. 그것을 저에게 주시면 가르쳐 드리겠습니다."

소양왕이 무심코 화씨지벽을 건네주자 인상여는 그것을 든 채 궁궐 기둥 옆으로 가더니 소양왕에게 말했다.

"전하께서 약속한 15개 성을 넘겨주실 때까지 이 화씨지벽은 제가 갖고 있겠습니다. 만약 거절하신다면 화씨지벽은 제 머리와 함께 이 기둥에 부딪쳐 깨지고 말 것입니다."

소양왕은 행여 화씨지벽이 깨질까 염려되어 일단 그를 숙소로 돌려보냈다. 인상여는 숙소에 돌아오자 화씨지벽을 밑에 사람에게 넘겨주고 서둘러 귀국시켰다.

뒤늦게 이 사실을 알게 된 소양왕은 인상여를 죽이려 했다. 그러나 그를 죽였다가는 신의는 물론 속이 좁은 군왕으로 인식될까 두려워 그를 그대로 돌려보냈다.

이리하여 인상여의 '완벽귀조' 의 약속은 지켜졌다.

'완벽귀조' 는 귀한 물건이 온전한 상태로 주인에게 되돌아 온 것을 뜻한다. 또한 '완벽' 은 흠이 없는 옥, 즉 결점이 없는 상태를 말한다.

* 지식&파워……………………………………………………………………

완벽(흠잡을 데 없는 구슬. 결점이 없는 그 자체 또는 빌려 온 물건을 흠짐이 없이 돌려보냄.)

完:완전할 완 璧:둥근 옥 벽

동의어: 완조(完調) 유의어: 연성지벽(連城之壁) 和氏之璧(화씨지벽)

출전: 한비자의 화씨 편 / 사기의 인상여열전

대접을 받으려고 우쭐거리는 것은 요동의 돼지와 같은 것이다

후한 광무제 때 어양태수로 있던 개국 공신 팽총은 공적에 어울리는 대우를 받지 못하자 이에 불만을 품고 반란을 꾀하려 했다.

이때 대장군 주부가 그에게 한 통의 꾸짖는 글을 보냈다.

"그대는 이런 이야기를 들어본 적이 있는가? '옛날 요동에서 어느 돼지가 흰 머리 새끼를 낳았다. 그것을 임금에게 바치려 하동에 갔더니 그곳 돼지들은 모두 흰 머리 돼지였다. 이내 부끄러워 흰 머리 돼지를 바치지도 못하고 요동으로 돌아갔다.' 만약 그대의 공을 다시 한 번 조정에서 거론한다면 그대는 요동의 돼지에 불과한 것이다."

후한을 세운 광무제 유수가 건국 초기 반군을 토벌하기 위해 하북에 진을 치고 있었다. 그때 팽총은 병사 3,000여 명을 이끌고 유수와 합류했다. 또한 옛 조나라의 도읍 한단을 공격할 때에도 군량 보급을 차질 없이 수행했다. 이처럼 그가 여러 번에 걸쳐 광무제를 도와 천하를 평정한 공신이다.

하지만 오만하기 짝없는 그는 스스로 연왕이라 칭하고 조정에 반기를 들다 결국은 토벌당하고 말았다.

* 지식&파워……………………………………………………………………

요동지시(요동의 돼지라는 뜻으로, 견문이 좁아서 세상에 흔히 있는 것도 모르는 채 우쭐거리며 뽐냄을 비유하여 이르는 말.)

遼:멀 · 나라 이름 요 東:동녘 동 之:갈 지(…의) 豕:돼지 시

동의어: 요동시(遼東豕)

준말: 요시(遼豕)

출전: 후한서의 주부전

끊임없이 노력하면 반드시 목적한 바를 이룰 수 있다

춘추 시대 열자의 탕문 편에 나오는 이야기다.

먼 옛날 중국의 기주에 우공이라는 90세 된 노인이 태행산과 왕옥산 사이에 살고 있었다.

이 산은 사방이 700리 높이가 10,000길이나 되는 큰 산이다.

그런데 이 산이 북쪽을 가로막고 있어 여간 불편한 것이 아니다.

우공은 어느 날 가족을 모아 놓고,

“저 험한 산을 평평하게 하여 예주의 남쪽까지 곧장 길을 내는 동시에 한수의 남쪽까지 갈 수 있도록 하겠다. 너희들 생각은 어떠하냐?”

모두들 찬성을 했는데 유독 그의 아내만은 반대를 했다.

“당신 힘으로는 조그만 언덕 하나 파헤치기도 어려운데, 어찌 이 큰 산을 깎아 내려는 겁니까? 또 파낸 흙은 어찌하시렵니까?”

“발해에 갖다 버릴 겁니다.”

다음날 그는 세 아들과 손자들을 데리고 산으로 가더니 돌을 깨고 흙을 파서 삼태기와 광주리에 담아 나르기 시작했다.

이것을 본 이웃의 과부와 어린 자식들도 함께 그들을 도왔다.

그러자 황하 근처에 사는 노인 지수라는 사람이 그 광경을 보고 우공을 비웃었다.

우공은,

"내 비록 오래 살지는 못하겠지만 내가 죽으면 아들이 있고, 그 아들은 손자를 낳고, 그 손자는 또 아들을 낳고…….
이렇게 자자손손 이어 가면 언젠가는 반드시 저 산이 평평해지겠지."

한편 두 산을 지키는 뱀의 신이 자신들의 거처가 없어질 형편에 처하자 상제에게 호소했다.

상제는 우공의 끈기에 감동하여 힘의 신 과아의 두 아들에게 명하여 두 산을 업어 태행산은 삭동에, 왕옥산은 옹남에 옮겨 놓게 하였다.

* 지식&파워……………………………………………………………………

우공이산(우공이 산을 옮긴다는 뜻으로, 남이 보기엔 어리석은 일처럼 보이지만 끊임없이 노력하면 반드시 목적한 바를 이룰 수 있다는 말.)

愚:어리석을 우 公:귀 공 移:옮길 이 山:메 산

유의어: 마부작침(磨斧作針) 마부위침(磨斧爲針) 수적천석(水適穿石)
십벌지목(十伐之木) 적토성산(積土成山)

출전: 열자의 탕문 편

외교적으로 먼 나라는 친교를 맺고, 가까운 나라는 공략하라

전국 시대 위나라의 책사인 범저는 제나라와 개인적으로 내통했다는 모함에 빠져 반죽음이 되도록 두들겨 맞고 측간(화장실) 옆에 버려졌다.

며칠이 지난 후 정신을 차린 범저는 치욕을 곱씹으며 함양으로 탈출하는데 성공했다.

그러나 범저는 진나라 소양왕으로부터 환대를 받지 못했다. 그것은 그가 진나라를 '누란지위(포개 놓은 알이란 뜻으로, 몹시 불안정하고 위태로운 상태를 비유하여 이르는 말)'에 있다고 말했기 때문이다. 따라서 범저는 소양왕에게 자신의 생각을 전할 기회조차도 없었지만 마침 범저에게 때가 왔다.

당시 진나라에서는 소양왕의 모후인 선태후의 동생 양후가 재상으로서 실권을 잡고 있었다. 이때 그는 제나라를 공략하여 자신이 소유하고 있던 땅을 더 넓히려 했다. 이 사실을 알게 된 범저는 왕계를 통해 소양왕을 알현하고 이렇게 진언했다.

"진나라는 다른 6국과 비교할 때 지리적인 여건이 뛰어납니다. 북쪽에는 감천산, 남쪽에는 경하와 위하, 서쪽에는 농산과 촉산이 장벽을 치고 있으며, 동쪽에는 함곡관과 동관이 6국의 침략을 막아줍니다.

또한 사방으로 이어지는 광활한 토지와 백만의 병사, 천여 대의 전차는 언제든지 6국을 칠 수 있는 힘이 됩니다.

전세가 유리하면 쉽게 공격할 수 있고, 전세가 불리하면 관내로 들어와 영토를 굳게 지킬 수 있습니다. 그러니 제후들은 감히 진나라를 칠 수가 없습니다. 이 때문에 진나라는 예로부터 천하 통일을 이룰 수 있는 천혜의 땅이라고 불리어 집니다. 또한 백성들은 부지런함과, 용맹함과, 충성심이 남다른 데 두려울 것이 무엇입니까? 그럼에도 불구하고 진나라는 15년이 지나도록 함곡관을 벗어나지 못했습니다.

그것은 진나라의 몇몇 대신들에 의해 권력이 남용되고 있기 때문입니다.

지금 들리는 소문에 의하면 한과 위의 국경을 지나 제나라를 공격한다고 하는 데, 이는 좋은 계책이 될 수가 없습니다.

병력이 적으면 제나라에 커다란 타격을 줄 수가 없고, 진나라 역시도 얻을 게 없습니다. 또한 병력을 많이 출동시키면 후방이 비게 됩니다. 이는 병법으로 볼 때에도 피해야 하는 계책입니다.

지난날 제나라 민왕은 남쪽으로 초나라를 공격하여 넓은 영토를 얻게 되었지만, 이틈을 노려 동맹국들은 대규모의 병력이 빠진 제나라의 후방을 공격했습니다.

무모한 원정으로 과중한 부담을 안게 된 동맹국들이 등을 돌리는 바람에 제나라는 오히려 초나라에서 얻은 이득보다 더욱 처참한 손해를 보았습니다. 반대로 이웃 나라 한과 위는 덕을 보았습니다.

이를 두고 천하의 백성들은 마치 '적에게 병기를 빌려주고 도둑에게 식량을 갖다 준 꼴' 이라며 제나라의 어리석음을 비웃었습니다.

따라서 신은 제나라를 공격하기 보다는 원교근공책을 쓰는 것이 바람직하다고 생각됩니다. 진나라는 지금까지 이러한 계책을 쓰지 않았기 때문에 천하를 얻지 못한 것입니다."

그 후로 그의 지론인 원교근공책은 천하 통일을 지향하는 진나라의 국시가 되었다.

* 지식&파워

원교근공(먼 나라와 친교를 맺고 가까운 나라를 공략하는 정책을 이르는 말.)

遠:멀 원 交:사귈 교 近:가까울 근 攻:칠 공

참고: 누란지위(累卵之危) 출전: 사기의 범저열전

먼데있는 물은 가까운 곳의 불을 끄지 못한다

춘추 전국 시대 강국인 제나라로부터 노나라는 끊임없이 북쪽과 동쪽을 침략받고, 남쪽은 월나라의 위협을 받았다.

이런 상황에서 북쪽으로는 제나라와 대치하고 있는 초나라(형(荊)나라)의 압박과 제나라의 침략이 예상되자, 노나라의 목공은 이를 대비하기 위해 동쪽에서 제나라와 대치하고 있는 초나라와, 제나라를 꺼리는 삼진(조나라 · 위나라 · 한나라)에 사람들을 보내어 구원을 요청하려 했다.

그러자 이서가,

"월나라 사람을 빌어다가(데리고 와서) 물에 빠진 아이를 구하려 한다면, 비록 월나라 사람이 수영을 잘한다고는 하나 아이를 구할 수는 없습니다.

화재가 났을 경우 물을 먼 바다에서 떠 온다면, 바닷물이 아무리 많아도 불을 끄지 못합니다. 이처럼 먼데있는 물은 가까운 곳의 불을 끌 수가 없습니다.

지금 삼진(조나라 · 위나라 · 한나라)과 초나라가 강하다 하나 제나라가 우리와 가깝습니다. 만약 아들들을 진나라와 초나라(형(荊)나라)에 보내어 화친을 도모한다면 노나라의 환난은 아마도 막을 수 없을 것입니다."

* 지식&파워..

원수불구근화(먼데있는 물은 가까운 곳에서 난 불을 끄지 못한다는 뜻으로, 멀리 있는 것은 급할 때 전혀 도움이 안 된다는 말.)

遠:멀 원 水:물 수 不:아니 불 救:구원할 구 近:가까울 근 火:불 화

동의어: 원수불해근갈(遠水不解近渴)

출전: 한비자의 세림 편

한 번 원한을 사게 되면 뼈 속 깊이 사무쳐 잊기 어렵다

춘추 시대를 오패(진나라 문공, 제나라 환공, 초나라 장왕, 오나라 합려, 월나라 구천)시대라고도 하는데, 오패 중 하나인 진나라 목공은 정나라를 공격하라고 명령했다. 이때 중신 백리해와 건숙이 이를 반대를 했다. 공격 명령을 받은 진나라 군사가 주나라의 북문에 당도했다. 그 당시 정나라에서 소를 팔려고 이곳에 온 현고라는 사람이 진나라 장군 세에게,

"정나라 주상(임금)께서는 병사들을 위로하기 위해 저에게 소 12마리를 건네주라고 했습니다."

이 말을 듣고 난 진나라 장군 세는 공격 목표를 바꾸어 진나라의 속지인 활을 향해 쳐들어갔다. 당시 진나라는 문공이 죽어 국상 중임에도 불구하고 태자(훗날의 양공)가 군사를 시켜 반군을 섬멸했다. 이때 세 장군이 포로 신세가 되어 태자 앞으로 잡혀 왔고, 이것을 본 목공의 딸 태자의 어머니는 그들을 살려 주라고 청했다.

"저들을 죽이면 목공은 원한이 뼈에 사무칠 것이다. 그러니 그들을 살려 보내는 것이 좋겠다."

태자는 어머니의 말이 옳다고 여겨 세 장군을 풀어 주었다.

* 지식&파워..

원입골수(원한이 뼈에 사무친다는 뜻으로, 원한이 마음 속 깊이 맺혀서 잊기 어렵다는 말.)

怨:원망할 원 入:들 입 骨:뼈 골 髓:골수 수

원말: 원입어골수(怨入於骨髓)

동의어: 원철골수(怨徹骨髓) 한입골수(恨入骨髓) 출전: 사기의 진본기

인연이 될 사람은 필연코 만나는 법이다

☞ 당나라 태종 때 위고라는 젊은이가 여행 중, 송정(하남성 내)의 어느 한 곳에 이르렀는데, 달빛 아래서 노인 한 분이 붉은 끈을 든 채로 책을 보고 있었다. 위고는 노인 곁으로 다가가 무슨 책을 그렇게 뒤적이며 읽느냐고 물었다.

그러자 노인은,

"나는 지금 혼사에 관한 책을 보고 있는 중이라네. 여기 기록되어 있는 남녀를 내가 가지고 있는 붉은 끈으로 한 번 묶어 놓으면 두 사람이 아무리 멀리 떨어져 있어도, 아무리 원수지간이라 할지라도 반드시 맺어진다네."

"그럼 제 아내 될 사람은 지금 어디에 있습니까?"

"송성(하남성 내)에 있네. 성 북쪽에서 야채를 팔고 있는 노파의 젖먹이일세."

그 말을 들은 위고는 기분이 몹시 상하자, 사람을 시켜 젖먹이를 죽이라고 한 뒤 그 고장을 떠났다.

그로부터 14년이 흐른 어느 날, 위고는 상주(하남성 내)의 관리로 있다가 그곳 태수의 딸과 결혼을 하게 되었다. 그런데 이상하게도 신부의 얼굴에는 칼자국이 있었다.

첫날 밤 문득 14년 전 노인의 말을 떠올리며 위고는 멋쩍게 웃었다.

"서방님, 왜 웃으시나요?"

위고는 노인의 이야기와 자신이 저지른 일을 전부 말했다. 그런 다음 신부의 과거를 묻자. 그녀는 이렇게 말했다.

“사실 저는 태수님의 양녀입니다. 친아버지는 송정(하남성 내)에서 관리로 있다가 돌아가셨습니다.

그 당시 저는 젖먹이었는데, 마음씨 착한 유모가 성 북쪽에서 야채를 팔아 저를 키웠습니다.

그러던 어느 날 청년이 칼을 휘두르는 바람에 이처럼 상처를 입은 것입니다.”

☞ 진나라에 삭담이 있었다. 어느 날 그에게 영고책이 찾아가 꿈 이야기를 했다.

그러자 삭담은,

“얼음 위는 곧 양(남자)이요, 얼음 밑은 음(여자)이니 ‘얼음 위에 있는 그대가 누군가의 중매로 얼음이 풀리는 시기에 결혼을 하게 될 것입니다.”

* 지식&파워..

월하빙인(달빛 아래 노인과 얼음 위에 있는 사람을 합한 말로, 중매쟁이를 이르는 말.)

月:달 월 下:아래 하 氷:얼음 빙 人:사람 인

동의어: 빙상인(氷上人) 빙인(氷人) 월하노인(月下老人)

유의어: 적승자(赤繩子) 준말: 빙인(氷人)

출전: 속유괴록 / 진서의 삭담 편

다른 사람의 잘못을 자신의 거울로 삼아라

고대 중국 하 · 은 · 주의 3왕조 중 은왕조의 마지막 군주인 주왕은 무능한 천자는 아니었다.

그는 오히려 천성적으로 총명하고 언변이 뛰어나며, 행정가로도 보통이 넘는 인물이다. 또한 맹수와 결투할 정도로 용맹했다.

그러나 유소씨국에서 진상한 요녀 달기를 만나면서부터 맹목적인 사랑에 취해 사치와 방탕을 일삼았다.

그는 나무젓가락으로 밥을 먹지 않겠다는 달기의 말에 상아로 만든 젓가락을 주는 등 하나라 걸왕 때와 같은 주지육림에 빠져 생활했다.

주왕은 '달기야 말로 진짜 여자다. 지금까지 많은 여자들을 봤지만 달기에 비하면 목석에 불과하다. 정말 하늘이 내려준 여자다.' 라고 찬사를 보냈다.

주왕은 그녀의 환심을 사기 위해 술과 고기로 술잔치를 밤낮없이 벌렸기 때문에 결국 국고가 바닥이 난 것은 물론 성격까지 포악해졌다. 따라서 백성을 못살게 들볶는 가렴주구(조세 따위를 가혹하게 거두어들여, 백성을 못살게 들볶음.)와, 바른말을 하는 신하에게는 포락지형(불에 달군 쇠기둥을 맨발로 건너게 하던 형벌.)을 일삼았다.

그간 주왕의 폭정을 고하다 삼공 구후 · 악후는 죽고 서백(훗날 주문왕)은 감금되었다.

한편 살아남은 중신들은 주왕을 떠나 국외로 탈출했는데, 삼공에 이어 삼인이라고 불리던 미자(망명) · 기자(망명) · 비간(처형)도 잘못됨을 고했다.

"은나라의 거울은 먼 곳에 있지 않습니다."

화가 난 주왕은 비간에게,
"성인의 가슴엔 일곱 개의 구멍이 있다고 하던 데, 그게 사실이냐?"

말이 없자 비간의 가슴을 절개하여 심장을 열어 보았다고 한다.

이토록 잔학무도함도 영원할 수 없는 법이다. 하늘이 무서운 줄 모르는 사치와 음란, 잔혹함을 끝없이 즐기던 주왕도 주나라의 무왕이 이끄는 제후 동맹군의 공격을 받았다.
공격을 받던 그가 사슴각이 있는 보물전으로 쫓기는 순간까지도 보석이 박힌 옷을 몸에 휘감고 불속으로 몸을 던졌다.

마침내 은왕조는 이렇게 종말을 고했고, 총애하던 달기 역시 주나라 무왕에 의해 단죄되었다.

* 지식&파워..
은감불원(은나라의 거울은 먼 곳에 있지 않다는 뜻으로, 다른 사람의 잘못을 자신의 거울로 삼으라는 말.)
殷:은나라 은 鑑:거울 감 不:아니 불 遠:멀 원
원말: 은감불원 재하후지세(殷鑑不遠 在夏后之世)
동의어: 상감불원(商鑑不遠)
참고: 麥秀之嘆(맥수지탄) 주지육림(酒池肉林)
출전: 시경의 대아 편 탕시

큰 목적이나 원칙을 위해서라면 아끼는 사람도 버려라

삼국 시대 촉나라 제갈량은 수도인 성도에서 대군을 이끌고 출병했다. 그는 곧 한중(섬서성 내)을 손에 넣고 장안을 치기 위해 기산(감숙성 내)으로 진출했다. 그리고 위수의 서쪽에 진지를 구축한 다음, 위나라 군사를 크게 무짜르자 이에 놀란 위나라 조조가 명장 사마의를 급파했다.

20만 대군은 기산의 산기슭에 선형(부채꼴)의 진을 치고 제갈량의 군사와 대치했다.

제갈량은 위나라를 깰 계책을 사전에 세웠다. 하지만 상대가 워낙 지략에 뛰어난 사마의인 만큼, 물자 보급로인 가정 땅을 방어하는 일이 우선 걱정이었다. 만약 그곳을 잃으면 중원 진출의 원대한 꿈이 사라질 수도 있기 때문이다.

그때 마속이 그 중책을 자원했다.

그는 제갈량과 절친한 친구인 참모 마량의 동생으로, 평소 제갈량의 신임을 받는 장수였다. 그러나 상대가 워낙 뛰어난 사마의라 제갈량은 주저하지 않을 수 없었다.

제갈량이 주저하자 마속은 거듭 간청했다.

"제 능력으로 가정 땅은 충분히 지킬 수 있습니다. 만약 제가 패하면, 저는 물론이고 제 핏줄까지 처형한다 해도 결코 원망하지 않겠습니다."

제갈량은 마속에게 굳은 다짐을 받고 가정 땅을 맡겼다. 서둘러 가정에 도착한 마속은 지형부터 살펴보았는데, 그곳은 삼면이 절벽인

산이 있었다.

제갈량은 그 산기슭의 길목을 사수하여 위나라 군사의 접근을 막으라고 명령했다. 하지만 마속은 적을 유인하고 역공한다는 전략 아래 진을 산꼭대기에 쳤다.

그러나 이것을 알게 된 위나라 군사는 산기슭을 포위한 채 위로 공격하지 않았다.

결국 마속의 군대는 고립된 상태에서 보급이 끊기자, 군사를 총동원하여 포위망을 뚫으려 했으나 결국 적의 용장인 장합에게 대패하고 말았다.

제갈량은 모든 군사를 한중으로 후퇴시킨 뒤 마속에게 중책을 맡긴 것에 대해 몹시 후회했다. 왜냐하면 그가 군율을 어긴 이상 처형을 면치 못하기 때문이다. 이듬해 5월 마속이 처형되던 날, 성도에 들렸던 장완이 마속의 처형을 말렸지만 제갈량은 듣지 않았다.

"마속은 진정 아까운 장수다. 하지만 개인적인 정에 이끌리어 군율을 어긴다면 이는 마속이 지은 죄보다도 더 큰 죄가 된다. 아끼는 사람일수록 가차없이 처단해야 나라의 기강이 서는 법이다."

그러나 이토록 단호한 제갈량도 마속이 형장으로 끌려가는 순간 소맷자락에 얼굴을 묻고는 바닥에 엎드려 울었다고 한다.

* 지식&파워..

읍참마속(눈물을 흘리면서 목을 벤다는 뜻으로, 큰 목적이나 원칙을 위해서라면 아끼는 사람도 버린다는 말.)

泣:울 읍 斬:벨 참 馬:말 마 謖:일어날 속

유의어: 대의멸친(大義滅親) 일벌백계(一罰百戒)

참고: 휘루참마속(揮淚斬馬謖) 출전: 삼국지의 촉지 제갈량전

의심하는 마음을 가지면 없는 귀신도 있는 것처럼 느껴진다

☞ 어느 마을에 사는 사람이 소중하게 여기던 도끼를 잃어버렸는데 도무지 찾을 수가 없었다. 그러자 어디서 잃어버렸는지는 모르지만 이웃집 아이의 거동이 몹시 수상해 보였다. 그 아이는 길에서 만나도 피해가는 눈치였고, 표정이나 말투도 평소와 달랐다.

"흠! 저 놈이 내 도끼를 훔쳐간 게 틀림없어."

어느 날 그는 불현듯 전에 나무를 하러 갔을 때의 생각과 그곳에 도끼를 놓고 온 사실도 알게 되었다. 당장 그곳으로 달려가 보니 도끼는 생각한 대로 그곳에 있었다. 도끼를 찾은 이후로 이웃집 아이와 마주치게 되었는데, 이번에는 그 아이가 수상해 보이지 않았다고 한다.

☞ 이웃집 뜰에 있던 오동나무가 말라 죽었다.

이웃집 사람이 와서,

"말라 죽은 오동나무가 집안에 있으면 재수가 없다고 하네, 그러니 베어 버리게."

주인은 곧 오동나무를 베어 버렸다.

그러자 그는 땔감으로 쓰게 나무를 달라고 했다.

주인은 화를 내며,

"땔감으로 쓸 욕심에서 그런 건가? 이웃에 살면서 이건 너무하지!"

* 지식&파워……………………………………………………………………

의심암귀(의심하는 마음을 가지면 없는 것도 귀신이 있는 것처럼 느껴진다는 뜻으로, 마음속에 의심이 생기면 갖가지 망상으로 판단이 흐려짐을 이르는 말.)

疑:의심할 의 心:마음 심 暗:어두울 암 鬼:귀신 귀

원말: 의심생암귀(疑心生暗鬼) 유의어: 배중사영(杯中蛇影) 절부지의(竊斧之疑)

출전: 열자의 설부 편

반드시 약속을 실천하게 되면 믿음이 생긴다

진나라 효공 때 정치가인 재상 상앙은 제자백가(춘추 전국 시대의 여러 학파를 통틀어 이르는 말.)의 한 사람이다. 그는 위나라 사람으로 형명학을 공부했다. 특히 법치주의를 바탕으로 한, 부국 강병책을 펼쳐 천하 통일의 기틀을 마련한 인물이다. 상앙은 새로운 법을 만들어 놓고도 백성들이 따르지 않을까 걱정하여 이를 즉시 공포하지 못했다.

궁리 끝에 상앙은 남문에 세 길이나 되는 나무를 세워 놓은 다음 이것을 북문으로 옮기면 10금을 주겠다고 백성들에게 알렸다. 이때 백성들은 이를 이상하게 여겨 감히 옮길 생각을 못했다.

그러자 상앙은 다시 50금을 더 내걸었다. 때마침 어느 한 사람이 그것을 북문으로 옮겼다. 상앙은 즉시 약속한 대로 그에게 50금을 주어 거짓이 아님을 보여 줬다.

이와 같이 상앙이 백성들을 믿게 한 후, 새로운 법을 공포하자 곧 따르게 되었다.

1년 후 백성들이 그 법이 잘 못됨을 고하러 도성으로 몰려왔다. 그때 태자가 그 법을 어겼다고 하자, 상앙은 법이 잘 지켜지지 않은 것은 고위층 때문이라고 판단하여 태자의 보좌관과 그의 스승을 처형했다. 이후 백성들은 기꺼이 그 법을 준수했다.

* 지식&파워

이목지신(나무를 옮기게 하여 백성들을 믿게 한다는 뜻으로, 남을 속이지 않음, 또는 약속을 반드시 실천에 옮김.)

移:옮길 이 木:나무 목 之:갈 지(…의) 信:믿을 신

동의어: 사목지신(徙木之信)

유의어: 거경지신(巨卿之信) 계포일락(季布一諾) 금석맹약(金石盟約)

반의어: 식언(食言) 출전: 사기의 상군열전

마음이 통하면 뜻을 이룰 수 있다

송나라의 스님 도언이 고승들의 법어를 기록한 전등록에 보면 제자 가섭에게 석가는 말이나 문자가 아니라 마음과 마음으로 불교를 전했다는 이야기가 나온다.

송나라의 스님 보제의 오등회원에는 다음과 같은 법어가 있다.

어느 날 석가세존이 영취산으로 제자들을 불러모아 설법을 하였다. 그때 하늘에서 꽃비가 내렸다.

석가세존은 손으로 말없이 연꽃 한 송이를 집어 들고 그들 앞에서 약간 비틀어 보였다. 제자들은 석가세존의 그 행동이 무슨 의미인지 몰라서 의아했다. 그러나 가섭만은 그 뜻을 알아차리고 미소를 띠었다.

그러자 석가세존은 가섭에게,

"나에게는 정법안장(正法眼藏: 인간이 원래 갖추고 있는 매우 뛰어난 덕)과 열반묘심(涅槃妙心: 번뇌를 벗어나 진리에 도달하는 마음), 실상무상(實相無相: 불변의 진리), 미묘법문(微妙法門: 진리를 깨우치는 마음), 불립문자 교외별전(不立文字 敎外別傳: 말이나 문자를 쓰지 않고 이심전심으로 전하는 오묘한 뜻. 곧, 진리)이 있다. 이것을 너에게 주마."

* 지식&파워..

이심전심(마음에서 마음으로 뜻을 전한다는 말.)

以:써 이 心:마음 심 傳:전할 전 心:마음 심

동의어: 염화미소(拈華微笑) 염화시중(拈華示衆)

유의어: 교외별전(敎外別傳) 불립문자(不立文字)
심심상인(心心相印)

출전: 오등회원의 전등록 / 무문관 / 육조단경

인생은 아침 이슬과 같은 것이다

한나라 무제 때 이릉은 5천여 명의 보병을 이끌고 흉노를 정벌하러 나갔다. 그는 열 배나 되는 적의 기병을 맞아 초반은 잘 싸웠으나 결국 참패했다. 그런데 전투에서 죽은 줄만 알았던 이릉이 놀랍게도 흉노에게 투항하여 후대를 받고 있다는 사실이 이듬해 밝혀졌다.

그때 중랑장 소무는 사절단을 이끌고 포로를 교환하러 흉노 땅에 갔다. 하지만 그는 내란에 휘말려 감금되고 말았다.

흉노의 우두머리인 선우(흉노족이 그들의 군장을 일컫던 '샨위'의 한자음 표기)가 소무에게 투항할 것을 권유했으나 이를 거부하자 그는 북해(바이칼 호)로 추방을 당했다. 그가 들쥐와 풀뿌리로 목숨을 연명하고 있던 어느 날, 소무에게 고국에서의 친구였던 이릉이 10년 만에 찾아왔다.

"자네가 이렇게 절개와 지조를 지킨다고 알아줄 사람이 누군가."

그러자 소무가,

"떠나오기 전 자네 모친이 죽자 내가 조문한 것도, 자네의 아내는 아직 젊기 때문에 재혼을 했다는 것도, 누이 두 사람 아들 하나가 있지만 벌써 10년이 지난 옛일로 죽었는지 살았는지 몰랐지 않는가?

인생은 아침 이슬과 같다고 하니 정말로 덧없는 것이네. 어찌 자기를 이렇게 괴롭히고만 있는가?"

끝내 소무는 이릉의 말을 따르지 않았고, 이릉도 소무의 충절에 머리를 숙인 채 혼자 돌아갔다.

* 지식&파워……………………………………………………………………

인생조로(사람의 생은 아침 이슬과 같다는 뜻으로, 삶의 덧없음을 이르는 말.)

人:사람 인 生:날 · 살 생 朝:아침 조 露:이슬 로

원말: 인생여조로(人生如朝露) 유의어: 인생초로(人生草露)

참고: 안서(雁書) 구우일모(九牛一毛) 출전: 한서의 소무전

생각을 바꾸면 한 번에 2가지를 얻을 수 있다

☞ 진서의 속석전에 나오는 이야기이다.

위나라 · 오나라 · 촉나라의 삼국 시대가 끝나고 위나라와 진나라의 교체기를 지나 무제가 다시 천하를 통일했다.

그러나 안정을 찾지 못한 상태에서 혜제가 제위에 올랐기 때문에 여전히 혼란은 계속되었다.

이 혼란한 시기에 저작랑으로 진사의 편찬에 종사했던 속석은 저작랑이 되기 전에 농업 정책에 참여하여 이주 대책을 진언을 했다.

속석은 이때 위나라의 개척지인 양평 지방으로 이주시켜 살게 했던 백성들을 다시 서쪽으로 이주시키자고 제안했는데, 그 성과를 다음과 같이 설명했다.

"백성들을 서주로 이주시킴으로써 변방 지역을 보충하고 10년 동안 세금을 면제해 주면, 두 번 이주시킨 일을 위로하는 것과 마찬가지로 이것이 백성에게는 실익이 되고, 왕께는 관용을 베푸는 일이 되어 일거양득이 됩니다."

☞ 전국책 진책에 나오는 이야기이다.

진나라의 혜문왕 때 재상 장의는 천하를 얻기 위해 중원 진출을 주장한 반면, 중신 사마조는 이에 반대하여 다음과 같은 말을 했다.

"무릇 나라가 부국을 원하는 군주는 먼저 땅를 넓히는데 힘쓰고, 강병을 원하는 군주는 백성들이 잘 살 수 있게 해야 하며, 패왕(제후들의 우두머리)이 되기를 원하는 군주는 먼저 덕을 쌓아야 한다고 합니다.

이 세 가지가 이루어지면 자연스럽게 천하를 얻을 수 있다고 생각합니다. 그러나 지금 진나라의 국토는 좁고 작으며 백성들은 빈곤합니다.

이 두 가지 문제를 동시에 해결하려면 먼저 강력한 우리 진나라 군사로 하여금 촉나라 땅의 오랑캐를 정벌하는 것뿐입니다.

그렇게 되면 국토는 넓어지고 백성들의 재물은 쌓이게 될 것입니다.

이것은 한 가지 일로써 두 가지 이익을 얻는 것과 같습니다."

혜문왕은 사마조의 말을 듣고 촉나라 오랑캐를 정벌하여 국토를 넓혔다.

☞ 춘추후어에 나오는 변장자 이야기이다.

힘이 장사인 변장자가 잠을 자기 위해 여관에 들어갔고, 이어서 밤이 깊어지자 호랑이 소리가 들렸다.

변장자는 밖으로 나가 호랑이를 잡으려 했으나 여관에서 잔일을 하는 아이가 이를 말리면서,

"지금 호랑이 두 마리가 소를 차지하기 위해 싸우고 있습니다.

잠시 기다리면 둘 중 한 마리는 죽게 될 것이고, 한 마리는 상처를 입게 됩니다. 그때 잡으십시오."

잔일을 돕는 아이의 말대로 그는 힘도 쓰지 않고 한꺼번에 두 마리 호랑이를 잡았다.

* 지식&파워……………………………………………………………………………

일거양득(한 가지 일로써 두 가지의 이익을 얻음.)

一:한 일 擧:들 거 兩:두 량 得:얻을 득

동의어: 일거양획(一擧兩獲) 일석이조(一石二鳥) 일전쌍조(一箭雙鳥)

반의어: 일거양실(一擧兩失) 준말: 양득(兩得)

참고: 조명시리(朝名市利) 출전: 진서의 속석전 / 전국책의 진책 / 춘추후어

상황을 알면 한 번 던진 그물로도 전부를 잡을 수 있다

북송의 4대 황제인 인종 때 북방에는 거란이 세력을 키우고 있었다. 또한 남쪽으로는 중국의 일부인 안남이 독립을 선언했다.

이처럼 외교적 열세에도 불구하고 국외보다는 국내의 정치가 크게 발전했다.

이때 어진 인종은 백성을 아끼는 한편으로 학문을 장려하여 많은 인재를 발굴했다.

그리고 그 인재를 통해 군주 정치의 모범을 보였다. 하지만 많은 명신들이 우수한 논문과 탁월한 학설을 나름대로 주장하다 보니 결국 파벌이 생겨 당파 싸움으로 번졌다.

이 무렵 두연이라는 재상이 실세로 있었다.

당시의 관행으로는 황제가 국정을 대신들과 상의하지 않고 단독으로 교서를 내리는 경우가 있는데, 이 교서는 곧바로 시행을 해야 하는 황제만의 특권이다.

그런데 교서를 내리면 두연이 가지고 있다가 황제에게 다시 돌려주는 한편 자기의 측근을 곳곳에 심어 놓고 멋대로 정치를 했다.

하지만 이것에 대해 황제나 대신들도 그의 권세에 눌려 감히 말을 못했다.

그 당시 공교롭게도 두연의 사위 소순흠이 관직에 있었다.

그런데 그는 공금을 가지고 조상에게 제사를 지내는 것은 물론 개인적인 일로 부정을 저질렀다.

그러자 평소 두연의 행실에 분개한 어사 왕공진이 이것을 빌미로 사위 소순흠과 관련된 자들을 모두 잡아 철저히 죄를 물은 다음 투옥시켰다.

그리고 재상 두연에게,

"관련된 죄인들을 일망타진했습니다."

이 말은 최초에 어사 왕공진이 한 말이다. 이 사건으로 인해 권세를 누리던 재상 두연도 70일 만에 도중하차했다.

일망타진이란 말은 한 번 그물을 쳐서 연못의 물고기를 모두 잡았다는 뜻으로, 일개 말단직의 죄를 물어 감히 세도가인 재상 두연을 물리쳤다는 말과 다를 바가 없다.

* 지식&파워……………………………………………………………………

일망타진(한 번 그물을 쳐서 모조리 잡는다는 뜻으로, 어떤 무리를 한꺼번에 몽땅 잡는다는 말.)

一:한 일 網:그물 망 打:칠 타 盡:다할 진

준말: 망타(網打)

출전: 송사의 인종기 / 동헌필록

훌륭한 것은 천금의 가치가 있다

전국 시대 여불위는 원대한 꿈을 가진 한나라 거상이다.

그가 조나라 한단으로 장사를 갔을 때의 일로, 진나라 왕의 손자인 자초(훗날의 장양왕)가 볼모로 잡혀왔다는 사실을 알았다.

자초는 20여 명의 서출 왕손에 불과했지만 소양왕의 아들 안국군에게는 적자(본처가 낳은 아들)가 없기 때문에 임금에 오를 가능성이 있는 인물이다.

이때 여불위는 '기화가거'라며 천금을 아낌없이 투자하여 자초를 돕는 한편 막대한 재산을 풀어 사군자(맹상군 · 춘신군 · 평원군 · 신릉군)처럼 3,000여 명의 식객을 두고 위엄을 보였다.

이 시기에는 각 나라가 책을 많이 만들었는데 특히 순자가 책을 만들었다고 하자, 여불위는 당장 식객들을 시켜 대작을 만들었다.

이 책은 오늘날의 백과 사전과 같은 것인데 여불위는 이 책을 자기가 만든 것처럼 여씨춘추라고 이름을 붙였다.

그리고 이 여씨춘추를 도읍인 함양의 시문이 있는 곳에 전시한 다음 그 위에 천금을 매달아 놓고 방을 써 붙였다.

"만일 이 책에 한 글자라도 넣거나 빼어 고치는 사람이 있다면 이 천금을 주겠다."

이는 장사에 밝은 여불위가 훌륭한 제후와 세객(능란한 말솜씨로 유세하며 다니는 사람), 식객을 모으기 위한 계책에 불과하다.

* 지식&파워..

일자천금(하나의 글자엔 천금의 가치가 있다는 뜻으로, 매우 훌륭한 글이나 시문을 비유하여 이르는 말.)

一:한 일 字:글자 자 千:일천 천 金:쇠 금

유의어: 일자백금(一字百金) 출전: 사기의 여불위열전

그 지방에 가면 그 지방의 풍속을 따르라

초나라 장왕은 소매가 치마와 같이 넓은 옷에 헐렁헐렁한 윗옷을 걸치고 천하를 호령하여 제후들을 따르게 하니 마침내 패자가 되었다.

진나라 문공은 허름한 윗옷에 양가죽 옷을 걸친 다음 가죽(날가죽의 지방을 훑어 내어 만든 부드러운 가죽) 띠에 칼을 찬 모습으로 위엄을 온 세상에 떨쳤다. 이것으로 볼 때 어찌 추나라와 노나라의 예만을 예라고 할 수 있겠는가? (즉 공자, 맹자의 가르침만을 예라고 할 수 있겠는가?)

따라서 타국에 들어가서는 그 나라의 풍속을 따르고, 남의 집에 들어가서는 그 집에서 꺼리는 바를 피하며, 금하는 것을 범하지 않고 들어가며, 꺼리는 것을 거스르지 않고 들어가면, 비록 먼 나라 이적(오랑캐), 나인(벌거숭이)의 나라에 가서 수레바퀴 자국을 낸다 하더라도, 결코 어려움에 처하지 않을 것이다.

장자의 '외편'에는, '그 풍속에 들어가서는 그 풍속을 따른다.'

논어에는, '어느 고장에 가든지 그 고장의 풍속대로 살아가라'

중용에는, 부귀에 바탕을 두었을 때에는 부귀에 맞게 행하고, 가난에 바탕을 두었을 때에는 가난에 맞게 행하고, 오랑캐에 바탕을 두었을 때에는 오랑캐에 맞게 행하고, 환란에 바탕을 두었을 때에는 환란에 맞게 행한다.'

* 지식&파워...

입향순속(다른 지방에 가서는 그 곳 지방의 풍속을 따름.)

入:들 입 鄕:마을 향 循:좇을 · 돌 순 俗:풍속 속

출전: 회남자의 제속 편

콩깍지를 태워 콩을 삶는 듯 그런 형제간이 되지 마라

조조는 무신 출신이었으나 시문을 애호하여 우수한 작품을 많이 남겼다. 또한 두 아들 조비, 조식과 함께 이른바 삼조로 불리었다.

당시 문학이 크게 꽃을 피웠는데, 중국 문학사의 기록에는 후한 말의 마지막 연호를 따서 건안문학이라 칭했다.

아들 가운데 조식은 총명함과 뛰어난 문재로 아버지 조조(장남: 조앙, 차남: 조비, 셋째: 조식, 넷째: 조창, 다섯째: 조웅.)는 차남 조비보다 조식을 더 사랑했다. 따라서 그에게 제위를 넘길까도 생각했다.

조조가 죽은 뒤 조비는 위왕에 추대되고 한나라를 멸망시켜 스스로 제위에 올랐다.

조비는 제위에 올라서도 조식을 항상 죽이려 했지만, 그를 죽이지 말라는 어머니와의 약속 때문에 갈등을 겪고 있을 쯤 신하 화흠과 왕랑이,

"조식을 모두가 훌륭한 시인이라고 합니다. 그럼 시를 짓게 하여 잘 지으면 살리고 못 지으면 그 죄를 물어 죽이십시오."

그 말을 들은 조비는 조식을 불러 자기가 일곱 걸음을 걷는 동안에 시를 지으라고 명령했다.

만약 이 명령을 어길 경우 죄를 물어 중벌에 처한다는 말과 함께 '황소의 싸움'을 주제로 시를 짓게 했다.

두 고깃덩이 나란히 길을 가는데 머리 위에는 모두 뿔이 솟아났구나. 산 아래서 우연히 만나 갑자기 치고 받게 되었는데, 두 맞수가 다

억세지는 못해 한 고깃덩이는 쓰러지고 말았다. 이는 힘이 저만 못해서가 아니라 한 번에 쏟아내지 못한 탓이다.

조비는 자신의 걸음이 너무 느렸다고 트집을 잡아 이번엔 '형제'를 주제로 시를 짓게 했다.

이때 쓴 시가,

콩깍지를 태워서 콩을 삶으니,

콩이 솥 안에서 우는구나.

본래 같은 뿌리에서 나왔건만,

서로 삶기를 어찌하여 이리 급하게도 하는가.

이 시에 죄책감을 느낀 조비는 조식을 살려 주는 대신 벼슬을 강등시켜 궁 밖으로 내치고는 그 어떤 간섭도 못하게 했다.

* 지식&파워..

자두연두기(콩깍지를 태워 콩을 삶는다는 뜻으로 형제간에 서로 다투고 죽이려 하는 것을 이르는 말.)

煮:삶을 자 豆:콩 두 燃:사를 연 豆:콩 두 萁:콩깍지 기

유의어: 골육상쟁(骨肉相爭)

참고: 자두연기 출전: 세설신어의 문학 편

스스로 자신을 포기하지 마라

일반적으로 자포자기란 절망 상태에 빠져서 자신을 돌보지 않는 상태를 말한다.

그러나 본래 자포자기는 그런 뜻이 아니며 자포와 자기는 엄연히 구분된다.

이 말을 처음 쓴 사람은 맹자로 맹자는 인격의 수양을 어느 누구보다도 강조했다. 바로 그가 중시한 것은 인의이다.

그러나 당시 상황은 서로 싸움이 치열한 전국 시대로 제후들은 누구나 한 치의 땅이라도 더 차지하기 위해 혈안이 되었다. 따라서 인간답게 살려는 흔적이 별로 없었던 것이다.

맹자는 그런 시국을 매우 안타까워했다.

어느 날 양혜왕이 일방적으로 맹자에게,

"내게 어떤 이익을 줄 수 있느냐?"

"왕께서는 하필 그 많은 말 중에서도 이익을 말합니까? 제게는 오직 인의만 있을 뿐입니다."

이처럼 당시의 사람들은 눈앞의 이익만을 쫓는데 익숙해 있지 인의(仁義)를 멀리했다.

맹자는,

"스스로를 해치는 자와는 함께 이야기할 수 없고(자포: 自暴), 스스로를 버리는 자와는 함께 일할 수 없다(자기: 自棄). 입만 벌리면 예(禮)와 의(義)를 비방하곤 하는데, 이것을 자포(自暴)라 하고, 인의(仁義)를 실천할 수 없는 자를 자기(自棄)라고 한다. 인(仁)은 사람이 편안하게 살 수 있는 집이고, 의(義)는 사람이 걸어야 할 정도이다.

사람들이 편안하게 살 수 있는 집을 비워 둔 채로 살지 않고, 정도를 버린 채 그 길을 걷지 않으니 슬프다."

즉 자포(自暴)가 보다 적극적으로 악행을 일삼는 자라면 자기(自棄)는 선악을 구별하면서도 선을 실천에 옮기지 못하는 사람이다.

다시 말해 못된 놈(자포하는 사람)과는 말할 것이 못되며, 덜된 놈(자기하는 사람)과는 함께할 수 없다.

이것은 인간의 도리를 망각한 자와는 상종을 말라는 경고이다.

본래 맹자가 인의를 설명하기 위해 사용한 것으로 철학적 성격을 띤 말인데, 오늘날에 와서 그 의미는 사뭇 다르다.

* 지식&파워

자포자기(스스로 자신을 학대하고 돌보지 아니함.)

自:스스로 자 暴:사나울 포 自:스스로 자 棄:버릴 기

준말: 자기(自棄) 자포(自暴) 포기(暴棄)

출전: 맹자의 이루 편

어떤 상황이 닥치더라도 떨지 말고 침착하게 대응해라

☞ 서주 말엽 지략이 뛰어난 신하가 군주의 측근으로 있으면서 옛 법을 무시한 정치에 분함을 느끼고 이것을 탄식하여 쓴 시이다.

시경의 마지막 구절에,
'맨손으로는 호랑이를 잡을 수 없고,
걸어서 황하를 건너지 못하네.
사람들은 그 한 가지는 알고 있으나,
다른 것은 아무것도 모르네.
겁을 먹고 벌벌 떨며 조심하기를
깊은 연못에 이르는 듯하고,
살얼음을 밟고 가는 듯하네.'

☞ 논어의 태백 편에,

증자가 병이 깊어지자 제자들을 불러 이렇게 말했다. '내 발을 펴고, 내 손을 펴라. 시경에 이르기를 겁을 먹고 벌벌 떨며 조심하기를 깊은 연못에 이르는 듯하고 살얼음을 밟고 가는 듯하다. 지금 이후로 나는 그것에서 벗어남을 알겠노라. 제자들아.'

* 지식&파워……………………………………………………………………

전전긍긍(두려운 마음에 벌벌 떠는 모양을 나타내는 것으로, 위기감으로 절박해진 심정을 비유한 말.)

戰:무서워 떨 · 싸움할 전 戰:무서워 떨 · 싸움할 전 兢:조심할 긍 兢:조심할 긍

동의어: 전전공공(戰戰恐恐)

유의어: 긍긍업업(兢兢業業) 소심익익(小心翼翼)

준말: 전긍(戰兢) 출전: 시경의 소아소민 편 / 논어의 태백 편

앞서 엎어진 바퀴 자국은 뒤에 오는 수레에게 교훈이 된다

전한 5대 황제인 문제 때 가의는 낙양 출신의 사상가로 18세 때 이미 수재라는 소리를 들었고, 22세 때 박사와 이어서 태중대부에 발탁되었다.

그때 그는 제도와 역법을 고치자고 문제에게 진언했다. 하지만 수구파 대신 주발의 반발로 25세 때에 잠시 장사로 좌천되었다.

이듬해 문제의 부름을 받고 막내아들인 양왕의 태부가 된 그는 국사에 관해 누차 진언을 했다.

하지만 그 대안은 문제에 의해 실현되었다고는 볼 수 없고, 무제 때 강력히 추진되었다.

그는 양왕이 낙마로 인해 죽게 되자, 그 슬픔을 이기지 못한 나머지 병을 얻어 이듬해인 33세의 나이로 죽었다.

그가 문제에게 올린 글에 이런 말이 있다.

"앞서 엎어진 바퀴 자국은 뒤에 오는 수레에게 교훈이 된다는 말이 있습니다. 전 왕조인 진나라가 일찍 멸망한 까닭은 너무나도 잘 알려진 사실인데, 만일 그렇게 되면 진나라와 같은 전철을 밟게 될 것입니다. 부디 통촉하여 주십시오."

* 지식&파워...

전차복철(앞 수레의 엎어진 바퀴 자국이란 뜻으로, 앞사람의 실패를 보고 뒤따라가는 사람이 이를 경계로 삼아야 한다는 말.)

前:앞 전 車:수레 차 · 거 覆:뒤집힐 복 轍:바퀴 자국 철

동의어: 복거지계(覆車之戒)

유의어: 답복차지철(踏覆車之轍) 답복철(踏覆轍) 전철(前轍)

참고: 은감불원(殷鑑不遠)

출전: 한서의 가의전

화를 바꾸어 복을 만들고, 실패를 바꾸어 성공으로 이끌어라

☞ 전국 시대 합종책으로 한나라 · 위나라 · 조나라 · 연나라 · 제나라 · 초나라 등 6국의 재상을 동시에 맡았던 소진이 말했다.

"옛날, 일을 잘 처리했던 사람은 화를 바꾸어 복이 되게 했고, 패한 것을 바꾸어 공을 세웠다."

이것은 어떠한 불행도 불굴의 정신으로 끊임없이 노력하면 행복해진다는 말이다. 그러나 요즘은 요행적인 의미가 강하다.

☞ 사기의 열전 편에 보면, 관중을 평하는데 있어 다음과 같은 말이 있다.

"정치를 함에 있어, 매번 화를 바꾸어 복을 만들고, 실패를 바꾸어 성공으로 이끌었다. 어떤 사물에 있어서도 중요한 것과 중요하지 않은 것에 대한 치우침이 없이 신중하게 처리했다."

* 지식&파워..

전화위복(화를 바꾸어 복이 되게 함을 뜻하나, 요즘은 요행적인 의미로 화가 바뀌어 복이 됨을 이른다.)

轉:구를 전 禍:재화 화 爲:할 · 위할 위 福:복 복

동의어: 인화위복(因禍爲福) 화인위복(禍因爲福)

유의어: 새옹지마(塞翁之馬)

반의어: 호사다마(好事多魔)

출전: 전국책의 연책 / 사기의 열전 편

옥이나 돌을 갈고 닦으면 빛이나듯이 학문과 덕행도 이와 마찬가지다

☞ 시경의 위풍 편에 학문과 덕을 쌓는 군자의 발전 과정을 비유한 시가 있다,

기수의 물가를 보니,

푸른 대나무가 아름답고도 무성하네.

그 푸른 대나무 같이 아름답고 무성한 군자는

끊는 것 같고 닦는 것 같으며(학문)

쪼는 것 같고 가는 것 같아(덕행)

엄숙하고 위엄이 있으며 훤하고 의젓하네.

이 아름다운 군자를 끝내 잊을 수 없네.

☞ 또 논어의 학이 편을 보면, 말솜씨와 재주가 많은 자공이 어느 날 공자에게 물었다.

"선생님, 가난해도 남에게 아첨을 하지 않고, 부유하면서도 교만하지 않는 것은 어떻습니까?"

"훌륭하다. 하지만, 가난해도 도를 즐기고, 부유하면서도 예절을 좋아하는 것만 못하다."

자공이 되물었다.

"시경에 이르기를 끊는 것 같고 닦는 것 같으며(학문), 쪼는 것 같고 가는 것 같이(덕행) 하라는데,

바로 이것을 두고 한 말입니까?"

공자는 대답했다.

"사(자공의 이름)야 비로소 너와 더불어 시를 논할 수 있겠구나. 지난 것들을 알려 주었더니 앞으로 다가올 것까지 아는구나."

* 지식&파워..

절차탁마(옥 · 돌 따위를 갈고 닦아 빛을 낸다는 뜻으로, 학문이나 덕행에 관하여 힘써 배우고 닦음.)

切:끊을 · 자를 절 磋:갈 차 琢:쫄 탁 磨:갈 마

원말: 여절여차여탁여마(如切如磋如啄如磨)

동의어: 절차(切磋) 준말: 절마(切磨)

출전: 시경의 위풍 편 / 논어의 학이 편

우물 안의 개구리처럼 좁게 세상을 보면 세상은 좁다

☞ 왕망이 전한을 멸망시키고 세운 신나라 말에 있었던 일이다.

마원은 어릴 적부터 학문의 자질과 마음 씀이 바르고 침착하여 그 배움이 남달랐다.

나이 12세에 아버지, 할머니가 돌아가셨으므로 큰형인 마황이 그의 교육을 맡았다.

그러나 그는 당시 주류를 이루던 훈구학을 싫어했다.

이것을 지켜보던 마황은 그의 큰 뜻을 알고 목축 일을 허락했다.

하지만 마황이 얼마 지나지 않아 죽었기 때문에 마원은 형수를 돌봤다.

마원은 왕망 정권 말기 신성대윤(한중군 태수)으로 있었고, 그 후에는 농서(감숙성) 지방에서 할거하던 외효의 부하가 되었다.

그 무렵, 외효는 낙양에서 세력을 떨치던 유수(훗날 광무제)와 촉 땅에서 성나라를 세운 공손술 사이에서 고민을 하다, 공손술의 됨됨이를 알아보기 위해 마원을 사신으로 보냈다.

마원은 공손술과 같은 지역 출신으로 고향 친구인 그가 반겨 주리라는 기대를 했었다.

그러나 황제의 권위만을 내세우는 공손술에게 실망한 마원은 외효에게,

"공손술은 좁은 촉 땅에서 우쭐대는 '우물 안 개구리'에 불과합니다."

이 말을 들은 외효는 공손술을 버리고 훗날 후한의 시조가 된 광무제와 손을 잡았다.

☞ 장자의 추수 편에,

황하의 하신인 하백이 바다로 나와 북해에서 동해를 바라보고는 한없이 넓음에 놀랐다고 하자, 북해의 해신이 하신 하백에게 이렇게 말했다.

"우물 안에서 살고 있는 개구리에게 바다를 얘기해도 알지 못하는 것은 그들이 좁은 곳에서 살고 있기 때문이며,

여름 벌레에게 얼음을 말해도 알지 못하는 것은 그들이 여름만을 굳게 믿고 있기 때문이다.

식견이 좁은 사람에게 도를 말한다 해도 알지 못하거니와 그것은 그들이 기존의 가르침에 구속되어 있기 때문이다.

그러나 당신은 지금 좁은 강에서 나와 큰 바다를 바라보았기 때문에 자신의 좁은 식견을 깨달아 이제 더불어 큰 진리에 대해 말할 수 있을 것이다."

* 지식&파워..

정중지와(우물 안의 개구리이라는 뜻으로, 견문이 좁아 세상 물정에 어둡다는 말.)

井:우물 정 中:가운데 중 之:갈 지(…의) 蛙:개구리 와

원말: 정중와 부지대해(井中蛙 不知大海)

동의어: 정와(井蛙) 정저와(井底蛙) 정중와(井中蛙)

유의어: 월견폐설(越犬吠雪) 촉견폐일(蜀犬吠日)

참고: 망양지탄(望洋之嘆)

준말: 정와(井蛙) 출전: 후한서의 마원전 / 장자의 추수 편

천할 때의 사귐은 잊지 말아야 하고, 지게미와 겨를 먹을 만큼 고생을 한 조강지처는 내치지 말아야 한다

중국 후한 광무제 때의 일이다. 당시 송홍은 감찰을 맡아보는 대사공(어사대부)으로 성품이 강직한 반면 부드럽고 무던한 인물이었다.

어느 날 광무제는 일찍이 홀로되어 쓸쓸히 지내는 누나 호양 공주가 보기에도 안쓰러워 시집을 보내려 했다. 그래서 그는 누나에게 마음에 두고 있는 사람이 있는냐고 물었다. 그녀는 송홍과 같은 사람이면 시집을 가겠다고 말했다. 때마침 송홍이 편전으로 들어오자, 광무제는 누나를 잠시 병풍 뒤에 숨게 한 다음 송홍의 마음을 떠보았다.

송홍에게 말하기를,

"흔히 신분이나 지위가 높아지면 친구를 바꾸고 재물이 많아 생활이 넉넉해지면 아내를 바꾼다고 하던데 이것이 본디 지니고 있는 사람의 마음이 아니겠는가?"

송홍은 분명히 대답했다.

"아닙니다. 신이 생각하기를 천할 때의 사귐은 잊지 말아야 하고, 지게미와 쌀겨를 먹고 고생한 아내는 집에서 내보내지 말아야 한다고 들었습니다. 그리고 그것이 진실이라고 생각합니다."

이 말을 들은 광무제는 누님이 있는 쪽을 돌아보며 조용한 말로, "일이 틀린 것 같습니다"라고 말했다.

* 지식&파워..

조강지처(지게미(술을 거르고 난 찌꺼기)와 겨를 먹을 만큼 고생을 함께 하면서 살아온 본처를 이르는 말.)

糟:지게미 조 糠:겨 강 之:갈 지(…의) 妻:아내 처

원말: 조강지처불하당(糟糠之妻不下堂)

유의어: 빈천지교(貧賤之交) 출전: 후한서의 송홍전

아침 다르고 저녁 다른 정책은 백성을 힘들게 만든다

한나라 문제 때의 일이다. 흉노족은 북쪽 변방을 자주 침략하여 약탈을 하기 때문에 백성들은 농사일과 변방을 동시에 지켜야 하는 일이 생겼다. 따라서 백성들의 생활은 고달플 뿐만 아니라 식량마저 떨어지는 상황에 이르렀다. 조착이 이러한 사정을 알고 조정에 상소문을 올렸는데, 여기에 조령모개라는 말이 처음 나온다.

"지금 다섯 명의 가족이 있는 농가에서는 부역으로 동원된 사람이 둘 이상이고, 관청을 보수하기 위해 사시사철 불려가므로 쉴 날이 없습니다. 조세와 부역은 일정한 시기도 없이 아침에 명령이 내려오면 저녁에 또 다른 명령으로 고쳐져 내려옵니다.

논과 밭을 담보할 것이 있는 사람은 반값에 팔아서 내고, 그것마저 없는 사람은 돈을 꾸어서 내게 되므로 원금과 같은 이자를 물게 됩니다. 때문에 전답과 집을 팔고, 자식과 손자를 팔아 빚을 갚는 사람도 있습니다."

여기서 조착은 나라의 조령모개식 시책 때문에 백성들이 많은 피해를 입고 있다고 지적했다.

즉, 아침에 명령을 내렸다가 저녁에 뒤바꾸는 식은 할 일이 많은 백성들게 있어서 지키기가 어렵다는 말이다.

* 지식&파워..

조령모개(아침에 내린 명령을 저녁에 고친다는 뜻으로, 일관성이 없이 갈팡질팡함을 이르는 말.)

朝:아침 조 令:법 령 暮:저녁 모 改:고칠 개

유의어: 조개모변(朝改暮變) 조령석개(朝令夕改) 조변석개(朝變夕改)

출전: 사기의 평준서

명예는 조정에서, 이익은 저자(시장)에서 다투어라

진나라 혜문왕 때 중신 사마조는,

"무릇 나라가 부강해 지기를 바라는 군주는 영토를 우선적으로 넓혀야 하고,

강력한 군대가 되기를 원한다면 군주는 무엇보다 백성들을 잘 살게 해야 하고,

제후들의 우두머리가 되기를 원한다면 군주는 먼저 덕을 쌓는데 힘을 써야 합니다.

이 세 가지가 이루어질 때 천하 통일은 자연스럽게 이루어집니다. 하지만 지금 진나라의 영토는 작고 백성들은 가난합니다.

이와 같은 두 가지 문제를 동시에 해결 하려면, 우선 군사를 동원하여 촉나라 땅 오랑캐를 정벌하는 것입니다. 이렇게 할 때 영토는 넓어지고 백성들의 재물은 늘어날 것입니다.

결국 이것은 한 가지 일로 두 가지의 이익을 보는 것과도 같습니다."라고 말을 하면서 출병을 주장했다.

그러나 장의(연횡설)는 사마조와는 달리 이렇게 주장했다.

"우선 진나라는 위나라 · 초나라와 우호 관계를 맺고, 한나라 삼천지방으로 출병을 한 다음 천하의 종실인 주나라의 외곽을 위협해야 합니다. 그러면 주나라는 구정(천자를 상징하는 보물)을 스스로 내놓을 것입니다.

그때 그것으로 천하를 호령하면 감히 누가 복종을 하지 않겠습니

까? 이것이 천하 통일입니다.

일개 변경의 촉을 정벌했다 치더라도 결국 군사와 백성들만 힘들게 할 뿐 무슨 명예와 이득이 있겠습니까?

신이 들은 바로는 '명예는 조정에서, 이익은 저자에서 다툰다.' 했습니다.

지금 삼천 지방은 천하의 저자(시장)입니다. 주나라 황실은 천하의 조정입니다.

그런데도 전하께서는 이것을 다투려 하지 않고 일개 변방의 오랑캐인 촉과 다투려 하는데, 행여 천하 통일을 멀리하려는 것이 아닙니까?"

그러나 혜문왕은 장의의 진언보다는 사마조의 진언에 따라 촉나라 오랑캐를 정벌하는 한편 영토 확장에 주력했다.

* 지식&파워

조명시리(명예는 조정에서, 이익은 저자(물건을 팔고 사는 장소)에서 다투라는 뜻으로, 무슨 일이든 격에 맞는 곳에서 하라는 말.)

朝:아침 · 조정 조 名:이름 · 이름날 명 市:저자 시 利:이로울 리

유의어: 적시적지(適時適地)

참고: 일거양득(一擧兩得)

출전: 선국책의 진책

당장 눈앞에 보이는 것만 알고 그 결과를 생각하지 못한다면 이는 곧 어리석은 짓이다

장자의 제물편을 보면 저(원숭이를 뜻함)공 이라는 송나라 사람이 나온다.

그의 이름을 보면 알 수 있듯이 그는 많은 원숭이들을 사랑으로 길렀다. 그래서 저공은 능히 원숭이들의 마음을 알 수 있으며, 원숭이들도 저공의 마음을 잘 안다.

여태껏 저공은 식구들이 먹어야 할 양식을 원숭이들과 나누어 먹었다. 그런데 워낙 많은 원숭이를 기르다 보니 먹이를 감당할 수가 없었던 것이다.

결국에는 먹이가 떨어져 가므로 그것을 줄일 수 밖에 없었다. 그러나 먹이를 당장 줄이면 여러 원숭이들이 자신의 말을 듣지 않을까 걱정이 되었다.

그래서 원숭이들에게 이렇게 말을 했다.

"너희들에게 먹이를 주는 데 있어서 아침에는 세 개, 저녁에는 네 개를 주겠다."

여러 원숭이들이 모두 화를 냈다.

저공은 다시,

"그럼 아침에는 네 개를 주고 저녁에 세 개를 주겠다."

이때 여러 원숭이들은 모두 엎드려 절을 하고 기뻐했다.

여기서는 당장 눈앞의 큰 것만을 알고 그 결과가 같음을 모르는 어리석음과 간사한 잔꾀로 남을 속여 희롱한다는 뜻으로 쓰였다.

하지만 열자는 정작 조삼모사에 대해 잔꾀를 부린다는 쪽보다 '모든 것이 조삼모사와 같은 이치여서 지혜를 가지고 지배하면 힘들이지 않고도 다스릴 수 있다.' 라는 지혜의 개념으로 썼다.

* 지식&파워..

조삼모사(아침에는 세 개, 저녁에는 네 개라는 뜻으로, 눈앞에 보이는 차이만 알고 결과가 같다는 것에 대해서는 모른다는 말. 또는 간사한 꾀로 남을 속이고 농락함을 비유하여 이르는 말.)

朝:아침 조 三:석 삼 暮:저녁 모 四:넉 사

동의어: 조사모삼(朝四暮三)

유의어: 가기이방(可欺以方) 감언이설(甘言利說)

준말: 조삼(朝三)

출전: 열자의 황제 편 / 장자의 제물론

되지도 않는 일을 만들어 손해를 보는 것은 현명치 못한 행동이다

송나라의 어떤 사람이 곡식을 심었는데 싹이 빨리 자라지 않자, 그 싹을 조금씩 뽑아 올리고는 집으로 돌아왔다.

그리고 가족들에게 이렇게 말했다.

"나는 오늘 싹이 빨리 자라도록 도와주었다."

아들이 궁금하게 여겨 그 곳으로 달려가 보니 싹들이 자라기는커녕 모두 말라서 죽었다.

세상 사람 누구나 싹을 도와서 빨리 자라게 하고 싶을 것이다. 이때 이익이 전혀 없다고 해서 내버려두는 사람은 김을 매지 않는 사람이고, 무리하게 자라도록 도와주는 사람은 싹을 뽑아 올리는 사람이다.

따라서 이것은 무익할 뿐만 아니라 도리어 그것을 해치는 것이다.

* 지식&파워..

조장(흔히 의도적으로 쓸데없는 일이나 손해를 불러들이는 어리석은 행위를 비유한 말.)

助:도울 조 長:길 장

유의어: 조장발묘(助長拔苗)

반의어: 생묘(生苗) 출전: 맹자의 진심상

남의 의견에 동의할 때는 신중을 기하는 것이 좋다

한나라 고조 유방의 황후인 여태우는 아버지가 유명한 관상가로 재산 또한 많다.

하지만 이상하게도 그의 아버지는 딸 여후를 백수건달인 유방에게 시집을 보냈다.

그런 유방이 한나라를 세우고 7년 만에 죽자 한나라는 여후의 세상이 되었다.

고조 유방은 죽기 전에 척부인을 사랑했는데, 척부인을 지키기 위해 척부인의 아들을 조왕에 임명했다.

조강지처인 여후는 분함을 참지 못해 척부인의 아들인 조왕을 장안으로 불러들여 독살했다. 또한 척부인은 삭발을 시켜 재갈을 물린 뒤 방아를 찧게 했다.

그래도 분이 풀리지 않자, 척부인의 두 손 두 발을 자르고, 눈을 뽑고, 귀를 잘라 듣지 못하게 했다. 한술 더 떠, 혀를 자르고 약을 먹여 벙어리를 만든 다음, 그를 변소에 가두고는 인간 돼지라 했다.

이것을 본 여후의 아들 혜제는 정치에 환멸을 느낀 나머지 주색에 빠졌다.

이후 여제는 온갖 전횡을 저지르다 8년 만에 죽었다.

그때 억압받았던 유씨 집안과 진평 · 주발 등 고조를 따르던 옛 신하들이 모여 여왕 여산을 비롯한 외척 여씨 타도에 앞장섰다.

우승상 진평은 태위 주발과 뜻을 모아 우선 상장군 여록의 직책을 회수하기로 했다.

마침 어린 황제를 모시고 있던 역기가 여록과 친분이 있다는 사실을 알고는 진평이 그를 여록에게 보내 회유토록 했다.

여록을 찾아간 역기는 황제의 명이라고 속여 상장군 여록의 직책을 회수하는데 성공했다.

그 후 주발은 북군을 장악하게 되자, 그 병사들에게 말했다.

"여씨에게 편을 드는 사람은 오른쪽 팔을 걷고, 유씨에게 편을 드는 사람은 왼쪽 팔을 걷어라."

그러자 모든 병사들은 왼쪽 팔을 걷고 유씨에게 충성할 것을 맹세했다.

* 지식&파워..

좌단(웃옷의 왼쪽 팔을 걷는다는 뜻으로, 남의 의견에 동의함.)

左:왼 좌 袒:웃통 벗을 · 소매를 걷어 올릴 단

출전: 사기의 여후본기

술로 못을 만들고 고기로 숲을 이루는 것과 같은 극히 호사스럽고도 방탕한 술잔치는 정치를 망치게 한다

☞ 십팔사략에 나오는 이야기이다.

고대 중국 하나라 걸왕은 아버지인 발이 병으로 죽자 왕이 되었다.

그는 중국 역사상 악명 높은 폭군의 한 사람이다. 그는 경제가 파탄지경에 이르렀는 데도 약소국에 대한 정벌과 약탈을 일삼았다.

그때 자신이 정복한 오랑캐 유시씨국에서 화친의 뜻으로 공물 대신 미녀 말희를 보내왔다. 걸왕은 그녀에게 빠지자, 보석과 상아로 치장한 집을 짓고 옥으로 꾸민 침대에서 밤마다 놀아났다.

그리고 걸왕은 말희의 소망에 따라 전국에서 선발된 많은 어린 소녀들에게 화려한 옷을 입혀 날마다 춤과 음악을 하게 했다. 말희는 춤과 음악에 실증이 나자, 걸왕에게 다른 것을 요구했다.

말희의 요구대로 걸왕은 정원 한 모퉁이에 큰 못을 파고 흰모래를 바닥에 깔게 한 다음 향기롭고 맛 좋은 술을 가득 채우게 했다. 또 못 둘레에는 고기로 숲을 만들고 어린 소녀와 남자들을 알몸으로 놀게 한 다음 밤낮 잔치를 벌렸다.

결국 걸왕은 민심과 지지 기반을 잃게 되자, 하나라에 지배를 받아오던 은나라 탕왕이 하나라를 빼앗고는 그에게 죄를 물어 처형했다.

☞ 또한 은나라 마지막 군주인 주왕은 제을의 아들이다.

제을이 죽은 후 왕위를 계승한 주왕은 중국 역사상 악명 높은 폭군의 한 사람이다.

그는 신체가 장대하고 외모가 준수할 뿐더러 맨손으로 맹수를 잡을 만큼 힘이 장사였고 문학적 재능도 뛰어났다.

그러나 그는 오랑캐의 유소씨국에서 공물 대신 보내 온 달기에게 반한 이후로, 그녀의 끝없는 욕망을 만족시키기 위해 온갖 진기한 물건들을 백성들로부터 빼앗아 호화스런 정원을 꾸몄다.

그리고 정원에는 못을 만들어 그곳에 향기롭고 맛 좋은 술을 가득 채우게 한 다음 배를 띄워 뱃놀이를 했다.

또한 주변에는 고기를 숲처럼 걸어두고 안주삼아 먹게 했는데, 그런 주왕을 보고 마침내 신하와 백성들은 한 사람씩 그의 곁을 떠났다.

그때 주나라 무왕은 대군을 이끌고 주왕의 주력군이 동남에 오기를 기다려 그를 토벌했다.

* 지식&파워..

주지육림(술로 못을 만들고 고기로 숲을 이룬다는 뜻으로, 극히 호사스럽고도 방탕한 술잔치를 이르는 말.)

酒:술 주 池:못 지 肉:고기 육 林:수풀 림

동의어: 육산주지(肉山酒池)

유의어: 육산포림(肉山脯林)

참고: 은감불원(殷鑑不遠)

출전: 십팔사략 / 사기의 은본기

함께 놀던 어릴 적 친구라도 경쟁 관계에 있다면 진정한 친구가 못된다

동진 12대 황제인 간문제 때의 일이다. 촉 땅을 평정하고 돌아온 환온이 실권을 장악한 뒤 기세가 오르자, 황제는 그를 견제하기 위해 은둔 생활을 하고 있던 선비 은호를 건무장군 양주자사로 임명했다.

원래 환온과 은호는 어릴 때부터 죽마를 타고 놀던 친구였는데, 은호가 벼슬길에 나서자, 그날부로 두 사람은 적대하는 처지가 되었다. 그것을 알게 된 왕희지가 화해를 주선했으나 은호가 거절했다.

그 무렵 5호 16국 중 하나인 후조의 왕 석계룡이 죽자, 호족 사이에는 내분이 일었다. 이 기회에 중원 땅을 회복하고자 은호를 그곳으로 보냈다. 하지만 군사를 이끌고 출병한 은호는 낙마로 인해 힘 한 번 쓰지 못하고 돌아왔다. 환온은 기다렸다는 듯이 황제에게 상소를 올려 그를 변방으로 귀양을 보냈다.

그리고 사람들에게 이렇게 말했다. "나는 어릴 적 은호와 함께 죽마를 타고 놀았다. 그 당시 내가 싫증이 나서 그것을 버리면 은호가 주워서 탔다. 그러니 그가 내 밑에 있는 것은 당연한 것이 아닌가."

그 후로 환온이 그를 다시 부르지 않자, 은호는 결국 변방에서 생애를 마칠 수밖에 없었다.

* 지식&파워..

죽마고우(대말을 타고 함께 놀던 친구란 뜻으로, 어릴 적부터 같이 놀며 자란 친구를 이르는 말 · 소꿉동무.)

竹:대나무 죽 馬:말 마 故:예 · 연고 고 友:벗 우

동의어: 죽마구우(竹馬舊友) 죽마지우(竹馬之友)

유의어: 기죽지교(騎竹之交) 죽마지호(竹馬之好)

출전: 세설신어의 품조 편 / 진서의 은호전

국제간에 있어서 외교적 담판은 국익과 밀접한 관계를 가진다

춘추 시대 제나라에 최저라는 신하가 장공을 죽였는데, 장공의 뒤를 이어 즉위한 동생 경공이 최저를 좌상으로 임명한 다음 그에 반대하는 자는 모두 죽이겠다고 포고했다.

이에 안자(안영)는 하늘을 보며 탄식했다.

"임금에게 충성하고 나라를 위하는 사람이라면 좋겠네."

결국 최저가 살해되자 경공은 안자(안공)를 상국에 임명했다.

안자(안영)의 자는 평중으로 제나라의 영공 · 장공 · 경공을 섬겼다.
안자는 독서가이며 합리적인 경향의 청렴한 정치가로 관중과 견줄 만한 인물이다.

'안자춘추' 는 그의 저서로 전해지나 후세에 편찬된 것이다.

안자(안영)에 대해 '관안열전' 은,

'안자(안영)는 제나라 재상이 된 뒤에도 밥상에는 고기반찬을 두 가지 이상 놓지 못하게 했으며, 첩에게는 비단옷을 입지 못하게 했다.'

또한 '평진후주보열전' 에서 공손홍은,

'안자(안영)는 제나라 경공 때의 재상이다. 그는 식사 때 고기반찬을 두 가지 이상 놓지 못하게 했고, 그의 처와 첩에게는 비단 옷을 입히지 않았다. 이것은 백성과 비슷한 생활을 하게 하려는 것 같다.'

당시 중국에는 12개의 강한 나라와 약한 나라를 모두 합치면 100개의 나라가 넘는다.

안자(안영)는 이들 나라를 상대로 능란하게 외교 솜씨를 발휘하여 제나라의 위치를 확고히 했다.

안자(안영)의 외교 솜씨를 안자춘추에서는,

'술자리에서 1000리(400km) 밖의 일을 절충했다.' 라고 기록되어 있다.

* 지식&파워..

준조절충(술자리에서 대화를 통해 쳐들어오는 적의 창 끝을 꺾는다는 뜻으로, 국제간의 외교적 담판 또는 흥정을 일컫는 말.)

樽:술통 준 俎:도마 조 折:꺾을 절 衝:맞부딪칠 충

유의어: 준조지사(樽俎之師)

출전: 안자춘추의 내 편

적은 수는 진정 많은 수를 대적할 수 없다

전국 시대 제국을 돌며 왕도론을 펴기 위해 이곳 저곳 다니던 맹자가 제나라 선왕을 만났다. 선왕이 분수에 넘치는 자신의 꿈을 맹자에게 말하자.

맹자가, '나무에 올라가 물고기를 구하는 것과 같다' 라는 비유를 들어 현실적으로 불가능함을 말했다.

"지금 약소국인 추나라와 강대국인 초나라가 싸운다면 어느 쪽이 이기겠습니까?" 선왕이, "물론 초나라가 이길 것이다." "그렇습니다. 작은 것은 큰 것과 대적할 수 없고, 적은 수는 많은 수를 대적할 수 없고, 약자는 강자를 대적할 수 없습니다. 천하에는 사방 천리가 되는 9국이 있습니다. 지금 제나라의 땅은 그 중 하나에 불과합니다. 그 중 한 나라인 제나라가 8국을 굴복시키려는 것은 약소국인 추나라가 강대국인 초나라와 대적하는 격입니다. 따라서 근본으로 돌아가야 합니다." 이어서 맹자는 왕이 어진 정치를 베풀어야 천하의 왕이 될 수 있다는 왕도론을 강론했다. "왕도로써 백성을 스스로 따르게 하면 그들은 모두 전하의 덕에 기꺼이 머리를 숙이고 엎드릴 것입니다."

여기에서 맹자가 말한, '적은 수는 진정 많은 수를 대적할 수 없다.' 란 말에서 '과부적중' 이란 말이 생겼고, 현재 중국에서는 과부적중으로 통하고, 우리는 '중과부적' 으로 통한다.

* 지식&파워..

중과부적(적은 수를 가지고 많은 수와 대적하지 못한다는 뜻으로, 소수는 다수와 맞겨루기가 어려움을 이르는 말.)

衆:무리 중 寡:적을 과 不:아닐 불 敵:대적할 · 원수 적

원말: 가고부가이적중(寡固不可以敵衆)

출전: 양혜왕 편

많은 사람의 입을 막는 것은 강을 막는 것보다 더 어렵다

주나라의 왕이 백성들에게 함구령을 내렸다. 이에 소공이 언론탄압 정책에 대해 충언하기를,

"백성의 입을 막는 것은 강을 막는 것보다 더 어렵습니다. 강이 막혔다가 터지면 많은 사람이 다치게 됩니다. 백성들도 역시 이와 같습니다. 그러므로 강을 막는 사람은 물이 흐를 수 있게 물고를 터야 하고, 백성을 다스리는 사람은 그들이 생각하는 대로 말을 하게 해야 합니다."

그러나 주왕은 소공의 충언을 듣지 않았다. 결국 백성들이 폭동을 일으키자, 이때 주왕은 피신을 한 상태에서 평생을 갇혀 살게 되었다.

그가 갇혀 있는 동안 대신들의 합의 하에 정치를 한다고 해서 이것을 공화라 불렀다. 이것이 곧 공화 정치의 원시적 형태라 볼 수 있다.

이 말을 직접 쓴 것은 춘추 시대 송나라 화원이다. 그가 성을 쌓는 책임자로 있을 때, 그가 적국의 포로로 있다가 돌아온 것을 백성들이 빗대어 노래를 불렀다.

그러자 화원은 백성을 책망하지도 않고,

"여러 사람이 나무라는 말은 막기는 어렵다."하고는 그만 나타나지 않았다.

그것을 본 백성들은 그의 됨됨이에 감복하여 그를 존경하게 되었다.

* 지식&파워..

중구난방(많은 사람의 입을 막는 것은 어렵다는 뜻으로, 많은 사람들의 여러 가지 의견을 하나하나 받아들이기가 쉽지 않다는 것을 이르는 말.)

衆:무리 중 口:입 구 難:어려울 난 防:막을 방

출전: 십팔사략

정신을 집중해서 쏜 화살은 바위도 뚫는 법이다

전한의 이광은 농서(감숙성) 성기현 사람으로 활을 잘 쏘는 무인의 집안에서 자란 장수이다. 그는 문제 때 숙관에 침범한 흉노를 소수 정예병으로 막아냈다. 그러자 문제는 그 공을 인정하고 그에게 시종 무관의 자리를 주었다.

시종 무관이 된 그는 황제를 호위하고 사냥을 나갔다. 그때 큰 호랑이를 때려잡아 용맹함을 천하에 떨치기도 했다. 그 뒤 숙원이었던 수비 대장으로 자원하여 변방을 지켰는데, 그가 주둔하고 있는 동안 흉노들은 그를 한나라의 날쌘 장군이라 부르며 수년간 국경을 넘보지 못했다. 이광은 상을 받아도 부하들에게 나누어 주고, 음식을 먹더라도 같은 음식을 먹었으며, 관대하고 너그러워 부하들은 그를 잘 따랐다.

어느 날 저녁, 그는 숲 속의 호랑이를 쏘아 명중을 시킨 뒤 그곳에 가보니 호랑이는 없고 호랑이처럼 생긴 바위가 있었는데, 그 바위에는 이상하게도 화살이 박혀 있었다. 그는 날이 밝자 호랑이처럼 생긴 바위를 향해 다시 활시위를 힘껏 당겼지만 화살은 박히지 않았다. 그 후 그는 '정신일도하사불성' 이란 말을 남겼다.

* 지식&파워..

중석몰촉(돌에 박힌 화살이라는 뜻으로, 정신을 집중하면 어떤 일이든 이룰 수 있다는 말.)

中:가운데 · (과녁 또는 예상) 맞을 중 石:돌 석 沒:빠질 몰 鏃:살촉 족 · 화살촉 촉

원말: 석(사)중석몰촉(射中石沒鏃)

동의어: 석(사)석몰금음우(射石沒金飮羽) 석(사)석음우(射石飮羽)
웅거석(사)호(熊渠射虎)

유의어: 정신일도하사불성(精神一到何事不成) 출전: 사기의 이장군전

항상 최고의 자리란 다투기 위해서 있는 것이다

한나라 고조 때 조나라 재상 진희가 대(산서성) 땅에서 반란을 일으키자, 고조는 군사를 이끌고 토벌에 나섰다.

그 사이 진희와 긴밀히 내통하고 있던 회음후 한신이 도읍 장안에서 군사를 일으키려 했으나 이를 알아차린 여후(고조의 황후)와 재상 소하가 그를 죽였다.

만약 한신이 자신의 공적과 재능을 과신하지 않고 도리와 겸양의 미덕을 발휘했더라면, 그가 세운 공은 아마도 주나라 천 년 왕조의 기틀을 마련한 주공 · 소공 · 태공에 견줄 만했을 것이다.

천하의 정세가 이미 정해진 뒤에야 반역을 꾀했으니, 일족이 멸망한 것은 어찌 보면 당연한 것이다. 한참 만에 반란을 평정하고 돌아온 고조가 여후(고조의 황후)에게 물었다.

"한신이 죽기 전에 무슨 말을 했습니까?"

"괴통의 말대로 하지 않은 것이 원통할 뿐이라고 했습니다."

괴통은 제나라의 모사가로서 고조 유방이 항우와 천하를 다투고 있을 때 제왕이었던 한신에게 독립을 해서 천하삼분지계를 권했던 사람이다. 그 후 고조 앞에 끌려 나온 괴통은 당당한 기세로, 그때 한신이 신의 말을 들었더라면 지금 폐하도 어찌 하진 못했을 것입니다.

고조가 크게 화가 나서,
"저 놈을 당장 삶아 죽여라!"

그러자 괴통이,

"폐하, 진나라가 망한 것은 기강이 무너졌기 때문인데, 그로인해 산동 각지의 평민들 사이에서 영웅 호걸이 날뛰고 있습니다.

마치 진나라가 사슴(임금) 한 마리를 잃은 격인데, 천하는 이를 쫓고 있으니 그 중 키가 크고 발이 빠른 사람(고조 유방을 가리킴.)이 먼저 이것을 잡은 것입니다. 그 옛날 도척(노나라의 큰 도둑.)이 기른 개가 요임금(이상적인 성군)을 보고 짖으며 달려든 것은 요임금이 어질지 못해서 그런 것이 아닙니다. 원래 개란, 그 주인을 대신하여 주인이 아닌 사람을 보면 짖게 마련입니다.

당시 신은 오직 제 주인으로서 한신만을 알았지 폐하는 몰랐습니다.

그래서 짖은 것입니다.

이 시점은 천하가 혼란스럽기 때문에 누구나 다 폐하의 오늘과 같은 자리에 오르려고 했습니다.

폐하, 만약 그런 사람들을 반역자라 하여 삶아 죽인다면 그런 무리들을 모두 삶아 죽여야 합니다."

이 말에 고조(유방)도 할 말을 잃은 채 괴통을 풀어 주었다.

* 지식&파워..

중원축록(중원(천하)의 사슴(제왕)을 쫓는다는 뜻으로, 제왕의 자리나 또는 어떤 위치를 차지하기 위해 다투는 일.)

中:가운데 중 原:근원 · 벌판 원 逐:쫓을 축 鹿:사슴 록

동의어: 각축(角逐)

유의어: 중원석(사)록(中原射鹿) 중원장리(中原場裡)

참고: 첩족선득(捷足先得) 첩촉선등(捷足先登) 준말: 축록(逐鹿)

출전: 사기의 회음후열전

사슴을 가리켜 말이라고 속이는 세상은 혼란에 빠지기 마련이다

진나라 시황제가 죽자, 환관 출신인 조고는 음모를 꾸며 시황제의 장자 부소를 죽이고 둘째 아들인 어린 호해를 황제로 삼았다.

호해는,

'천하의 모든 쾌락을 마음껏 즐기며 살겠다.' 고 말할 정도로 어리석었다.

조고는 이 호해를 이용하여 경쟁 관계에 있던 조정의 승상 이사를 비롯한 많은 신하들을 죽이고 승상의 자리에 오르자 정권에 욕심이 생겼다.

하지만 여러 신하들이 따라주지 않았으므로 이들을 시험하기 위해, 2세 호해 황제에게 사슴을 바치면서 이렇게 말했다.

"이것이 말입니다."

호해 황제가 웃으면서,

"승상이 잘못 안 것이오. 사슴을 가리켜 어찌 말이라 한단 말이오?"

호해가 말을 하고 주의를 둘러보자 그들 중에는 대부분 '그렇다.' 고 말하는 가운데 일부가 부정을 했다.

조고는 자신의 말을 부정한 몇몇 사람들에게 죄를 씌워 죽였는데, 그 후 궁중에는 조고의 말에 반대하는 사람이 없다.

그러나 천하는 오히려 혼란에 빠지게 되고 곳곳에서는 반란이 일었다.

그때 항우와 유방은 군사를 몰아 도읍 함양으로 진격했다.

한편 조고는 호해를 죽이고 부소의 아들 자영을 3세 황제로 삼지만, 조고는 자영에게 처형을 당한다.

이후로 윗사람을 농락하여 권세를 휘두른다는 뜻으로 지록위마를 쓴다.

하지만 요즘은 모순된 것을 끝까지 우겨 남을 속인다는 뜻으로도 쓰인다.

* 지식&파워..

지록위마(사슴을 가리켜 말이라고 한다는 뜻으로, 윗사람을 농락하여 권세를 마음대로 휘두른다는 말.)

指:손가락 · 가리킬 지 鹿:사슴 록 爲:할 · 위할 위 馬:말 마

동의어: 지록작마(指鹿作馬)

유의어: 견강부회(牽强附會)

출전: 사기의 진시황본기

자신과 관련이 없는 일이라도 무책임하게 행동하지 마라

☞ 춘추 시대 송나라에 사마(대신) 벼슬을 한 환퇴라는 사람이 있었다. 그는 천하에 둘도 없는 매우 귀한 보석을 가지고 있었는데, 죄를 짓자 그 귀한 보석을 가지고 사라졌다.

그 소식을 들은 왕은 환관을 시켜 환퇴를 잡아 오도록 명령했다. 환관이 어렵게 환퇴를 찾아내어 그에게 보석을 내놓으라고 했다.

그러자 환퇴가,

"아. 그 보석 말인가? 그건 내가 궁궐을 빠져 나올 때 이미 못에 던졌다네."

환관이 그 사실을 왕에게 보고하자, 왕은 그물로 못의 바닥을 훑게 했다. 그래도 보석이 나오질 않았다. 이번에는 못의 물을 모두 퍼내도록 했다. 결국 보석도 찾지 못한 채 애꿎은 물고기들만 말라죽었다.

☞ 초나라 궁궐에서 원숭이를 길렀는데 그 원숭이가 산으로 도망을 쳤다. 그러자 원숭이를 잡기 위해 산에 불을 지르니 애꿎은 나무들만 불에 타버렸다.

☞ 초나라의 궁궐 성문에 불이 났다. 사람들은 불을 끄기 위해 성곽에 있는 못에서 물을 퍼내어 불을 껐다. 못이 바닥이 나자 애꿎은 고기들만 말라죽었다.

* 지식&파워

지어지앙(못(성곽을 방어하기 위해 만든 못)의 물을 퍼내어 불을 끄니 물이 없어져 고기가 죽는다는 뜻으로, 엉뚱한 곳으로 재앙이 미침을 비유하여 이르는 말.)

池:못 지 魚:고기 어 之:갈 지(…의) 殃:재앙 앙

동의어: 앙급지어(殃及池魚) 유의어: 횡래지액(橫來之厄) 출전: 여씨춘추

아무리 지혜로운 사람이라도 많은 생각을 하다 보면 한 번쯤은 실책을 한다

회음후 한신은 위나라를 치고 그 기세를 몰아 조나라 공격에 나섰다. 그는 여기서 조나라의 명장 이좌거만큼은 반드시 생포토록 부하들에게 명령했다.

그 당시 이좌거는 왕에게 징싱의 협도를 막아 한나라 군사의 보급로를 끊은 다음, 기습 작전을 펴면 필히 싸움에서 이길 수 있다고 진언했다.

그러나 왕은,

'군자는 도리에 벗어난 방법으로 싸워서는 안 된다.' 며 그의 진언을 듣지 않았다.

결국 조나라는 손쉽게 협도를 통과시켜 한나라에 패하고 말았는다.

이때 조나라 명장 이좌거도 포로가 되어 한신 앞으로 끌려갔다.

한신은 직접 자신의 손으로 이좌거의 오랏줄을 풀어 주고 주연을 베풀어 환대했다.

그런 다음 천하 통일에 걸림돌이 되는 연나라와 제나라를 어떻게 하면 이길 수 있는 지 그 병법을 물었다.

그러자 이좌거는,

"싸움에 진 장수는 병법을 말하지 않는 법이고, 망한 나라의 신하는 건국을 말하지 않는 법입니다.

지금 저는 패한 포로로서 어떻게 그런 대사를 꾀할 자격이 있겠습니까?"

이에 한신은 포기하지 않고 기회가 있을 적마다 끈질기게 설득하자,

그는 마지못해 이렇게 말을 했다.

"옛말에 '지혜로운 사람도 천 번 생각에 한 번의 실책은 있을 수 있고, 어리석은 사람도 천 번 생각하여 한 번은 맞을 수 있습니다.' 따라서 미치광이의 말도 성인은 가려서 듣는다고 했습니다. 도움이 될지는 모르겠지만, 어리석은 자의 천려일득이라 생각하시고 들어주면 그처럼 다행한 일이 어디에 있겠습니까?"

그 후 이좌거는 한신의 참모가 되어 많은 공훈을 세웠다.

* 지식&파워..

지자천려일실(지혜로운 사람도 천 번 생각에 한 번의 실책은 있을 수 있다는 뜻으로, 지혜로운 사람이라도 많은 생각을 하다보면 하나쯤의 실책은 있게 마련이라는 말.)

智:지혜 지 者:사람 자 千:일천 천 慮:생각할 려 一:한 일 失:잃을 실

원말: 지자천려 필유일실(智者千慮必有一失)

동의어: 지자일실(智者一失) 천려일실(千慮一失) 현자일실(賢者一失)

반의어: 우자천려(愚者千慮) 천려일득(千慮一得)

참고: 배수지진(背水之陣)

출전: 사기의 회음후열전

※ 천려일실(千慮一失)은 안자춘추에서 처음 언급된 말.

뜨거운 국에 데면 차가운 나물 반찬도 후후 분다

전국 시대 말엽 초나라와 제나라는 동맹을 맺어 진나라에 대항했다. 여기서 두 나라의 동맹에 굴원(이름은 평, 초나라의 삼려 대부〈소 · 굴 · 경 세 왕족의 족장〉)이 주도적인 역할을 했다. 그러자 진나라의 재상 장의는 굴원을 제거하려 했다. 때마침 굴원을 시기한다는 정보를 초나라 몇몇 대신들에게 들었다.

장의는 곧 그들을 배후에서 부추겨 굴원을 조정으로부터 축출했다. 또한 장의는 회왕에게 제나라와 동맹을 파기하면 진나라 국토의 일부를 주겠다고 약속했다. 그러나 장의는 그 약속을 지키지 않았다. 이에 화가 난 회왕이 진나라를 공격했으나 대패하고 도리어 변경의 영토까지 빼앗겼다.

회왕은 지난날을 후회하며 굴원을 다시 불러들였다.

그 후 10년이 지난 어느 날 진나라에서 회왕을 초청했다. 이에 굴원은 진나라를 믿을 수 없었기 때문에 회왕에게 초청을 거절하라고 간언했다. 그러나 회왕은 자란의 말에 따라 진나라의 초청에 응했는데, 결국 포로가 되어 그 이듬해 객사하고 말았다. 회왕이 객사한 후, 굴원은 자란에게 추방을 당하고 오랜 세월 방랑을 하다가 결국 멱라(동정호 남쪽을 흐르는 강)에 몸을 던졌다.

굴원의 작품은 고대 문학 중에서도 보기 드물게 서정성을 띤다. 초사에 수록된 작품 25편 중 이소 · 천문 · 구장이 남아 있다.

'이소'는 굴원 자신의 신세와 임금에 대한 충정을 노래한 것이고,

'천문' 은 그가 실의에 빠져 방랑하다가 하늘을 보고 탄식하여 노래한 것이고, '구장' 은 추방당한 후 임금과 나라를 걱정하여 지은 것이다.

'징갱취제' 는 초사 9장 중 석송이란 시의 첫 구절이다.

뜨거운 국에 데면 나물도 부는 법이니,

어찌하여 곧은 절개 변하지 않겠는가.

사다리를 버리고 하늘에 오르고 싶은 것은,

변절한 사람의 모습이나 매 한가지 일세.

* 지식&파워……………………………………………………………………………

징갱취제(뜨거운 국에 데면 차가운 나물 반찬도 후후 분다는 뜻으로, 한 번 실패한 것으로 인해 매사에 조심함을 비유하여 이르는 말.)

懲:혼날 징 羹:국 갱 吹:불 취 虀:냉채(냉이) 제

동의어: 징갱취채(懲羹吹菜) 징갱취회(懲羹吹膾)

유의어: 징선기여(懲船忌輿) 오우천월(吳牛喘月)

출전: 초사의 구장 석송

일을 시작하기란 쉽지만 이룬 것을 지키기란 어렵다

이세민은 당나라의 제2대 황제인데, '세민'이란 이름은 본래 제세안민, 즉 세상을 구하고 백성을 편안케 하라는 뜻이 있다.

그는 북방 민족의 피가 섞인 무인 귀족 집안의 차남으로 태어났으며 어릴 적부터 총명하고 생각이 깊었다. 또한 성인이 되어서는 무술과 병법에 능한 것은 물론 포용력이 있었다.

그런 그가 수나라 양제의 폭정으로 내란이 일자, 타이위안의 군사령관으로 있던 아버지 이연을 설득하여 장안을 점령한 뒤 당나라를 세웠다.

그 뒤 군웅을 평정하고 아버지의 양위를 받아 28세 때 즉위한 세민 당태종은 연호를 정관으로 고쳤다. 그리고 나라 안의 인재를 고르게 등용하는 한편 여러 민족을 제압하여 천가한의 존호를 받았다. 이로써 당나라는 거대한 제국이 되었다.

또한 양제의 실패를 거울삼아 명신 위징과 같은 신하들의 의견은 물론 백성들을 잘 보살펴 지극히 공정한 정치에 힘을 기울였다. 따라서 그의 치세는 '정관지치'라 칭송받았고, 후세에는 제왕의 모범이 되었다.

'정관지치'를 이룰 수 있었던 것은 두여회, 방현령, 위징과 같은 신하들이 태종을 잘 보필했기 때문이다.

정관 10년 어느 날, 태종은 신하들에게 물었다.

"제왕의 업으로서 창업과 수성 중 어느 쪽이 더 어려운가?"

방현령이,

"천하의 영웅들이 다투고 있는 이때 이기는 자만이 세상을 평정합니다. 이런 연유로 창업이 어렵습니다."

그러자 위징이,

"제왕이 처음 만들어질 때에는 반드시 전에 있던 조정이 부패한 상태에 있기 때문에 부패한 자들을 척결하면 백성들은 기꺼이 새로운 천자를 반기게 됩니다. 이것은 하늘이 주시고 백성들이 따르는 것으로 어려울 것이 없습니다. 그러나 이미 천하를 얻은 뒤에는 마음이 교만해지고 방만함과 안일함이 정사를 게으르게 합니다. 또한 쉴 새 없는 부역에 백성들은 지칠 대로 지치고, 나라는 사치에 빠져 과다한 세금을 징수합니다.

나라가 기울게 되는 것은 언제나 이런 일로부터 시작됩니다. 그러니 수성이 어려운 것입니다."

그러자 태종이,

"방공(방현령)은 지난 날 나를 따라 천하를 평정함에 있어서 힘들고 고통스러운 일을 함께 나누었고, 또한 죽을 고비에서 겨우 목숨을 부지했다. 그러기 때문에 창업이 어려운 것이라고 보는 것이다. 또한 위징은 나와 함께 천하의 안정을 도모했다. 때문에 교만하고 게으른 마음이 생기면 반드시 나라가 위기에 빠지게 될 것을 걱정하는 것이다. 그래서 수성이 어렵다고 하는 것이다. 이제 창업의 어려움은 이미 끝났다. 그러니 짐은 앞으로 수성의 어려움을 신들과 함께 신중히 풀어가야 할 것이다."

* 지식&파워

창업이수성난(일을 시작하기는 쉬우나 이룬 것을 지키기는 어렵다는 말.)

創:비롯할 창 業:업 업 易:쉬울 이 守:지킬 수 成:이룰 성 難:어려울 난

출전: 정관요

천고마비란 '가을'을 수식하는 말이다

☞ 이 말은 당나라 초기의 시인 두심언의 시에서 나왔다. 두심언은 진나라의 명장이고 학자였던 두보의 할아버지다.

다음 시는 당나라 중종 때, 두심언이 변방에 있던 친구에게 하루빨리 장안으로 돌아오기를 기대하며 지은 시이다.

구름은 맑고 요사스런 별도 떨어져,

가을은 높아 변방의 말도 살찐다.

안장에 의지하면 영웅의 칼이 움직이고,

붓을 휘두르면 깃이 글로 난다.

여기서 '추고새마비'라는 구절은 당나라 군대의 승리를 가을날에 비유한 말로 아주 좋은 가을 날씨를 표현한 것이다.

☞ 흉노족은 몽골고원과 만리장성 일대를 중심으로 수렵 생활과 노략질을 일삼던 유목 기마 민족으로 중국의 군주들에게는 최대의 골칫거리였다.

'추고마비'란 말은 흉노족들이 가장 활동하기 좋은 계절이란 뜻인데, 그들은 해마다 가을이 오면 살찌고 날랜 말을 이끌고 북방 변경에 있는 가축과 곡식을 약탈한다.

그리고 이것으로 겨울 나기를 하기 때문에 북방 변경에 사는 사람들에겐 ‘하늘이 높고 말이 살찌는’ 계절은 항상 흉노의 약탈에 대비해야 한다는 경계의 의미가 있다.

그러데 오늘날 ‘추고마비’ 란 말은 뜻이 변하여 누구나 활동하기 좋은 계절임을 말한다.

일반적으로 한국 사람들은 ‘추고마비’ 보다 ‘천고마비’ 라는 말을 쓴다.

하지만 이 말은 일본식으로 섬나라인 일본이 굳이 북방 오랑캐의 침범에 겁낼 까닭이 없으므로 ‘새(塞)’ 를 빼고는 ‘추(秋)’ 를 ‘천(天)’ 으로 고쳐 ‘천고마비’ 로 썼다는 이야기도 있다.

* 지식&파워……………………………………………………………………………

천고마비(하늘이 높고 말이 살찐다는 뜻으로, ‘가을’ 을 말할 때에 수식의 의미로 쓰이는 말.)

天:하늘 천 高:높을 고 馬:말 마 肥:살찔 비

원말: 추고마비(秋高馬肥)

동의어: 추고새마비(秋高塞馬肥)

유의어: 천고기청(天高氣淸)

출전: 한서의 흉노전

좀처럼 오지 않을 것만 같은 기회도 한 번쯤은 온다

중국 동진 시대의 학자로 동양태수를 지낸 원굉이 쓴 여러 가지 문집의 시문 300여 편 가운데, 건국 명신 20명에 대한 사후 행적을 적은 삼국명신서찬이 있다.

그는 위나라 순문약의 행적을 기록하는 서문에서,

"무릇 백락(주나라 때, 말의 좋고 나쁨을 잘 감정하는 사람.)을 만나지 못하면 천 년이 가도 천리마 한 필을 얻지 못한다."고 했다.

이처럼 훌륭한 임금과 신하는 결코 만나기가 쉽지 않다는 것을 비유적으로,

"무릇 만 년에 한 번 기회가 온다는 것은 세상의 공통된 원칙이며, 천 년에 한 번 만나게 되는 것은 어진 사람과 지혜로운 사람이 아름답게 만나는 것이다.
이런 기회를 만나면 그 누가 기뻐하지 않으며, 이를 놓치면 그 누가 한탄하지 않겠는가?"

* 지식&파워……………………………………………………………………

천재일우(천년에 한 번 만난다는 뜻으로, 좀처럼 얻기 어려울 정도의 좋은 기회를 이르는 말.)

千:일천 천 載:실을 재 一:한 일 遇:만날 우

동의어: 천재일시(千載一時) 천재일회(千載一會) 천세일시(千歲一時)

출전: 문선의 원굉 삼국명신서찬

뻔뻔스럽고 염치없는 사람이 되지 마라

옛날 중국에 출세욕이 지나칠 정도로 많은 왕광원이라는 진사가 있었는데, 그는 윗사람이나 세도가에게 굽실대는 것이 하루의 일과이다.

어느 날 고관의 습작시를 보고도 뻔뻔스럽게 '이태백도 감히 따르지 못할 신비감이 있는 시' 라고 극찬을 했고, 심지어 채찍질로 문전 박대를 당하면서도 이를 개의치 않고 웃어넘기는 낯 두꺼운 사람이다.

한 번은 술에 취한 대감이 매를 들고 이렇게 말했다.

"자네를 때리고 싶은데 어떻게 생각하나?"

"대감의 매라면 달게 맞겠습니다."

술에 취한 대감은 사정없이 광원을 때리기 시작했다.

그래도 그는 화 한 번 내지 않고 아첨을 하자 이것을 보고 있던 친구가 말하기를,

"자네는 속도 없나? 어찌 많은 사람들 앞에서 그토록 심한 모욕을 주는 데도 태연한가?"

"그렇지만 그런 사람에게 잘 보여야 할 것이 아닌가?"

같이 있던 친구는 할말을 잃었다.

그 당시 사람들은, '광원의 낯가죽은 두껍기가 열 겹의 철갑과도 같다.' 했다.

* 지식&파워……………………………………………………………………

철면피(무쇠처럼 두꺼운 낯가죽이라는 뜻으로, 뻔뻔스럽고 염치없는 사람을 이르는 말.)

鐵:쇠 철 面:낯 · 겉 면 皮:가죽 피

동의어: 후안무치(厚顔無恥) 유의어: 면장우피(面張牛皮)

참고: 파렴치한(破廉恥漢) 출전: 북몽쇄언 / 허당록

세상살이나 출세에 너무 연연하면 자신이 초라해진다

장구령은 당나라 현종 때의 재상으로 글재주가 뛰어난 것은 물론 어진 재상이었다.

그러나 이임보의 모략에 의해 관직에서 물러난 뒤로 여생을 초야에 묻혀 살았다.

이 오언 절구(기 · 승 · 전 · 결의 네 구로 된 오언시) 시는 그가 재상의 자리에서 물러난 후로 쓸쓸한 감회를 읊은 것이다.

"옛날 청운의 뜻을 품고 벼슬길에 나갔는데,
다 늙은 지금에 와서 차질을 빚게 되었다.
누가 알리요 밝은 거울 속의 그림자와,
그것을 보고 있는 내가 서로 측은히 여기고 있는 것을."

위의 시에서 '청운지'는 바로 입신 출세하여 높은 벼슬자리에 오르고자 하는 마음을 나타낸 것이다.

이 시를 풀이하면,

'그 옛날 푸른 꿈을 안고 재상이 되어 나라에 온 힘을 쏟았거늘, 뜻한 바 이루지 못하고 늙은 나이에 하던 일이 틀어져 도중에 물러나고 말았다. 거울 속에 비친 백발을 보면 서로가 서글퍼지는 것을 누가 알아주겠는가.'

* 지식&파워

청운지지(푸른 구름이라는 뜻으로, 입신 출세에 대한 야망 또는 세상살이에 연연하지 않는 마음을 비유하여 이르는 말.)

靑:푸를 청 雲:구름 운 之:갈 지(…의) 志:뜻 지

동의어: 능운지지(陵雲之志) 출전: 장구령의 조경견백발

푸른 하늘의 밝은 해는 종(하인)까지도 그것이 맑고 밝음을 안다

한유는 중국 당나라 중기의 문장가이면서 정치가로 자는 퇴지, 호는 창려, 시호는 문공이다.

정치가로서는 기복과 변화가 심했으나, 문장가로서 성공한 당송 팔대가(당나라의 〈한유〉 · 유종원, 송나라의 구양수 · 왕안석 · 증공 · 소순 · 소식 · 소철) 중 한 사람이다.

그는 종래 한나라 이후 외형의 대구(짝을 맞춘 시의 글귀) 형식을 취하여 사상이나 풍습 등을 자유롭게 표현한 실용적인 문장을 주장했다.

사상 면에서는 유가 사상을 따르는 한편 불교 · 도교를 배척했다. 또한 도통(도학을 전하는 계통)을 중히 여겨 문자의 해석보다는 사상에 중심을 두었다. 저서로는 이고와 함께 쓴 논어필해, 창려선생집, 외집, 유문 등이 있다.

최군은 청하 사람으로 한유와 함께 진사에 급제했고, 그 해 안휘성 선주판관이 되었으며, 한유는 서주에서 사문박사가 되었다.

여기 실린 '최군에게 주는 글' 은 한직에 있는 그 벗의 인품을 기린 글로 그 글 속에 있는 구절(긴 글의 한 부분)이다.

"봉황새와 지초(영지)는 둘 다 현명한 사람에게나 어리석은 사람에게나 아름답고 상서롭다 한다.

푸른 하늘의 밝은 해는 종(하인)까지도 그것이 맑고 밝음을 안다.

이것을 음식에 비유하면, 먼 곳에 있는 진미를 즐기는 사람도 있고 즐기지 않는 사람도 있다.

쌀이나 수수나 회(저민 날고기)나 적(구운 고기)에 있어서는 어찌 좋아하지 않을 사람이 있겠는가?"

한유는 이 글에서 먼 지방에서 나는 진미를 좋아하는 사람이 있는가 하면, 먹지 않는 사람도 있다.

쌀이나 수수나 저민 날고기(회)나 구운 고기(적)는 별로 맛이 있지는 않지만 누구나 즐겨 먹는다.

이처럼 푸른 하늘에 밝은 해의 맑고 밝음은 종(하인)까지도 인정하는 것처럼, 모든 사람들이 최군의 훌륭함에 대해 알았으면 하는 마음을 전하고 싶었던 것이다.

* 지식&파워..
청천백일(환하게 밝은 대낮을 뜻하는 것으로, 흔히, '청천 백일하에' 로 쓰여 밝은 세상. 죄의 혐의가 풀림을 이르는 말.)
靑:푸를 청 天:하늘 천 白:흰 백 日:날 일
출전: 한유의 여최군서

인생이란 청명한 하늘에서 벼락이 치듯 이변이 생기는 법이다

송나라에 육유(호는 방옹)라는 아주 훌륭한 시인이 있었다.

그는 평생 다양한 주제를 통해 수많은 시를 썼으며, 인생에 있어 고독과 열정을 가진 사람이다.

이 시는 병상에 누워 지냈던 그가, 음력 9월 어느 가을 날 닭이 울기도 전인 이른 아침 병을 극복하는 기분으로 자신의 적막한 노년을 다음과 같이 묘사한 것이다.

방옹이 병든 채 가을을 보내려다
홀연히 일어나 취한 듯 붓을 놀리니
마치 오랫동안 웅크렸던 용이
푸른 하늘에서 벼락을 몰아치듯 하네
비록 이 글이 괴이하고도 기이한 듯하나
가엾게 여긴다면 보아줄 만도 하리라
하루아침에 이 늙은이가 죽게 된다면
천금으로도 구하지 못할 것이다

어느 가을 육유가 병석에서 갑자기 붓을 들어 시를 지었는데, 이런 행동을 그는 맑은 하늘로 용이 벼락을 치는 것에 비유했다 .

* 지식&파워..

청천벽력(맑게 갠 하늘에서 치는 벼락이란 뜻으로, 갑자기 일어난 큰 사건이나 이변을 비유하여 이르는 말.)

靑:푸를 청 天:하늘 천 霹:벼락 벽 靂:벼락 력

원말: 청천비벽력(靑天飛霹靂) 출전: 육유의 검남시고(음력 9월 4일 계미명기작)

쪽(마디풀과의 일년초)에서 뽑아 낸 남색(파랑과 보라의 중간색) 물감이 쪽보다 더 푸르다

중국의 전국 시대 사상가로서 성악설을 창시한 순자의 사상을 모아 기록한 순자의 권학 편에 나오는 구절이다.

학문이란 끊임없이 계속되는 것이므로 중도에 그쳐서는 안 된다는 뜻이다.

남색이 쪽보다 푸르듯이, 얼음이 물보다 차듯이, 면학을 계속하면 학문의 깊이에 있어 스승을 능가하는 제자가 나올 수 있다는 말이다.

북조 북위의 이밀은 어려서부터 공번을 스승으로 모시고 학문을 했다. 여기서 그는 열심히 배우고 노력한 결과 스승의 학문을 앞지르게 되었다. 그러므로 스승 공번은 제자 이밀에게 더 이상 가르칠 것이 없다고 말을 한 후, 그에게 스승이 되기를 청했다.

그러자 스승의 친구들은 그의 용기를 높이 사는 한편, 훌륭한 제자를 두었다는 뜻에서 '청출어람' 이라 칭찬했다.

군자가 말하기를, 학문이란 중지할 수 없는 것이다. 남색은 쪽에서 뽑은 것이지만, 쪽보다 더 푸르고, 얼음은 물이 (얼어서) 된 것이지만 물보다 더 차다.

먹줄을 받아 곧은 나무도 그것을 구부려서 바퀴로 만들면 먹줄로 그린 듯 둥글게 된다. 따라서 땡볕에 말리더라도 다시 펴지지 않는 까닭은 그것을 (단단히) 구부려 놓았기 때문이다. 이처럼 나무가 먹줄을 받으면 굽게 되고 쇠는 숫돌에 갈면 날카로워지는 법이다.

군자는 널리 배우고 날마다 거듭 스스로를 반성한다면 슬기는 밝아지고 행실은 허물이 없어진다.

누구든 높은 산에 올라가지 않으면 하늘이 높은 줄을 알지 못하고 깊은 골짜기에 가보지 않으면 땅이 두꺼운 줄을 알지 못하는 법이다. 선비도 이와 마찬가지로 선왕이 남긴 가르침을 듣지 못하면 학문의 위대함을 알 수가 없다.

월나라 또는 멀리 동서남북의 아이들을 보더라도 태어날 때에는 모두 같은 소리를 내는 것 같지만 자라면서 달라지는 것은 교육의 힘 때문이다.

* 지식&파워..

청출어람(쪽(마디풀과의 일년초)에서 뽑아 낸 남색(파랑과 보라의 중간색) 물감이 쪽보다 더 푸르다는 뜻으로, 제자가 스승보다 후배가 선배보다 더 뛰어남을 이르는 말.)

靑:푸를 청 出:날 출 於:어조사 어(…에, …에서, …보다) 藍:쪽 람

동의어: 출람지예(出藍之譽) 출람지재(出藍之才) 후생각고(後生角高)
출람지영예(出藍之榮譽)

준말: 출람(出藍)

출전: 순자의 권학 편

짧고 날카로운 말로도 상대의 허(대비가 되어 있지 않은 약점)를 찌를 수 있다

학림옥로는 주자의 제자인 남송의 유학자 나대경이 주희 · 구양수 · 소식 등의 어록과 시화, 평론을 모으고, 그의 집을 찾아온 손님들과 나눈 이야기를 기록한 것으로 천 · 지 · 인을 다룬 18권의 책이다.

그 중 '지부' 제7권 '살인수단'이란 제목 아래 종고선사가 선에 대해 말한 것이다.

"나는 한 치도 안 되는 칼로 곧 사람을 죽일 수 있다. 비유하건데 사람이 한 수레의 병기를 싣고서, 하나를 가지고 장난을 끝내면 또 다른 하나를 꺼내 가지고 와서 장난하는 것 같지만, 이것이 곧 사람을 죽이는 수단은 아니다. 나는 단지 촌철이 있어서 문득 사람을 죽일 수 있다."

이 말은 그가 선의 요체를 갈파한 말이므로, 여기서 살인이라고는 하지만 병기로 사람을 다치게 하는 것이 아니라, 즉 자기 마음속의 속된 생각을 없앴다는 말이다. 아직 깨달음에 이르지 못한 사람은 속된 생각을 없애기 위해 성급하게 이런저런 방법을 쓰겠지만 정신의 집중이 부족하기 때문에 모두 서툰 수작일 뿐이다.

모든 일에 대해 온몸과 온 영혼을 기울일 때 충격적으로 번득이는 것, 이것이야말로 큰 깨달음이라는 것이다.

* 지식&파워……………………………………………………………………

촌철살인(손가락 하나 길이 정도뿐이 안 되는 쇠붙이로도 사람을 죽일 수 있다. 즉 '짧고도 날카로운 말로 상대에게 감동을 주거나, 허(대비가 되어 있지 않은 약점)를 찌를 수 있음'을 이르는 말.)

寸:마디 촌 鐵:쇠 철 殺:죽일 살 人:사람 인

출전: 학림옥로

권좌(통치권을 가진 자리)를 탐내는 사람은 도리도 저버린다

회남자는 중국 전한 시기 고조 유방의 손자인 회남왕 유안이 식객(지난날, 세력이 있는 사람의 집에 머물면서 일을 도와주는 사람.)과 도가에 조예가 깊은 사람 수천 명을 데리고 만든 것이다.

이것을 만들 당시는 '내외편'과 '잡록'이 있었으나, 현재는 '내편' 21 권만이 전해진다.

처음 '원도 편'은 도를 전반적으로 다룬 것이며, 그 뒤 천문 · 지리 · 시령(절기) 등 자연에 관한 것과, 병법과 처세훈까지 다루었다. 마지막으로 '요략 1편'을 두어 복잡한 내용에 일체감을 주었다.

그 사상적 성격은 도가와 음양가 · 유가 · 법가 등의 혼합으로 매우 복잡하다. 그리고 그 인식론은 정신과 물질의 이원론에서 결국 도의 일원론으로 돌아온다는 추상적인 관념은 물론, 천재와 지변에 관한 재이 사상까지를 다루고 있다.

한편 정치론에 있어서는 봉건 통치를 위해 법을 절대화하고 군주를 통치의 최고 권력자로 하는 중앙집권체제를 옹호했다.

회남자에는 다음과 같은 문장이 있다.

"사슴을 쫓는 사람은 산을 보지 못하고, 돈을 움키려 하는 사람은 사람을 보지 못한다."

* 지식&파워..

축록자불견산(사슴을 쫓는 사람은 산을 보지 못한다는 뜻으로, 권좌(통치권을 가진 자리)에 탐을 내는 사람은 도리도 저버린다. 또는 한 가지 일에 정신이 팔리면 그 밖의 다른 일은 생각지도 않음을 이르는 말.)

逐:쫓을 축 鹿:사슴 록(권좌의 비유) 者:놈 자 不:아닐 불 見:볼 견 山:뫼 산(무덤)

동의어: 축수자목불견태산(逐獸者目不見太山)

출전: 회남자의 설림훈 편

남의 허물을 속속들이 드러내는 것은 어리석은 일이다

사람은 누구나 허물이 있게 마련이다. 따라서 사람에게 있어 완전무결을 바란다는 것은 어리석기 그지없는 일이다.

큰일을 하는 사람은 전반적인 흐름을 잡아 나갈 뿐이지 사소한 일에 신경을 쓰지 않는 법이다.

이처럼 큰일을 하는 사람은 털을 불어가며 속속들이 허물을 찾아내듯 해서는 안 된다. 오히려 작은 허물은 가려주고 눈감아 주는 것이 부하를 다스리는 도리이다. 또한 남을 대하는 태도인 것이다.

남의 허물을 찾기에 혈안이 되면 남도 자신의 허물을 찾기에 혈안이 되고, 남을 물에 빠뜨리면 자신도 물에 빠짐을 잊어서는 안 된다.

"현명한 군주는 지혜로써 마음을 더럽히지 않으며, 일의 이치를 미루어 생각하고 밝혀냄으로써 몸을 더럽히지 않는다. 또한 어지러움을 다스리는 데에 있어서는 법을 따르고, 가볍고 무거움은 저울이 가리키는 대로 해야 한다. 그리하면 하늘의 이치를 거스르지 않고 사람의 본성을 상하게 하지 않는다. 털을 불면서 작은 흠을 잡아내는 것과 같은 짓은 하지 마라야 하며, 때를 닦으면서 알기 힘든 것을 살피는 것과 같은 짓도 해서는 안 된다."

* 지식&파워..

취모멱자(털을 불어가면서 흠을 찾는다는 뜻으로, 남의 조그만 잘못도 속속들이 찾아냄을 일컫는 말.)

吹:불 취 毛:털 모 覓:찾을 멱 疵:흠 자

동의어: 취모구자(吹毛求疵)

유의어: 취모구하(吹毛求瑕) 취모색구(吹毛索垢) 취모색자(吹毛索疵) 취색(吹索)

준말: 취모(吹毛) 출전: 한비자의 대체 편

남을 불쌍히 여기는 사람은 마음이 너그럽고 인정이 도탑다

맹자의 유학은 시기적으로 제자백가(중국 춘추 전국 시대의 여러 학파를 통틀어 이르는 말. 제가)의 출현과 함께 곧 주례(중국 경서의 하나. 주나라의 관제를 분류하여 설명한 내용으로, 중국의 국가 제도를 적은 가장 오래된 책.)가 시들할 때 나타났다.

주례가 이처럼 시들하다는 것은 유학 또한 마찬가지다. 당시 양주와 묵자는 공자의 유학을 거세게 비판했는데, 맹자 역시도 그랬다.

여기서 맹자가 독창적으로 주창한 인성론이 있는데, 이것을 '4단설' 또는 '성선설'이라고도 한다. 즉, 측은 · 수오 · 사양 · 시비의 마음이 4단이며 이것은 각각 인 · 의 · 예 · 지의 근원을 이룬다.

'불쌍히 여기는 마음'은 어진 것의 극치이고, '부끄러움을 아는 마음'은 옳음의 극치이고, '사양하는 마음'은 예절의 극치이고, '옳고 그름을 아는 마음'은 지혜의 극치이다.

* 지식&파워..

측은지심(사단(사람의 본성인 인 · 의 · 예 · 지에서 우러나는 측은 · 수오 · 사양 · 시비의 네 가지 마음씨)의 하나로, 남을 불쌍히 여기는 타고난 착한 마음.)

惻:슬퍼 할 측 隱:불쌍히 여길 은 之:갈 지(…의) 心:마음 심

출전: 맹자의 공손추하

- 측은지심(惻隱之心)
  인(仁)을 근원으로 한 측은히 여기는 마음, 즉 남을 불쌍히 여기는 마음.
- 수오지심(羞惡之心)
  의(義)를 근원으로 부끄러워하고 싫어하는 마음, 즉 자기의 옳지 못함을 부끄러워하고 남의 옳지 못함을 미워하는 마음.
- 사양지심(辭讓之心)
  예(禮)를 근원으로 사양하는 마음, 즉 겸손하여 남에게 사양할 줄 아는 마음.
- 시비지심(是非之心)
  지(智)를 근원으로 시비를 분별하는 마음, 즉 옳고 그름을 가릴 줄 아는 마음.

어리석은 사람은 꿈이 진실인 것처럼 말한다

당나라 고종 때 서역의 고승 승가가 양자강과 회하, 지금의 안휘성을 이곳저곳 돌면서 수행을 했다. 이때 그의 행동을 기하게 여겨 어떤 사람이 묻기를,

"당신의 성이 무엇이오?"

"하씨요."

"어느 나라 사람이오?"

"하나라 사람이오."

이 말을 들은 사람은 그의 성이 어쩌면 하나라에서 온 하씨란 생각을 했다. 훗날 이 말이 전해졌고, 이어서 고승 승가가 세상을 떠나자 서도가인 이옹(행서에 능함.)이 그 말을 그대로 믿고 고승 승가의 성은 하씨이고, 하나라 사람이라고 비문을 남겼는데, 이처럼 이옹은 확인도 않은 사실을 진실로 받아들이는 어리석음을 범했다. 석혜홍은 이옹의 이와 같은 어리석음에 대해 '냉재야화'에서 다음과 같이 적고 있다.

"이것은 이른바 어리석은 사람에게 꿈 이야기를 하는 것으로, 이옹은 결국 꿈을 참인 줄 믿고 말았으니 참으로 어리석은 사람이 아닐 수 없다."

오늘날 이 말은 본뜻과는 달리 '어리석은 사람이 종잡을 수 없이 지껄인다.'라는 뜻으로 쓰인다.

* 지식&파워...

치인설몽(어리석은 사람이 꿈을 이야기한다는 뜻으로, 종잡을 수 없이 지껄이는 허황된 말을 비유하여 일컫는 말.)

痴(癡):어리석을 치 人:사람 인 說:말씀 설 夢:꿈 몽

원말: 대치인몽설(對痴人夢說)

동의어: 치인전설몽(痴人前說夢) 출전: 석혜홍의 냉재야화

형제간에는 서로 도와야지 못 살게 굴어서는 안 된다

삼국 시대의 위왕 조조는 무장 출신이었으나 시문을 애호했기 때문에 그 시대에는 훌륭한 작품들이 많이 나왔다. 또한 그로 인해 건안 문학의 전성기를 이루었다. 그러한 영향을 받아서 인지, 동생 조식(자는 자건, 시호는 사)의 훌륭한 시재는 아버지의 총애를 받기에 충분했다. 하지만 한 몸에 있는 손가락도 길고 짧음이 있듯 형인 조비는 그렇지 못했다. 그래서 그런지 조조는 한때 조비보다는 조식을 후계자로 생각했을 정도였다. 이처럼 조식을 총애하자 조비는 조식을 미워함과 동시에 견제를 심하게 했다. 조조가 죽은 뒤 위왕을 물려받은 조비는 후한의 헌제를 폐하고 스스로 위나라의 문제가 되었다.

어느 날 문제(조비)는 동생 조식을 동아왕으로 책봉한 뒤 그를 불러 이렇게 명했다.

"일곱 걸음을 걷는 사이에 시를 지어라. 그렇지 못할 경우 중벌을 면치 못할 것이다." 이에 조식은 걸음을 옮기면서 시를 읊었다.

콩대를 태워 콩을 삶으니, 큰 솥 안에 있는 콩이 우는구나.

본시 같은 뿌리에서 생겼건만, 어찌 그리 급하고도 심히 달이는가.

'같은 부모 밑에서 태어난 혈육임에도 불구하고 어찌 이다지도 심히 핍박하는가.'

문제는 이 시를 듣자 얼굴을 붉히며 부끄러워했다고 한다.

* 지식&파워……………………………………………………………………

칠보지재(일곱 걸음을 걷는 사이에 시를 지을 수 있는 재주, 즉 매우 뛰어난 글재주를 이르는 말.)

七:일곱 칠 步:걸음 보 之:갈 지(…의) 才:재주 재

동의어: 칠보재(七步才) 칠보성시(七步成詩)

유의어: 의마지재(倚馬之才) 오보시(五步詩) 출전: 세설신어의 문학 편

다른 산의 돌이라도 자기의 옥을 가는 데에 도움이 되는 법이다

옥은 옥보다 강한 돌로 갈아야 하는 데 이러한 사실을 비유하여 쓴 시로, '초야에 묻혀 있는 인재를 기용하여 임금의 덕을 닦는 데 필요한 재료로 삼으라.' 하는 뜻.

학이 높은 언덕에서 울면 그 소리는 하늘에 들리고,

물고기가 물가에 있다가 때론 잠기어 연못에 있다네.

즐기는 저 동산에 박달나무가 심겨 있으며 그 밑에는 곡식들이 있고, 다른 산의 돌이라도 능히 옥을 갈 수 있다네.

* 지식&파워...

타산지석(다른 산의 돌이라도 자기의 옥을 가는 데 도움이 된다는 뜻으로, 다른 사람의 하찮은 언행도 자기의 지식이나 인격을 닦는 데에 도움이 된다는 말.)

他:다를 타 山:메 산 之:갈 지(…의) 石:돌 석

원말: 타산지석 가이공옥(他山之石 可以攻玉)

유의어: 공옥이석(攻玉以石) 절차탁마(切磋琢磨)

출전: 시경의 소아 편

어떤 분야든 최고가 될 때 존경을 받는 것이다

당송 팔대가인 한유는 당나라 때의 문학가이자 사상가로 이백 · 두보 · 백거이와 함께 당나라의 대표적 4대 시인 중 한 사람이다.

그 당시 성행했던 이른바 병문(한문체의 한 가지, 주로 4자 또는 6자 형식의 운율을 띤 시로 아름다운 느낌과 화려함을 주는 문체.)과 같이 내용 없는 문장을 타파하고 인간미 넘치는 문장으로 일세를 풍미했다. 때문에 그의 문장은 맹자에 버금갈 정도라고 했다.

그는 25세 때 진사과에 급제한 뒤로 이부상서에 올랐으나 황제가 관여하는 불사에 반대하다 결국 조주자사로 좌천되었다.

천성이 강직했던 한유는 그 후에도 여러 차례 좌천과 파직을 당하기도 했는데, 만년(노년)에 이부시랑을 지낸 뒤 57세의 나이로 죽었다.

한유는 순탄하지 못했던 벼슬살이와는 달리 학문과 사상 분야에서 뚜렷한 업적과 함께 친구 유종원(자: 자후) 등과 고문부흥운동을 제창했다.
그 결과 송대 이후 중국 산문 문체의 기준이 된 것은 물론 후세에 영향을 주었다. 또한 사상 분야에서는 도교와 불교를 배격하고 유가의 사상을 존중했다.

공자 이래로 유학을 왕성하게 했고, 송대 이후에는 도학의 선구자로 후학들에게 존경과 찬사를 받았다.

"당나라가 흥한 이래로 한유는 육경(춘추 시대의 여섯 가지 경서)을 가지고 여러 학자의 스승이 되었다. 한유가 죽은 뒤 그의 학문은 더욱 흥해 학자들은 한유를 태산북두라며 우러러보듯 존경했다."

태산은 중국 오악 중(산동성의 태산〈동악〉, 섬서성의 화산〈서악〉, 하남성의 숭산〈중악〉, 호남성의 형산〈남악〉, 산서성의 항산〈북악〉) 첫 번째로 고대 제왕이 봉선의식(임금이 태산에서 흙으로 단을 만들어 놓은 다음 하늘에 제사를 지내는 의식.)을 행한 신성한 산인데, 제사는 정상에서 북두칠성을 향해 올렸다.

그 이유는 북두칠성이 모든 별의 중심에 있다고 믿었기 때문이다. 또 지신 제사는 양보산에서 지냈는데, 반드시 태산을 향해 올렸다.

그것은 지신이 깃든 곳이라 여겼기 때문이다. 이때부터 중요한 존재를 일러 태두라 했으며, 훗날 훌륭한 업적을 남긴 사람에게 붙이는 존칭으로 그 뜻이 바뀌었다.

* 지식&파워..

태산북두(태산과 북두칠성을 가리키는 것인데, 각각 분야에서 가장 존경받는 사람을 비유하여 이르는 말.)

泰:클 태 山:메 산 北:북녘 북 斗:말 · 별자리 두

원말: 타산지석 가이공옥(他山之石 可以攻玉)

동의어: 여태산북두(如泰山北斗)

유의어: 만부지망(萬夫之望)

출전: 당서의 한유전찬

토끼를 잡고 나면 사냥개도 삶는 법이다

춘추 시대 월나라의 재상 범려가 한 말("새를 모두 잡고 나면 활을 챙기어 두고, 토끼를 모두 잡고 나면 사냥개는 삶아 먹힌다.")로 전해지는 토사구팽은 그 후 격언으로 전해 오다가 한신이 죽을 때 남긴 말로 더 잘 알려졌다.

한신은 한나라 유방과 초나라 항우와의 싸움에서 유방이 승리할 수 있도록 큰 공을 세운 사람이다.

천하를 통일한 유방은 한신의 공을 인정하여 초왕에 봉했다. 그러나 자신에게 도전할 것을 염려하던 차에, 항우의 장수였던 종리매가 옛 친구인 한신과 함께 있다는 사실을 알게 되었다.

유방은 종리매에게 악전고투한 악몽이 되살아나자, 당장 그를 체포하여 압송하라 명했다.

종리매와 오랜 친구 사이인 한신은 유방의 명령을 어기고 오히려 그를 숨겨 주었다. 또한 초왕에 부임한 후, 많은 호위병들을 거느리고 다녔으므로 유방에게 더욱 더 큰 의심을 샀다.

그러던 어느 날 유방에게 한신이 반란을 도모한다는 상소가 올라왔다. 이것을 문제시 하여 그는 한신을 없애기로 마음먹었다. 이때 진평의 계책에 따라 초나라의 운몽호로 순행하는 것과 때를 맞춰 한신에게 유방은 회동을 통보했다. 그리고 제후들에게 진(하남성 내)에서 그를 포박하든가 주살할 것을 명령했다.

한신은 유방의 통보에 심상찮음을 직감하고 반란을 일으킬까도 생각해 보았다. 그러나 자신에게는 아무런 죄가 없기 때문에 별일이 없을 것으로 믿었다. 그럼에도 불구하고 유방 자체를 만난다는 것은 불안한 일이다. 이런 상황에서 술수에 능한 가신이 한신에게 속삭였다.

"종리매의 목을 가지고 배알하시면 천자도 기뻐할 것입니다."

옳다고 생각한 한신은 그 말을 종리매에게 했다.

그러자 크게 노한 종리매는,

"유방이 초를 침범하지 못하는 것은 자네 밑에 내가 있기 때문이네. 그런데 자네가 나를 죽여 유방에게 바친다면 자네도 얼마 안 가서 당하지. 자네의 생각이 그 정도라니 정말 내가 잘못 보았네. 자네는 남의 우두머리가 될 그릇은 못되네. 그렇다면 내 스스로 목숨을 끊지."

하고는 자결했다.

그 후 한신은 망설였다. 분명 그 자리에 나서면 죽을 것이 뻔했기 때문이다. 그렇다고 해서 가지 않을 수 없기 때문에 종리매의 목을 가지고 유방에게 갔다. 그러나 유방은 한신을 보자 포박을 명했다.

화가 난 한신은,

"과연 사람들의 말과 같도다. 교활한 토끼를 사냥하고 나면 좋은 사냥개도 잡혀 삶아 먹히고, 하늘 높이 나는 새를 다 잡고 나면 좋은 활은 광에 처박히며, 적국을 쳐부수고 나면 지모가 뛰어난 신하라고 해도 버림을 받는다. 천하가 평정되었으니 나도 마땅히 죽게 되는구나."

이것은 한신의 심정을 토로한 것으로, 교활한 토끼(항우)를 잡기 위해 충성스러운 명견(한신)은 주인 사냥꾼(유방)의 뜻에 따라 힘겹게 토끼를 잡았지만 토끼를 잡은 사냥꾼은 할 일이 없어지자 결국 자신의 충견을 삶아 먹는다.

* 지식&파워..

토사구팽(토끼 사냥이 끝나면 사냥개도 삶는다는 뜻으로, 필요할 때는 소중히 여기다가도 쓸모가 없어지면 가차없이 버린다는 말.)

兎:토끼 토 死:죽을 사 狗:개 구 烹:삶을 팽

원말: 교토사 양구팽(狡兎死良狗烹) 동의어: 야수진 엽구팽(野獸盡獵狗烹)

유의어: 고(비)조진 양궁장(高(飛)鳥盡 良弓藏) 출전: 사기의 회음후열전 / 십팔사략

문장을 여러 번 다듬어 고치는 것과 같이 모든 일은 한 번으로 완성되는 것이 아니다

당나라의 시인 가도(자는 낭선. 법명은 무본.)는 한때 불가에 귀의한 몸이기도 했다.

어느 날 그가 나귀를 타고 가다 시(이응의 유거에 제함) 한 수를 떠올렸다.

인가가 드문 곳으로 한적한 집,
풀에 묻힌 길이 거친 뜰과 이어져 있네.
새는 연못 안 나무에서 자고,
달 아래 중이 문을 두드리고 있네.

가도가 시를 지을 때에는 모든 것을 잊는 버릇이 있다.

그는 나귀를 탄 채 마지막 구절인 '달 아래 중이 문을……' 에서 '민다(推)' 라고 하는 것이 좋을지, 아니면 두드린다(敲)라고 하는 것이 좋을지를 놓고 고민하다, 그만 당대의 대문장가 경조윤(도읍을 다스리는 수장의 벼슬) 한유의 행차와 부딪치고 말았다. 행차 길을 방해한 혐의로 끌려가게 된 가도는 먼저 길을 비키지 못한 사정을 솔직히 말하고 사죄했다.

그러자 한유는 노여운 기색도 없이 한참을 생각하더니,

"역시 민다는 '퇴(推)' 보다는 두드린다는 '고(敲)' 가 좋겠네."

그 뒤로 두 사람은 둘도 없는 문학적 친구가 되었다.

* 지식&파워……………………………………………………………………

퇴고(민다, 두드린다는 뜻으로, 문장을 여러 번 다듬어 고침.)

推:밀 퇴 敲:두드릴 고

참고: 추고(推敲)

출전: 당시기사의 제이응유거

승기를 잡았을 땐 대를 쪼갤 때와 같은 형세로 거침없이 무찔러라

위나라의 권신 사마염은 원제를 폐한 뒤 스스로 제위에 올라 무제라 일컫고, 국호를 진이라고 했다.

그 후로 천하는 3국 중 유일하게 남아 있는 오나라와 진나라로 나뉘어 대립하게 되었다.

진나라의 진남대장군 두예가 진무제의 출병 명령에 따라 20만 대군으로 오나라를 치게 되면, 삼국 시대가 끝나고 곧 천하 통일이 열릴 직전의 일이다.

출병한 바로 그 다음 해 음력 2월, 무창을 점령한 두예는 오나라를 일격에 공략할 마지막 작전 회의를 부하 장수들과 하고 있었다.

이때 한 장수가,

"지금 당장 오나라를 치기는 어렵습니다. 이제 곧 강물이 범람할 시기가 다가오고, 언제 전염병이 발생할지도 모릅니다.
그러니 일단 철군했다가 겨울을 기다려 다시 공격하는 것이 어떻겠습니까?"

그러자 두예는 단호한 어조로,

"지금 아군의 사기는 하늘을 찌를 듯하다.

마치 '대나무를 쪼갤 때의 맹렬한 기세' 와 같다.
대나무란 일단 쪼개지기만 하면 그 뒤로 칼날을 대기만 해도 저절로 쪼개지는 법인데,
어찌 이런 절호의 기회를 놓칠 수 있단 말인가."

두예는 곧바로 군사를 재정비하여 오나라 도읍 건업(남경)을 세차게 몰아붙여 단숨에 함락시켰다.

이어 오왕 손호가 항복함에 따라 마침내 진나라는 삼국을 통일하게 되었다. 두예는 그 공을 인정받아 당양현우에 봉해졌다.

한편으로 두예는 '춘추' '고문상서' 에 통달한 학자로도 유명하다. 노년에는 저술에 힘을 기울여 '춘추석례' '좌전집해' 등의 저서를 남겼다.

* 지식&파워…………………………………………………………………………

파죽지세(대를 쪼갤 때와 같은 형세를 뜻하는 것으로, 감히 대적할 수 없을 정도로 거침없이 무찔러 나아가는 기세. 또는 거침이 없는 진군.)

破:깨뜨릴 · 깨어질 파 竹:대나무 죽 之:갈 지(…의) 勢:기세 · 형세 세

동의어: 세여파죽(勢如破竹) 영인이해(迎刃而解)

유의어: 석권지세(席卷之勢) 요원지화(燎原之火)

반의어: 지리멸렬(支離滅裂)

출전: 진서의 두예전

무모하게 덤비는 자와 함께한다는 것은 곧 성공을 멀리하는 것과 같다

공자가 말하기를 군자는 모름지기 마음에 어떤 집착도 가지지 말고, 권력이 있는 자가 써 주면 행하고 버리면 물러나 자신의 자취를 감출 뿐이라고 했다. 공자는 이처럼 집착을 버리고 무심히 살 수 있는 자는 자신과 안자(안회)뿐이라고 했다. 여기서 안자는 공자의 제자 가운데 학문에 대한 재능이 뛰어나고 덕행이 높으므로 공자의 총애를 받았다. 그는 불우한 처지에 있음에도 불구하고 이를 전혀 비관하지 않았으며, 그가 사는 동안 성을 내거나 실수를 한 적이 없다.

어느 날 공자는 안자에게 이렇게 말했다.

"등용되면 포부를 펴고, 받아들여지지 않는다면 이를 가슴에 묻기란 여간 어려운 일이 아니다. 하지만 그렇게 할 수 있는 이는 나와 너 두 사람 정도일 것이다." 안자가 학문과 수양에 뛰어나다면, 용기와 결단성으로는 누구에게도 양보할 수 없다고 자부하는 자로가, "만약 선생님께서 삼군을 통솔하신다면 누구와 함께 하시겠습니까?"

공자가 대답하기를, "나는 맨손으로 범을 잡으려 하고, 맨발로 황하를 걸어서 건너려다 죽어도 후회함이 없는 자와 함께하지 않을 것이다. 반드시 일을 하는 데 있어서 두려운 생각을 가지고 즐겨 일을 도모하여 성공시키는 사람과 함께 할 것이다."

* 지식&파워..

포호빙하(맨손으로 범에게 덤비며 걸어서 황하를 건넌다는 뜻으로, 곧 위험하고도 무모한 행동을 일컫는 말.)

暴:맨손으로 칠 포 虎:범 호 馮:걸어 건널 빙 河:물 하

동의어: 포호빙하지용(暴虎馮河之勇)

참고: 전전긍긍(戰戰兢兢) 출전: 논어의 술이 편

바람 소리와 학의 울음소리에 놀라듯 사람이 한 번 놀라면 하찮은 소리에도 놀란다

오호 십육국 시대에 전진의 3대 임금인 부견이 100만의 대군을 이끌고 남쪽의 동진을 쳐들어갔다. 당시 동진의 임금인 9대 효무제는 재상인 사안의 동생 정토대도독 사석과 조카인 전봉도독 사현에게 8만의 병사로 싸우게 했다. 병사의 수로 볼 때 동진은 전진을 이길 수가 없었다.

하지만 동진의 참모인 유로지가 5천의 병사로 전진의 선봉 부대를 격파했다. 이때 전진의 본대는 비수 강변에 진을 치고 있었는데, 여기서 부견은 여러 장수들에게 명령하기를, "전군을 약간 후퇴시켰다가 적이 강 한복판에 이르면 돌아서서 반격하라"

임금 부견의 명령으로 선봉 군대가 강을 건너 후퇴할 쯤, 본대의 병사가 이것을 패한 것으로 오인하여 우왕좌왕 앞을 다투어 달아나기 시작했다. 이런 대혼란이 생기자, 밟고 밟히며 정신없이 달아나다 강에 빠져 죽은 병사가 벌판과 강을 뒤덮었다. 가까스로 살아남은 병사들은 갑옷을 벗어던지고 밤을 새워 달아났다.

병사들은 풀이 무성한 길을 걷거나 들에서 노숙을 했는데, 이때 바람소리와 학의 울음소리만 들려도 동진의 군대가 쫓아오는 소리로 들렸다.

* 지식&파워..

풍성학려(바람 소리와 학의 울음소리란 뜻으로, 겁에 질린 사람이 하찮은 소리에도 놀람을 비유하여 이르는 말.)

風:바람 풍 聲:소리 성 鶴:학 학 唳:학울 려

참고: 초목개병(草木皆兵)

출전: 진서의 사현전

위아래가 이로운 것만을 챙기려 한다면 나라가 위태롭게 된다

양혜왕이 맹자를 초청했다.

양혜왕이,

"공께서 천리를 멀다 않고 와주셨으니 장차 내 나라를 이롭게 함이 어떻겠습니까?"

그러자 맹자는,

"왕께서는 무엇 때문에 이로운 것을 말씀하십니까? 오직 인의(仁義)가 있을 뿐입니다.

왕께서,

'어떻게 하면 내 나라를 이롭게 할 수 있을까?'

높은 관리들은 그들대로,

'어떻게 하면 내 가문을 이롭게 할 수 있을까?'

또한 선비나 백성들은 그들대로,

'어떻게 하면 내 자신을 이롭게 할 수 있을까?'를 생각하는 것과 같이 위아래가 서로 자신의 이로움을 취하게 되면 나라가 위태롭게 될 것입니다.

천자(만승)의 나라에서 그 군주를 시해하는 자는 반드시 큰 제후(천승: 군주로부터 받은 영토와 그 영내에 사는 백성을 다스리던 사람.)의 가문이고,

큰 제후(천승)의 나라에서 그 제후를 시해하는 것은 반드시 작은 제후(백승)의 가문입니다.

만일 만승의 나라에서 천승을 취하고,

천승의 나라에서 백승을 취하는 것이 흔한 일이라 해도 의(義)를 뒤로 미루고 얻는 것만을 앞세운다면,

빼앗지 않고서는 만족을 못할 것입니다.

지금에 이르기까지 인(仁)을 중시하는 사람이 자신의 부모를 버리지 않고, 의(義)를 중시하는 사람이 자신의 군주를 뒤로 하지 않습니다.

왕께서는 오직 인의를 말씀하시는데 그쳐야지 하필 이로운 것을 말씀하십니까?"

* 지식&파워

하필왈리(어찌하여 반드시 이로운 것만을 말하는가.)

何:어찌 하 必:반드시 필 曰:말씀 왈 利:이로울 이

출전: 맹자의 양혜왕 편

당장 먹을 것이 없어 굶주리는 사람에게 내일을 말하지 마라

전국 시대 사상가인 장자는 도를 천지 만물의 근본 원리라고 보았으므로 '도는 어떤 대상을 얻거나 무슨 일을 하고자 바라지 않고, 스스로 자신의 존재를 깨달아야 한다.' 라는 이른바 무위자연을 주장했다. 그런 그도 크게 화를 낸 적이 있었다. 그도 사람인지라 먹지 않으면 죽을 것이 뻔하다. 어느 날 굶주림을 견디다 못해 친구인 지방의 토우(제후) 감하후에게 곡식을 꾸어 달라고 했다. 그러자 감하후는 이런저런 핑계를 대며 장자의 부탁을 거절했다. 감하후는, "며칠 후면 세금이 걷힐 것일세. 그때 가서 삼백 금쯤 빌려주겠네." 그러자 장자는 화를 내며, "고맙기는 하네만 지금 당장 굶어 죽을 판인데, 며칠 후가 무슨 소용인가." 장자는 이어서, "이곳으로 오는 길에 누군가가 날 불러 주변을 둘러보니 '수레바퀴 자국에 고인 물이 있었고, 그곳에는 붕어 한 마리가 있었지. 그 붕어가 말하기를 당장 말라죽을 것 같으니 물 몇 통만 떠다 달라고 하는 거야. 나는 '곧 남쪽의 오나라와 월나라로 유세를 떠난고 말했지. 그리고 그 길에 서강의 맑은 물을 많이 길어와 줄 테니 그때까지만 기다리라' 고 했어. 그러자 붕어가 화를 내며 '당장 몇 통의 물만 있으면 살 수 있는데, 당신이 기다리라고 하니 나중에 건어물 가게로 내 시체를 찾으러 오시오. 라고 말을 한 후 죽었다네. 그럼 이만 가보겠네." 장자의 말에 깨달음을 얻은 감하후는 곧 하인을 시켜 식량을 보냈다.

* 지식&파워……………………………………………………………………

학철부어(수레바퀴 자국에 괸 물속의 붕어라는 뜻으로, 몹시 어려운 처지에 놓인 사람을 비유하여 이르는 말.)

涸:물 마를 학 轍:수레바퀴 자국 철 鮒:붕어 부 魚:고기 어

동의어: 철부지급(轍鮒之急) 학철지부(涸轍之鮒)

유의어: 우제지어(牛蹄之魚) 출전: 장자의 외물 편

인생의 영화는 한바탕 꿈과 같이 헛된 것이므로, 지금 최선을 다하는 삶이 행복한 삶이다

심기제는 당나라의 전기(있을 수 없는 괴이한 색채의 이야기.) 작가로 당대 전기소설의 대표작인 침중기를 저술했다.

당나라 현종 때의 어느 날, 도사 여옹이 한단(하북성 내)의 주막에서 잠시 쉬고 있었다.

그때 허름한 차림의 젊은이가 주막으로 들어섰는데 그가 바로 노생이다.

그는 산동에 사는 사람으로서 온갖 노력을 다했다. 하지만 결국 가난조차 면치 못했다며, 도사 여옹에게 자신의 신세를 타령하다 그만 졸기 시작했다.

도사 여옹은 자신의 봇짐 속에서 구멍이 뚫린 도자기 베개를 꺼내어 노생에게 주었다. 그러자 그는 그것을 베고 잠이 들었다.

잠든 노생이 꿈속에서 점점 커지는 베개의 구멍을 보고는 너무나도 이상해 그 속으로 들어가 보았다.

그런데 어찌된 일인지 그 속엔 궁궐 같은 훌륭한 집이 있었다.

노생은 거기서 당대 제일의 부자 최씨 집안의 딸과 결혼을 했다. 그리고 과거에 급제를 한 후 고을의 원님으로 선정을 펴, 3년 후에는 재상의 자리에 올랐다.

그 후 10년간 명재상이 되어 이름을 날렸지만 간신들의 모함에 의해 누명을 쓰자 스스로 죽기를 결심했다. 하지만 부인의 설득으로 죽기를 포기했다.

다행히 노생은 사형을 면하고 멀리 변방으로 유배되어 갔다가 결국 누명을 벗고 다시 재상의 자리에 오른 다음 부귀 영화를 누리다 80세의 나이로 세상을 떠났다.

노생이 잠에서 깨어 기지개를 켜고 보니 주막이었고 옆에는 도사 여옹이 있었다.

노생이,
"제가 꿈을 꾼 것인가요?"

도사 여옹이 웃으면서,
"세상의 이치 또한 이런 것이다."

노생이 한참 있다 답하기를,

"사랑받는 것이나 치욕에 있어 어찌할 수 없는 것도, 높은 지위에 오르거나 떨어지는 이치도, 삶과 죽음의 법도 다 알았습니다.
이것은 선생께서 내 욕망을 막아 주신 것입니다. 감히 가르침을 받지 않았더라도 결코 잊지 않을 것입니다."

노생은 도사 여옹에게 두 번의 절을 하고 하단을 떠났다.

* 지식&파워..

한단지몽(한단에서의 꾼 꿈이라는 뜻으로, 인생의 영화는 한바탕 꿈과 같이 헛됨을 비유하여 이르는 말.)

邯:지명(고을 이름) 한 鄲:지명(현 이름) 단 之:갈 지(…의) 夢:꿈 몽

동의어: 노생지몽(盧生之夢) 여옹침(呂翁枕) 영고일취(榮枯一炊)
일취지몽(一炊之夢) 한단몽침(邯鄲夢枕) 한단지침(邯鄲之枕)
황량지몽(黃粱之夢)

출전: 심기제의 침중기

자기 본분을 잊고 함부로 남의 흉내를 내다 보면 두 가지를 다 잃는다

추수 편은 장자의 선배인 위모와 명가인 공손룡의 대화를 문답 형식으로 적어 놓은 것이다.

공손룡은 중국 전국 시대 조나라의 사상가로, 자신의 학문과 변론이 당대에 있어 최고라 여기고 있었다.

그러던 차에 장자에 관한 이야기를 듣게 되었다.

그는 자신의 변론과 지혜를 장자와 견주어 보고자 위나라의 위모에게 장자의 도를 알고 싶다고 말했다.

장자의 선배인 위모는 공손룡의 의중을 알고는 안석에 기댄 채 한숨을 쉬었다.

그리고 하늘을 향해 웃으면서, 자네의 생각은 마치 모기의 등에 산을 지우고 그 산을 옮겨 놓겠다는 것과 다를 봐가 없네.

그러므로 지극히 오묘한 말을 이해할 수 없는 자네가 한때의 승리 때문에 제 멋대로 행동한다는 것은,

우물 안의 개구리가 밖의 세상을 볼 수 없는 것과 같으며,

또한 가느다란 대롱구멍으로 하늘을 보고,

송곳을 땅에 꽂아 그 깊이를 재는 꼴이라네.

그리고는 이어서 다음의 이야기를 들려주었다.

"자네는 연나라의 젊은이가 조나라 한단의 걸음걸이를 배우겠다고

하는 이야기를 듣지 못했는가?

아직 자기 나라의 걸음걸이도 제대로 익히지 못한 처지에서 남의 나라 걸음걸이를 배운다고 하니,

이것은 본래의 걸음걸이마저도 잃고 기어서 자기 나라로 돌아갈 수밖에 없다는 말을 …….

지금 자네도 장자 때문에 여기를 떠나지 못한다면 그것을 배우지도 못하는 것은 물론 자네 본래의 지혜를 잊어버리고 자네의 본분마저도 잃게 될 걸세."

공손룡은 벌린 입을 다물지 못한 채로 올라간 혀가 내려오지 않자, 곧 도망치듯 달아났다.

* 지식&파워…………………………………………………………………………

한단지보(한단의 걸음걸이라는 뜻으로, 자기 본분을 잊고 함부로 남의 흉내를 내면 두 가지를 다 잃는다는 비유의 말.)

邯:지명(고을 이름) 한 鄲:지명(현 이름) 단 之:갈 지(…의) 步:걸음 보

동의어: 한단학보(邯鄲學步)

유의어: 서시봉심(西施捧心)

출전: 장자의 추수 편

수레에 실으면 소가 땀을 흘리고 집에 쌓으면 용마루까지 찬다 한들, 서로를 비방하는 책들이 많다면 후세의 학자들이 그 근본을 얻지 못할 것이다

당나라의 명문가 유종원이 같은 시대를 살다간 역사학자 육문통을 기리기 위해 남긴 묘표가 있다.

묘표란 죽은 사람의 사적과 덕행을 기리기 위해 돌에 문장을 새긴 다음 무덤 앞에 세우는 것을 말한다.

"공자가 '춘추'를 지은 지 1,500년이 되었다. '춘추전'에 주석을 붙인 백 명, 천 명에 달하는 사람이 있었으나 그 중 다섯 사람을 꼽고, 세상에 두루 쓰이는 것은 세 사람 것뿐이다."

여기서 유종원은 '춘추'의 해석을 바르게 하지 못한 책들이 너무 많음을 지적했다.

"그들은 성품이 바르지 못한 사람들로, 말로써 서로를 공격하거나 숨은 일을 들추어내는 사람들이다.

그들이 저술한 책들을 집에 두면 '창고에 가득 차고', 옆으로 옮기려면 '소와 말이 땀을 흘릴 정도다.

공자의 뜻에 맞는 책은 숨겨지고, 그렇지 않으면 어긋난 책이 세상에 드러나기도 했다.

후세의 학자들이 늙음을 다하고, 기운을 다하여 왼쪽을 보고 오른쪽을 돌아보아도 그 근본을 얻지 못한다.

그 배움에 있어 서로 다른 바를 비방하고,

마른 대나무의 무리가 되며,

썩은 뼈를 지킨다고 부자간에 상처를 내고,

임금과 신하가 배반하기에 이르는 일이 온 세상에는 많다. 그러하니 성인 공자의 뜻을 알기가 어렵구나."

* 지식&파워...

한우충동(수레에 실으면 소가 땀을 흘리고 집에 쌓으면 용마루까지 찬다는 뜻으로, 책이 많음을 비유하여 이르는 말.)

汗:땀 한 牛:소 우 充:채울 충 棟:용마루(지붕 위의 마루) 동

동의어: 충동(充棟)

유의어: 오거지서(五車之書) 옹서만권(擁書萬卷)

출전: 유종원의 육문통선생 묘표

어려운 환경을 탓하기 보다는 발상의 전환이 어려움을 극복한다

진나라 효무제 때, 어렵게 공부하여 크게 된 인물로 차윤과 손강이 있다.

☞ 차윤의 자는 무로 어릴 적부터 공손하고 부지런했으며 책 또한 많이 읽었다. 소년은 집안에 조금이나마 도움을 주기 위해 낮에는 일을 하고 밤에는 책을 읽어야 했다. 하지만 집안이 가난해 등불을 켤 기름조차 없었다. 때는 여름철이라 그는 생각다 못해 엷은 명주 주머니에 반디 수십 마리를 담아 그 빛으로 책을 비추어 밤이 새도록 공부를 했다. 그토록 어려운 환경 속에서도 열심히 노력한 결과 이부상서의 벼슬에 올랐다.

☞ 손강이라는 소년은 어릴 적부터 공부를 열심히 했다. 그는 밤에도 공부를 해야 하는 데, 집안 형편이 어려워 등불을 켤 기름조차 없었다. 때문에 어린 손강은 도리없이 추위를 무릅쓰고 눈에 책을 비추어 가며 공부를 했다. 그 결과 어사대부라는 벼슬에 올랐다.

이처럼 어려운 처지에서 공부하는 것을 '형설지공' 또는 '형설' 이라고 한다. 그리고 공부하는 서재를 '설안' 이라 한다.

* 지식&파워..

형설지공(반디와 눈의 공이라는 뜻으로, 가난 때문에 고생을 하면서도 꾸준히 학문에 정진함을 일컫는 말.)

螢:개똥벌레(반디) 형 雪:눈 설 之:갈 지(…의) 功:공(만드는 일) 공

동의어: 차형손설(車螢孫雪) 형설(螢雪) 형창설안(螢窓雪案)

참고: 설안형창(雪案螢窓) 출전: 진서의 차윤전 / 이한의 몽구

남의 권세에 의지하여 허세를 부리는 것은 여우가 호랑이를 앞세워 잘난 체하는 것과 같다

전한 시대의 유향이 편찬한 전국책의 초책에 나오는 이야기로 초나라 선왕 때의 일이다.

하루는 선왕이 위나라 사신으로 왔다가 초나라에서 벼슬을 한 강을에게 물었다.

"듣자하니, 위나라를 비롯하여 북방의 제국이 우리 재상 소해휼을 두려워하고 있다는데 그게 사실인가?"

강을은 왕족이자 명재상으로 명망 높은 소해휼이 항상 눈에 거슬렸다.
이때야 말로 기회다 싶었던지 그는,

"그렇지 않습니다. 북방의 제국이 어찌 일개의 재상에 불과한 소해휼을 두려워하겠습니까. 그렇다면 전하 이런 말을 알고 계십니까?"

"어느 날 호랑이가 온갖 짐승을 구하여 그것을 먹으려다가 여우를 얻으니, 여우가 말하기를,

'그대는 감히 나를 잡아먹지 못할 것이다. 천제께서 나로 하여금 온갖 짐승의 우두머리가 되게 하셨다. 이제 그대가 나를 잡아먹으면 이는 천제의 명을 거스르는 것이다.
그대가 나를 못 믿겠다고 생각하면 내가 그대를 위해 앞장서 갈 터

이니, 그대는 내 뒤를 따르면서 온갖 짐승들이 나를 보고 감히 달아나지 않는가를 보라. 호랑이는 그렇다고 여겨 곧 그와 함께 갔다.

짐승들이 이것을 보고 모두 달아남에 호랑이는 짐승들이 자기를 두려워하여 달아난다는 것을 알지 못한 채 여우를 두려워한다고 생각했다.'

이 경우도 마찬가지입니다.

지금 북방의 제국이 두려워하고 있는 것은 일개의 재상에 불과한 소해휼이 아니라 그 뒤에 있는 초나라의 병력, 곧 전하의 강력한 군대입니다."

이처럼 간사함과 아첨에 능한 강을이 선왕의 권세를 빌어 왕족이자 명재상인 소해휼을 감히 눈엣가시로 보았기 때문이다.

* 지식&파워..

호가호위(여우가 호랑이의 위세를 빌려 호기를 부린다는 뜻으로, 남의 권세에 의지하여 허세 부림을 이르는 말.)

狐:여우 호 假:거짓(빌릴) 가 虎:범 호 威:위엄 위

동의어: 가호위호(假虎威狐)

유의어: 지록위마(指鹿爲馬)

준말: 가호위(假虎威) 출전: 전국책의 초책

마음이 공명하면서도 사사로움이 없는 삶은 누구에게나 자유롭다

맹자가 어느 날 제나라 출신의 공손추란 제자와 나눈 대화이다.

"선생님이 제나라의 재상이 되시어 도를 행하신다면 제나라를 틀림없이 천하의 패자(제후의 우두머리)로 만드실 것입니다.
그렇게 되면 선생님도 역시 마음이 움직이실 것입니다."

"나는 40이 넘어서부터는 마음을 움직이는 일이 없네."

"마음을 움직이지 않게 하는 방법은 무엇입니까?"

맹자는 그것을 '용기'라고 말했다. 마음 한가운데 부끄러움이 없으면 어떤 것도 두려울 것이 없다.

이것이 '큰 용기'로 마음을 움직이지 않게 하는 최상의 수단이다.

"선생님의 '움직이지 않는 마음'과 고자(맹자의 성선설 부정)의 '움직이지 않는 마음'은 어떠한 차이가 있습니까?"

"고자는, 납득이 가지 않는 말은 애써 이해할 필요가 없다고 했는데, 이는 소극적이다.
나는 알고 있으며, 게다가 호연지기를 기르고 있다.
지언(도리에 맞는 말.)이란 피사(편협한 말.), 음사(음탕한 말.), 사사(간사한 말.), 둔사(빠져 나가려고 꾸며 대는 말.)를 가려 환하게 아는 것이다.

또 '호연지기' 는 평온하고 너그러운 화기(온화한 기색.)를 말하며,

기(기운)는 아주 폭이 넓고 강건하며 올바르고 솔직한 것인데,

이것을 해치지 않도록 기르면 천지간에 넘치는 우주 자연과 합일하는 경지다.

기는 의(義)와 도(道)를 따라 길러지며 이것을 잃으면 시들고 만다.

이것이 자신에게 올바로 쌓일 때, 그 누구에게도 굴하지 않는 도덕적 용기가 생기는 것이다."

* 지식&파워..

호연지기(① 하늘과 땅 사이에 가득 찬 넓고 큰 정기. ② 공명 정대하여 조금도 부끄러울 바 없는 도덕적 용기. ③ 일상에서 벗어난 자유롭고 느긋한 마음.)

浩:넓을 호 然:그럴 연 之:갈 지(…의) 氣:기운 기

동의어: 정기(正氣) 정대지기(正大之氣)

참고: 호기(浩氣)

출전: 맹자의 공손추 상편

현실과 꿈을 분간하지 못하면 인생이 허무해지는 것이다

장자는 중국 전국 시대의 사상가로 성은 장, 이름은 주이다. 전쟁이 끊이지 않는 불안한 시대를 살았던 그는 인간의 진정한 자유가 무엇인지를 추구하는 일에 평생을 바쳤다. 이에 만물의 시비(옳고 그름.) · 선악(착함과 악함.) · 진위(참과 거짓.) · 미추(아름다움과 추함.) · 빈부(가난함과 넉넉함.) · 귀천(귀함과 천함.) · 화복(재앙과 행복.) 등의 구분을 짓는 일이 어리석다는 것을 깨닫고, 이것을 초월하여 결국 만물은 하나의 세계로 귀결된다는 무위자연을 제창했다.

어느 날 장주(장자)가 꿈을 꾸었다. 장주는 꿈속에서 나비가 되었다. 훨훨 날아다니는 나비가 되었다. 스스로 깨우치고 마음이 내키는 대로 지내느라 장주임을 알지 못했다. 문득 깨어 보니 곧 장주가 되어 있었다. 장주가 꿈에서 나비가 되었는지 나비가 꿈에서 장주가 되었는지 알 수가 없었다. 장주와 나비 사이에는 틀림없이 구별이 있을 것이다. 이것을 '사물의 변화' 즉 자연이 된다고 말한다.

"하늘과 땅은 나와 같이 생기고 만물은 나와 함께 하나로 되어 있다."

그러한 만물이 일치된 하나의 경지에 서게 되면 인간인 장주가 나비일 수 있고 나비가 곧 장주일 수 있다. 즉, 꿈도 현실도 죽음도 삶도 구별이 없는 것이다. 다시 말해 만물의 변화에 불과한 것이다.

* 지식&파워……………………………………………………………………………

호접지몽(나비가 되어 있는 꿈을 뜻하는 것으로, 행동의 주체인 나(현실)와 인간의 인식과 다른 모든 것(꿈)과의 구별이 안 되는 경지 또는 인생의 덧없음을 이르는 말.)

胡:오랑캐 · 멀 호(蝴:나비 호) 蝶:나비 접 之:갈 지(…의) 夢:꿈 몽

동의어: 장주지몽(莊周之夢) 준말: 호접몽(胡蝶夢)

출전: 장자의 제물론 편

일반적인 것보다는 색다른 것이 눈에 띄는 법이다

왕안석은 당송 팔대가의 한 사람이다.

그는 북송의 6대 황제인 신종이 즉위한 뒤, 재상으로 6년간 재직 중 혁신적인 신법을 실시했다. 신법을 단행하게 된 배경은 먼저 문치주의로 인한 군인의 사기 저하와 토지 사유화에 따른 자작 농민의 파산, 상업의 발달로 인한 중소 상인의 몰락이 사회 문제화 되었기 때문이다.

이때 젊고 패기가 있는 신종이 즉위하여 신법을 단행하게 되었다. 이것이 부국강병책이다. 부국책에는 청묘법(농민에게 저리로 대출.) · 시역법(중소 상인에게 저리로 대출.) · 균수법(정부가 직접 물자 조달.), 강병책에는 보갑법(주민 스스로 치안 유지.) · 보마법(농가에서 군사용 말 사육.) 등이 있다. 이 밖에 학교 교육을 정상화하기 위해서 태학삼사법을 제정, 태학에서 인재를 등용하려 했다. 이와 같이 왕안석의 개혁은 중소 농민, 중소 상인을 보호하고 국가 재정을 바로잡으려 했던 것이다.

그러나 보수파인 사마광을 중심으로 한 구법당의 맹렬한 반대로 개혁이 중단되었고, 이후 신구법당의 치열한 당쟁이 시작되었다.

그의 영석류시에는 다음과 같은 구절이 있다.

'많은 푸른 잎들 가운데 한 송이 붉은 꽃, 사람을 움직이는 봄 색깔은 모름지기 많은 것이 아니로다.'

* 지식&파워...

홍일점(여럿 중에서 오직 하나의 이채로운 것, 또는 남자들 속에 하나뿐인 여자를 이르는 말.)

紅:붉을 홍 一:한 일 點:찍을 · 흠 점

동의어: 일점홍(一點紅) 출전: 왕안석의 영석류시

어떤 일이든 끝마무리를 잘해야 빛이 난다

중국 양나라에 장승요라는 훌륭한 화가가 있었다. 그는 정치적으로도 출세한 인물이다.

불교를 숭상한 무제는 전국에 사찰을 짓게 하고 장승요에게 벽화를 그리도록 명령했다.

어느 날 장승요는 금릉(남경)에 있는 안락사 주지로부터 용을 그려 달라는 부탁을 받았고, 사찰의 벽에다 마치 살아서 하늘로 날아오를 듯한 두 마리의 용을 그렸다.

물결처럼 꿈틀대는 몸통, 갑옷미늘처럼 단단해 보이는 비늘, 날카로운 발톱 등등 생동감이 넘치는 용이었다. 그러나 이상하게도 눈동자가 없었다.

이상하게 생각한 사람들은, "어찌 눈동자를 그리지 않는 것이오." 그러자 장승요는, "눈동자를 그리면 당장이라도 하늘로 날아갈 것이오." 의아스럽게 생각한 나머지 사람들은 그의 말을 믿지 않았다. 그러자 장승요는 한 마리의 용 앞으로 다가가서 눈을 그리고 눈에 점 하나를 찍자 갑자기 천둥 번개가 치고 용이 벽을 박차고 하늘로 날아가 버렸다.

하지만 눈동자를 그리지 않은 또 다른 용은 벽에 그대로 남아 있었다. 그 후에 사람들은 가장 중요한 부분을 완성하는 일이나 일의 마무리를 '화룡점정' 즉 용에 눈을 그리는 일이라 했다.

* 지식&파워..

화룡점정(용을 그릴 때 마지막으로 눈을 그려 완성시킨다는 뜻으로, 가장 중요한 부분에 대한 끝마무리를 이르는 말.)

畵:그림 화 龍:용 룡 點:찍을 점 睛:눈동자 정

유의어: 입안(入眼) 준말: 점정(點睛) 출전: 수형기

꿈을 꾸면 꿈꾼 대로 이루어진다

중국 최초의 성천자로 알려진 황제의 성은 희(공손)이고, 호는 헌원 또는 웅이다. 4,000년 전 황하 유역의 촌장인 그는 중화 민족의 시조로 왕의 자리에 오르지는 못했지만 죽은 후 황제로 전해지고 있다.

전설에 의하면 100세까지 살다가 용을 타고 승천했다. 또는 100년 동안 재위에 있다가 111세에 형산(지금의 하남성 영보현 현문향진 남쪽.)의 남쪽에서 죽어 상군 교산(지금의 섬서성 황릉현 서북의 교산.)에 묻혔다.

황제는 각각 15년을 몸과 지혜로 다스렸다. 그러나 몸과 정신은 더욱 더 지치고 쇠약해질 뿐이었다. 황제는 정사에서 손을 떼고 대궐을 나와 석달 동안 조용한 곳에서 몸과 마음을 추스렸다.

그러던 어느 날 그가 낮잠을 자면서 꿈을 꾸었다.

꿈에서 태고 시절 무위 제왕인 화서씨의 나라로 갔다. 그 나라에는 군주가 없음에도 스스로 잘하고, 백성들은 욕심을 갖지 않으며, 삶을 즐기는 것도 죽음을 두려워하는 것도 모른다. 때문에 일찍 죽는 일이 없다.

꿈에서 깨어난 황제는 문득 깨달은 바가 있어 세 명의 재상을 불러 이를 설명한 후 28년 동안 천하를 잘 다스려 화서씨의 나라와 같은 상태로 만들었다.

화서의 나라란 도가의 이상적인 사회를 말하는 것으로, 무심무위가 도의 극치라는 것을 보여 주고 있다.

* 지식&파워..

화서지몽(화서의 꿈이란 뜻으로, 낮잠 또는 좋은 꿈을 이르는 말.)

華:빛날 화　胥:서로(함께) 서　之:갈 지(…의)　夢:꿈 몽

동의어: 유화서지국(遊華胥之國) 화서지국(華胥之國)

참고: 호접지몽(胡蝶之夢) 출전: 열자의 황제 편

사람에게 있어 진실을 보는 눈이 있어야 그것이 비로소 보배임을 알게 된다

초나라 사람 화씨가 초나라 산에서 옥 덩어리를 가지고 와 이를 여왕에게 받쳤다.
여왕이 옥장이(옥공)에게 이를 감정케 했다.

옥장이가,

"돌입니다."

여왕은 화씨가 속였다고 여겨, 화씨의 왼쪽 발꿈치를 잘랐다(월형).
여왕이 죽고 무왕이 즉위하자 화씨는 그 옥 덩어리를 또다시 무왕에게 받쳤다.
무왕이 옥장이(옥공)에게 이를 감정케 했다.

또 말하기를,

"돌입니다."

왕이 또 화씨가 속였다고 여겨 그의 오른쪽 발꿈치를 잘랐다(월형).

무왕이 죽고 문왕이 즉위하자 화씨는 이에 그 옥 덩어리를 품에 안고 초산 아래에서 사흘(세 날) 밤낮으로 우니, 눈물이 말라 나중에는 피가 나왔다.
왕이 이 소문을 듣고 사람을 시켜 그 까닭을 묻게 했다.

"천하에 월형을 받은 자가 많은데, 그대는 어찌 그리 슬피 우는가?"

화씨가 말하기를,

"저는 월형 받은 것을 슬퍼하는 것이 아닙니다.
이것은 보옥(보배로운 구슬.)인데 이를 돌이라 감정하기에 슬퍼하는 것이고, 어찌 곧은 선비에게 남을 속이는 사람이라고 하니 또한 슬퍼하는 것입니다."

왕이 이말을 전해 듣고 옥장이(옥공)를 시켜 그 옥 덩어리를 다듬어 보석을 얻으니, 마침내 이것에 이름을 붙여 '화씨의 옥' 이라 했다.

한비자가 이것을 적으면서,

"옥이란 임금이 몹시 갖고 싶은 것이다. 화씨가 받친 옥 덩어리가 아름다운 것이 못되더라도, 임금에게 해를 끼치는 것은 아니다.
그런데도 양쪽 발꿈치를 잘린 후에야 보물임이 밝혀졌다. 보물로 밝혀지기란 이토록 어려운 것이다."

* 지식&파워...

화씨지벽(화씨의 옥이란 뜻으로, 천하의 옥 이름.)

和:화할 화 氏:각시 씨 之:갈 지(…의) 璧:둥근 옥 벽

동의어: 변화지벽(卞和之璧)

유의어: 완벽(完璧) 연성지벽(連城之璧)

참고: 완벽(完璧)

준말: 화벽(和璧) 출전: 한비자의 화씨 편

창조는 모방에서 시작되는 새로운 발상의 전환으로, 이전보다 더 나은 상태를 만들어 내는 것이다

남송 때의 승려 혜홍이 쓴 냉제야화에 나오는 이야기다. 황산곡(본명: 정견)은 소식과 함께 북송을 대표하는 시인으로 학문이 넓고 많아서 자신만의 세계를 만들었는데, 그의 독자적인 글 솜씨를 도가의 용어로 표현한 것이 '환골탈태' 이다. 도가에서는 금단 혹은 선단(먹으면 장생불사의 신선이 된다고 하는 영약.)을 먹어서 보통 사람의 뼈가 선골(세속을 초월한 신선과 같은 풍모.)이 되는 것을 '환골' 이라 하고, 탈태의 '태' 도 선인의 시에 보이는 착상(떠오르는 생각이나 구상.)을 말하며, 시인의 시상은 마치 어머니의 '태' 내에 있는 것과 같은 것이므로, 그 태(착상)를 나의 것으로 삼아 자기가 그리는 시의 경지로 변화시키는 것을 탈태라고 한다. 황산곡이 이 말을 인용한 것으로 보인다. "시의 뜻은 무궁무진한데, 사람의 재주는 한계가 있다. 한계가 있는 재주로써 무궁무진함이 없고, 뜻을 그대로 따르는 것은, 도연명이나 두보일지라도, 자신만의 색깔을 얻지 못한다."

"두보의 시를 일컬어 영단(시인의 시상을 뜻함.)한 말로, 쇠를 이어서 금을 이룸과 같다."라고 말했다.

이처럼 본래의 뜻을 그대로 써서 짓는 것을 환골법, 본래의 뜻을 바꾸어 다르게 짓는 것을 탈태법이라 한다.

* 지식&파워…………………………………………………………………………

환골탈태(환골은 옛사람의 시문을 그대로 써서 어구를 만드는 것. 탈태는 옛사람이나 타인의 글에서 그 형식이나 내용을 모방하여 자기의 작품으로 만드는 일. 또는 얼굴이나 모습이 이전에 비하여 몰라보게 좋아졌음을 비유하여 이르는 말.)

換:바꿀 환 骨:뼈 골 奪:빼앗을 탈 胎:태 · 시초 태

준말: 탈태(奪胎) 출전: 혜홍의 냉제야화

부록

중고생이 꼭 알아야 할 한자성어 하루 한 줄 외우기

가

* 가정맹어호 / 5

苛:가혹할 가 政:정사 정 猛:사나울 맹 於:어조사 어 虎:범 호

가혹한 정치는 호랑이보다 더 무섭다는 뜻.

유의어: 가렴주구(苛斂誅求) 학정(虐政) 반의어: 관정(寬政)

출전: 예기의 단궁 편

* 각주구검 / 6

刻:새길 각 舟:배 주 求:구할 구 劍:칼 검

배를 타고 가던 중, 강물에 빠뜨린 칼을 찾기 위해 빠뜨린 장소의 배 가장자리에 표시를 한 다음 그 표시한 배 밑에서 칼을 찾으려 했다는 고사로, 어리석고 미련하여 융통성이 없음을 비유한 말.

유의어: 수주대토(守株待兎) 각선구검(刻船求劍)

준말: 각주(刻舟) 각선(刻線) 각현(刻鉉) 출전: 여씨춘추의 찰금 편

* 간담상조 / 7

肝:간 간 膽:쓸개 담 相:서로 상 照:비칠 조

서로 간과 쓸개를 꺼내 보인다는 뜻으로, 서로 속마음을 터놓고 가까이 사귐.

유의어: 피간담(披肝膽) 출전: 한유의 유자후묘지명

* 개과천선 / 8

改:고칠 개 過:허물 과 遷:옮길 천 善:착할 선

잘못을 고치어 착하게 됨.

유의어: 개과자신(改過自新) 출전: 진서의 본전(입지담)

* 건곤일척 / 10

乾:하늘 건 坤:땅 곤 一:한 일 擲:던질 척

하늘과 땅을 걸고 한 번 주사위를 던진다는 뜻으로, 흥하든 망하든 하늘에 운명을 걸고 단판걸이로 승부를 겨룬다는 말.

유의어: 일척건곤(一擲乾坤) 출전: 한유의 시 과홍구

* 걸해골 / 12

乞:빌 걸 骸:뼈 해 骨:뼈 골

해골을 빈다는 뜻으로, 늙은 재상이 벼슬자리에서 물러나기를 임금에게 주청하는 일.

원말: 원사해골(願賜骸骨) 동의어: 걸신(乞身) 참고: 건곤일척(乾坤一擲)

준말: 걸해(乞骸) 출전: 사기의 항우본기

* 격물치지 / 14

格:이를 격 物:만물 물 致:이를 치 知:알 지

주자학에서, 사물의 본질이나 이치를 끝까지 연구하여 후천적인 지식을 명확히 함. 양명학에서, 하나하나 사물에 존재하는 마음을 바로잡고, 양지(타고난 재능)를 갈고 닦음.

준말: 격치(格致) 출전: 대학의 팔조목

* 견토지쟁 / 16

犬:개 견 兎:토끼 토 之:갈 지(…의) 爭:다툴 쟁

개와 토끼의 다툼이란 뜻으로, 둘의 싸움에서 제삼자가 이익을 봄, 또는 쓸데없는 다툼의 비유.

동의어: 방휼지쟁(蚌鷸之爭) 어부지리(漁父之利) 좌수어인지공(坐收漁人之功).

참고: 전부지공(田夫之功) 출전: 전국책의 제책

* 결초보은 / 17

結:맺을 결　草:풀 초　報:갚을 보　恩:은혜 은

은혜를 입은 사람이 혼령이 되어 풀을 묶고 그것으로 적이 걸려 넘어지게 하여 은인을 구해 주었다는 고사. 즉, 죽은 혼령이 되어서라도 은혜를 잊지 않고 갚는다는 뜻.

유의어: 각골난망(刻骨難忘)　출전: 춘추좌씨전의 선공

* 계구우후 / 18

鷄:닭 계　口:입 구　牛:소 우　後:뒤 후

소의 꼬리보다는 닭의 부리가 되라는 뜻으로, 큰 단체의 꼴찌보다는 작은 단체의 우두머리가 낫다는 말.

원말: 영위계구 물위우후(寧爲鷄口勿爲牛後)　출전: 사기의 소진열전

* 계륵 / 20

鷄:닭 계　肋:갈빗대 륵

닭의 갈비를 뜻하는 것으로, 먹을 것도 없지만 그렇다고 그냥 버리기도 아까운 것, 즉 크게는 쓸모가 없으나 버리기는 아까운 사물, 또는 몹시 허약한 몸을 비유하여 이르는 말.

출전: 후한서의 양수전 / 진서의 유영전

* 계명구도 / 22

鷄:닭 계　鳴:울 명　拘:개 구　盜:도둑 도

닭의 울음소리를 잘 내는 사람과 개 흉내를 잘 내는 좀도둑을 뜻하는 것으로, 천한 기능을 가진 사람도 때로는 쓸모가 있음을 비유하여 이르는 말.

동의어: 함곡계명(函谷鷄鳴)　출전: 사기의 맹상군전

* 고복격양 / 25

鼓:북 · 북칠 고 腹:배 복 擊:칠 격 壤:땅 양

배를 두드리고 땅을 구르며 흥겨워한다는 뜻으로, 태평함을 나타내는 말.

동의어: 격양가(擊壤歌) 격양지가(擊壤之歌)

준말: 격양(擊壤)

출전: 18사략의 제요 편 / 악부시집의 격양가

* 고침안면 / 26

高:높을 고 枕:베개 침 安:편안할 안 眠:잘 면

베개를 높이 하여 편히 잔다는 뜻으로, 근심 없이 편안히 잘 지냄을 이르는 말.

동의어: 고침무우(高枕無憂) 고침이와(高枕而臥) 출전: 사기의 장의열전

* 고희 / 28

古:옛 고 稀:드물 희

사람의 나이 '일흔 살' 또는 '일흔 살이 된 때'를 달리 이르는 말로, 사람의 나이 일흔은 예로부터 드물다는 말에서 유래 됨.

출전: 두보의 곡강시

* 곡학아세 / 29

曲:굽을 곡 學:학문 학 阿:아첨할 아 世:인간 세

학문을 굽혀 속물들에게 아첨한다는 뜻으로, 정도를 벗어난 학문으로 시류를 따르거나 권력자에게 아첨(부)함을 일컫는 말.

유의어: 어용학자(御用學者)

출전: 사기의 유림전

* 공중누각 / 30

空:빌 공　中:가운데 중　樓:다락 누　閣:누각 각

공중에 떠 있는 누각이란 뜻으로, 근거나 현실적 토대가 없는 가상의 사물을 이르는 말. (신기루)

유의어: 과대망상(誇大妄想)　출전: 몽계필담

* 과유불급 / 31

過:지날 과　猶:같을 유　不:아니 불　及:미칠 급

정도의 지나침은 미치지 못함과 같다는 뜻.

참고: 조장(助長) (흔히, 의도적으로 어떠한 경향이 더 심해지도록) 도와서 북돋움.

출전: 논어의 선진 편

* 과전이하 / 32

瓜:오이 과　田:밭 전　李:오얏 리　下:아래 하

오이 밭에서는 신을 고쳐 신으려 하지 말고, 오얏나무 아래서는 갓을 고쳐 쓰지 말라는 뜻으로, 남에게 의심받을 일은 애초부터 하지 말라는 말.

원말: 과전불납리 이하부정관(瓜田不納履 李下不整冠)

동의어: 과전리 이하관(瓜田履 李下冠)　출전: 유향의 열녀전 / 문선의 고악부 편

* 관포지교 / 34

管:대롱 관　鮑:절인 고기 포　之:갈 지(…의)　交:사귈 교

옛날 관중과 포숙아의 사귐이 매우 친밀하였다는 뜻으로, 매우 친한 친구 사이의 사귐을 일컫는 말.

동의어: 관포교(管鮑交)　유의어: 금란지교(金蘭之交)　막역지우(莫逆之友)
문경지교(刎頸之交)　수어지교(水魚之交)

반의어: 시도지교(市道之交)　출전: 사기의 관중열전 / 열자의 역명 편

* 괄목상대 / 36

刮:비빌 괄 目:눈 목 相:서로 상 對:마주 볼 대 · 대할 대

눈을 다시 비비고 본다는 뜻으로, 주로 손아랫사람의 학식이나 재주 따위가 놀랍도록 향상된 경우에 쓴다.

출전: 삼국지의 오지여몽전주

* 광일미구 / 37

曠:빌 · 오랠 광 日:날 일 彌:두루 · 오랠 미 久:오랜 구

날을 비워둔 지가 오래되었다는 뜻으로, 오랫동안 쓸데없이 세월을 보냄.

출전: 전국책의 조책

* 교토삼굴 / 39

狡:교활할 교 兎:토끼 토 三:석 삼 窟:굴 굴

꾀 많은 토끼가 굴을 세 개나 가지고 있다는 뜻으로, 갑작스런 위기에 대처하기 위해 앞서 준비해야 한다는 말.

유의어: 유비무환(有備無患)

출전: 사기의 맹상군열전 / 전국책의 제책 편

* 구밀복검 / 43

口:입 구 蜜:꿀 밀 腹:배 복 劍:칼 검

입에는 꿀이 있고 배에는 칼이 있다는 뜻으로, 겉으로는 친절한 체하나 속으로는 해칠 생각이 있음 비유하여 이르는 말.

원말: 구유밀복유검(口有蜜腹有劍)

유의어: 면종복배(面從腹背) 소리장도(笑裏藏刀) 소중유검(笑中有劍)

출전: 당서의 이임보전

* 구사일생 / 45

九:아홉 구 死:죽을 사 一:한 일 生:살 생

'유량주가 말한 이 아홉 번 죽어서 한 번을 살아남지 못한다 할지라도'에서 나온 말로 여러 차례 죽을 고비를 겪고 간신히 살아난다는 뜻.

유의어: 백사일생(百死一生) 십생구사(十生九死) 출전: 사기의 굴원열전

* 구우일모 / 46

九:아홉 구 牛:소 우 一:한 일 毛:털 모

아홉 마리의 소 가운데서 뽑은 한 가닥의 소털을 의미하는데, 썩 많은 가운데 섞인 아주 작은 것을 비유하여 이르는 말.

유의어: 대해일적(大海一滴) 창해일속(滄海一粟) 참고: 인생조로(人生朝露)

출전: 한서의 보임안서 / 문선의 사마천 보임소경서

* 국사무쌍 / 48

國:나라 국 士:선비 사 無:없을 무 雙:쌍 쌍

나라의 훌륭한 선비를 뜻하는 것으로, 곧 나라의 둘도 없는 뛰어난 인물을 일컫는 말.

유의어: 동량지기(棟梁之器) 동량지재(棟樑之材) 일세지웅(一世之雄)

출전: 사기의 회음후열전

* 군계일학 / 50

群:무리 군 鷄:닭 계 一:한 일 鶴:학 학

닭의 무리 속에 한 마리의 학이라는 뜻으로, 많은 사람들 중에서도 눈에 띄게 뛰어난 한 사람을 비유하여 이르는 말.

동의어: 계군일학(鷄群一鶴) 계군고학(鷄群孤鶴) 학립계군(鶴立鷄群)

유의어: 백미(白眉) 반의어: 인중지말(人中之末) 출전: 진서의 혜소전

* 군맹무상 / 52

群:무리 군 盲:소경 맹 撫:어루만질 무 象:코끼리 상

여러 장님이 코끼리를 만져 보고 제 나름대로 판단한다는 뜻으로, 사물을 자기 주관과 좁은 소견으로 전체보다는 일부만을 알아 그릇 판단함을 이르는 말, 또는 좁은 식견을 비유한 말.

동의어: 군맹모상(群盲摸象) 군맹평상(群盲評象) 출전: 열반경

* 군자삼락 / 54

君:임금 군 子:아들 자 三:석 삼 樂:즐길 락, 좋아할 요

군자의 세 가지 즐거움. 곧, 부모가 다 살아 계시고 형제가 다 무고한 일, 위로 하늘과 아래로 사람에게 부끄러울 것이 없는 일, 천하의 영재를 얻어서 가르치는 일.

원 말: 군자유삼락(君子有三樂) 유의어: 익자삼요(益者三樂)

반의어: 손자삼요(損者三樂) 참고: 교락(驕樂) · 일락(逸樂) · 연락(宴樂)

출전: 맹자의 진심 편

* 권선징악 / 55

勸:권할 권 善:착할 선 懲:징계할 징 惡:악할 악

선한 행동을 장려하고 악한 행동을 징계한다는 뜻으로, 악한 사람은 벌하고 착한 사람은 상을 준다는 말.

유의어: 권징(勸懲) 징권(懲勸) 창선징악(彰善懲惡) 출전: 춘추좌씨전

* 권토중래 / 55

捲:힘쓸 권 · 감아 말 권 土:흙 토 重:무거울 · 거듭할 중 來:올 래

흙먼지를 일으키며 거듭 쳐들어온다는 뜻으로, 한 번 패했다가 힘을 돌이켜 다시 쳐들어옴. 어떤 일에 실패한 뒤에 힘을 가다듬어 다시 시

작한다는 말.

참고: 건곤일척(乾坤一擲) 사면초가(四面楚歌) 선즉제인(先則制人)

출전: 두목의 시 제오강정

* 근묵자흑 / 57

近:가까울 근 墨:먹 흑 者:놈 자 黑:검을 흑

먹을 가까이 하면 검게 된다는 뜻으로, 나쁜 사람을 가까이하면 물들기 쉬움을 이르는 말.

동의어: 근주자적(近朱者赤) 유의어: 귤화위지(橘化爲枳) 남귤북지(南橘北枳)

출전: 묵자

* 금상첨화 / 59

錦:비단 금 上:윗 상 添:더할 첨 花:꽃 화

비단 위에 꽃을 보탠다는 뜻으로, 좋은 일에 또 좋은 일이 더함.

유의어: 일거양득(一擧兩得) 일석양득(一石兩得) 일석이조(一石二鳥)
일전쌍조(一箭雙雕)

반의어: 병상첨병(病上添病)

참고: 설상가상(雪上加霜) 출전: 왕안석의 시(즉사)

* 금의야행 / 60

錦:비단 금 衣:옷 의 夜:밤 야 行:다닐 · 행할 행

비단옷을 입고 밤길을 걷는다는 뜻으로, 아무 보람도 없는 행동을 비유하여 이르는 말.

동의어: 수의야행(繡衣夜行) 야행피수(夜行被繡) 의금야행(衣錦夜行)

반의어: 금의주행(錦衣晝行)

출전: 사기의 항우본기

* 기사회생 / 62

起:일어날 기　死:죽을 사　回:돌아올 회　生:목숨 생

죽을 뻔했다가 다시 살아났다는 뜻으로, 위기에 처한 것을 구하여 호전시킨다는 말.

출전: 여씨춘추전

* 기인지우 / 63

杞:나라 이름 기　人:사람 인　之:갈 지(…의)　優:근심 우

기나라 사람의 쓸데없는 걱정을 뜻하는 것으로, 하지 않을 걱정을 함.

동의어: 기인우천(杞人優天)

유의어: 오우천월(吳牛喘月)

준말: 기우(杞優)

출전: 열자의 천서 편

* 기호지세 / 65

騎:말을 탈 기　虎:범 호　之:갈 지(…의)　勢:형세 · 기세 세

호랑이를 타고 달리는 사람이 도중에 내릴 수 없는 것처럼, 일이 벌어지고 있는 도중에 그만두거나 물러나거나 할 수 없는 상태를 이르는 말.

원말: 기수지세(騎獸之勢)　유의어: 기호난하(騎虎難下)

출전: 수서의 독고황후전

* 기화가거 / 66

奇:기이할 기　貨:재물 화　可:허락할 · 옳을 가　居:있을 · 살 거

귀한 물건을 사 둔 후로 훗날 큰 이익을 얻게 한다는 뜻, 훗날 이용할 수 있는 사람의 뒤를 봐주며 때를 기다림.

출전: 사기의 여불위열전

나

* 난형난제 / 68

難:어려울 난 兄:맏 형 難:어려울 난 第:아우 제

누구를 형이라 해야 하고, 누구를 아우라 해야 할지 분간하기 어렵다는 뜻으로, 누가 더 낫다고 할 수 없을 정도로 둘이 서로 비슷하다는 말.

유의어: 난백난중(難佰難仲) 백중지간(伯仲之間) 백중지세(伯仲之勢)
용호상박(龍虎相搏) 호각지세(互角之勢) 춘란추국(春蘭秋菊).

참고: 막상막하(莫上莫下) 출전: 세설신어의 덕행 편

* 남가일몽 / 69

南:남녘 남 柯:가지 가 一:한 일 夢: 꿈 몽

남쪽 나뭇가지의 꿈이란 뜻으로, 꿈과 같이 헛된 한때의 부귀영화 또는 인생의 덧없음.

동의어: 괴몽(槐夢) 남가지몽(南柯之夢) 남가몽(南柯夢)

유의어: 무산지몽(巫山之夢) 일장춘몽(一場春夢) 일취지몽(一炊之夢)
한단지몽(邯鄲之夢).

출전: 이공좌의 남가기

* 남상 / 71

濫:넘칠 남 觴:술잔 상

술잔에 넘칠 정도의 적은 물이라는 뜻으로, 사물의 시초나 기원 · 근원을 이르는 말.

유의어: 권여(權與) 효시(嚆矢)

출전: 순자의 자도 편 / 공자가어의 삼서 편

* 낭중지추 / 72

囊:주머니 낭 中:가운데 중 之:갈 지(…의) 錐:송곳 추

주머니 속의 송곳이라는 뜻으로, 송곳은 끝이 뾰족하기 때문에 아무리 주머니 속에 있다 해도 주머니를 뚫고 나오듯 유능한 사람은 숨어 있어도 자연히 그 존재가 드러남을 비유하여 이르는 말.

동의어: 추처낭중(錐處囊中)

유의어: 운중지월(雲中之月)

출전: 사기의 평원군열전

* 노마지지 / 74

老:늙을 로 馬:말 마 之:갈 지(…의) 智:슬기 · 지혜 지

늙은(나이 든) 말의 지혜란 뜻으로, 아무리 보잘것없는 것이라 할지라도 저마다 장점이 있음을 이르는 말.

동의어: 노마식도(老馬識途) 노마지도(老馬知道) 식도노마(識途老馬)

출전: 한비자의 세림 편

* 녹림 / 76

綠:초록빛 록 林:수풀 림

푸른 숲이란 뜻으로, 도둑의 소굴을 일컫는 말.

동의어: 녹림호객(綠林豪客) 녹림호걸(綠林豪傑)

유의어: 백랑(白浪) 백파(白波) 야객(夜客) 출전: 한서의 왕망전

* 농단 / 78

壟:언덕 롱 斷:끊을 단

깎아지른 듯한 언덕을 뜻하는 것으로, 이익이나 권리를 독차지함. 독점.

원말: 농단(籠斷) 출전: 맹자의 공손추 편

* 누란지위 / 80

累:여러 루 · 포갤 루 卵:알 란 之:갈 지(…의) 危:위태할 위

포개 놓은 알이란 뜻으로, 몹시 불안정하고 위태로운 상태를 비유하여 이르는 말.

동의어: 위여누란(危如累卵) 준말: 누란(累卵) 참고: 누란지세(累卵之勢)

출전: 사기의 범저열전

* 다기망양 / 82

多:많을 다 岐:갈림길 기 亡:잃을 망 羊:양 양

달아난 양을 찾다가 길이 여러 갈래로 갈려 마침내 양을 잃었다는 뜻으로, 학문의 길은 여러 갈래이므로 진리를 깨치기가 어렵다. 방침이 많아서 어찌할 바를 몰라 하다.

동의어: 망양지탄(亡羊之歎) 유의어: 독서망양(讀書亡羊) 출전: 열자의 설부 편

* 다다익선 / 84

多:많을 다 多:많을 다 益:더할 익 善:착할 · 좋을 · 잘할 선

많으면 많을수록 더욱 좋다는 말.

동의어: 다다익판(多多益辦) 반의어: 과유불급(過猶不及)

출전: 사기의 회음후열전

* 단장 / 86

斷:끊을 단 腸:창자 장

창자가 끊어질 듯한 슬픔이나 괴로움을 이르는 말.

유의어: 단혼(斷魂) 출전: 세설신어의 출면 편 / 채염의 호가가

* 당랑거철 / 87

蟷:버마재비 당 螂:버마재비 랑 拒:막을 거 轍:수레바퀴 자국 철

사마귀가 앞발을 들어 수레를 막는다는 뜻으로, 자기 분수도 모르고 강한 적에게 반항하여 덤벼듦을 비유하여 이르는 말.

동의어: 당랑당거철(蟷螂當車轍) 당랑지력(蟷螂之力) 당랑지부(蟷螂之斧)

유의어: 당랑규선(蟷螂窺蟬) 당랑박선(蟷螂搏蟬) 출전: 한시외전 / 문선

** 대기만성 / 88

大:클 대 器:그릇 기 晩:늦을 만 成:이룰 성

남달리 뛰어난 큰 인물은 보통 사람보다 늦게 대성한다는 뜻으로, 과거 시험에 낙방한 선비를 위로하여 이르던 말.

동의어: 대기난성(大器難成) 유의어: 대재만성(大才晩成)

반의어: 대방무우(大方無隅)

출전: 삼국지의 위지 최염전 / 후한서의 마원전 / 노자의 41장

* 대동소이 / 90

大:큰 대 同:한 가지 동 小:적을 소 異:다를 이

크게 보면 한 가지로 보이고, 작게 보면 각각 다르게 보인다는 뜻을 가지고 있으며, 오늘 날에는 비슷비슷하다는 말로 쓰임.

유의어: 오십보백보(五十步百步) 출전: 장자의 천하 편

* 대의멸친 / 92

大:클 대 義:옳을 의 滅:멸할 멸 親:친할 · 육친 친

백성으로서 마땅히 해야 할 도리를 위해서라면 친족도 멸한다는 뜻으로, 나라의 대의를 위해서는 부모 형제 역시도 돌보지 않는다는 말.

출전: 춘추좌씨전

* 도주지부 / 94

陶:질그릇 도 朱:붉을 주 之:갈 지(…의) 富:부유할 부

도주공의 부라는 뜻으로, 억만장자를 일컫는 말.

출전: 사기의 화식열전

* 도외시 / 96

度:법도 도 外:바깥 외 視:볼 시

문제로 삼지 않고 가외의 것으로 보아 넘김. 안중에 두지 않음. 불문에 붙임.

유의어: 도외치지(度外置之) 치지도외(置之度外) 반의어: 문제시(問題視)

참고: 오합지중(烏合之衆) 정중지와(井中之蛙) 출전: 후한서의 광무기

* 도청도설 / 97

道:길 도 聽:들을 청 塗:길 도 說:말씀 설

거리에서 들은 것을 곧 남에게 이야기한다는 뜻으로, 깊이 생각하지 않고 흘려듣듯이 남에게 옮김.

유의어: 가담항설(街談巷說) 가설항담(街說巷談) 구이지학(口耳之學)

출전: 논어의 양화 편 / 한서의 예문지 / 순자의 권학 편

* 동병상련 / 99

同:한 가지 동 病:앓을 병 相:서로 상 憐:불쌍히 여길 련

같은 병의 환자끼리 서로 가엾게 여긴다는 뜻으로, 어려운 처지에 있는 사람끼리 동정하고 돕는다는 말.

유의어: 동주상구(同舟相救) 오월동주(吳越同舟) 유유상종(類類相從)

반의어: 동상이몽(同床異夢) 참고: 와신상담(臥薪嘗膽) 일모도원(日暮途遠)

출전: 오월춘추의 합려내전

* 동호지필 / 101

董:동독할 동 狐:여우 호 之:갈 지(…의) 筆:붓 필

'동호의 직필' 이라는 뜻으로, 정직한 기록 또는 권세를 두려워하지 않고 사실 그대로를 기록하여 역사에 남기는 일.

동의어: 태사지간(太史之簡)

출전: 춘추좌씨전의 선공 2년 조

* 득롱망촉 / 103

得:얻을 득 隴:땅이름 롱 望:바랄 망 蜀:나라 이름 촉

농의 땅을 얻고 나니 촉의 땅이 탐난다는 말로, 사람의 욕심은 끝이 없음을 이르는 말.

동의어: 망촉지탄(望蜀之歎)

유의어: 거어지탄(車魚之歎) 계학지욕(谿壑之慾) 차청차규(借廳借閨)

참고: 계륵(谿肋)

준말: 망촉(望蜀)

출전: 후한서의 광무기, 헌제기 / 삼국지의 위지

* 등용문 / 105

登:오늘 등 龍:용 룡 門:문 문

용문에 오른다는 뜻으로 입신출세의 어려운 관문을 비유하여 이르는 말.

반의어: 용문점액(龍門點額)

출전: 후한서의 이응전

· 점액(點額): '점' 은 상처를 입는다는 뜻이고, '액' 은 이마를 뜻하는 말로 용문을 오르다 실패한 물고기를 말한다. 즉 낙오자를 가리키는 말이다.

마

* 마부작침 / 106

磨:갈 마 斧:도끼 부 作:만들(지을) 작 針:바늘 침

도끼를 갈아서 바늘을 만든다는 뜻으로, 아무리 어려운 일이라도 참고 꾸준히 노력하면 반드시 목적을 달성할 수 있음을 비유하여 이르는 말.)

동의어: 마부위침(磨斧爲針) 마저작침(磨杵作針) 철저성침(鐵杵成針)

유의어: 수적천석(水滴穿石) 우공이산(愚公移山) 적토성산(積土成山)

출전: 당서의 문예전 / 방여승람

* 마이동풍 / 107

馬:말 마 耳:귀 이 東:동녁 동 風:바람 풍

말의 귀에 동풍(봄바람)이 불어도 전혀 느끼지 못한다는 뜻으로, 남의 의견이나 충고의 말을 귀담아듣지 아니하고 흘려버림을 이르는 말.

유의어: 대우탄금(對牛彈琴) 여풍과이(如風過耳) 오불관언(吾不關焉)
우이독경(牛耳讀經)

출전: 이태백집의 18권

* 막역지우 / 108

莫:없을 막 逆:거스릴 역 之:갈 지(…의) 友:벗 우

거슬림이 없는 벗. 즉 뜻이 맞아 서로 허물이 없이 지내는 친구를 일컫는 말.

유의어: 수어지교(水魚之交) 죽마고우(竹馬故友) 지기지우(知己之友)
지음(知音)

출전: 장자의 내편 대종사

* 망국지음 / 109
亡:망할 망 國:나라 국 之:갈 지(…의) 音:소리 음
나라를 망치게 하는 음악이란 뜻으로, 음란하고 사치한 음악. 망한 나라의 음악. 슬픔을 가진 음악을 말함.
동의어: 망국지성(亡國之聲) 유의어: 정위지음(鄭衛之音)
출전: 한비자의 십과 편 / 예기의 악기 편

* 망양지탄 / 111
望:바랄 · 바라볼 망 洋:바다 양 之:갈 지(…의) 歎:탄식할 · 감탄할 탄
넓은 바다를 보고 감탄한다는 뜻으로, 남의 원대함에 감탄하고 나의 미흡함을 부끄러워함. 어떤 일에 있어서 자신의 힘이 미치지 못할 때의 탄식.
참고: 정중지와(井中之蛙) 출전: 장자의 추수 편

* 맥수지탄 / 113
麥:보리 맥 秀:이삭 나올 수 之:갈(어조사) 지 歎:탄식할 · 감탄할 탄
보리 이삭이 무성하게 자란 것을 보면서 탄식한다는 뜻으로, 고국의 멸망을 탄식함.
원말: 서리맥수지탄(黍離麥秀之歎) 동의어: 맥수지시(麥秀之詩)
참고: 은감불원(殷鑑不遠) 주지육림(酒池肉林)
출전: 사기의 송미자세가 / 시경의 왕풍 편

* 맹모단기 / 115
孟:맏 맹 母:어미 모 斷:끊을 단 機:베틀 기
맹자가 유학을 중도에 포기하고 돌아왔을 때, 그의 어머니가 짜던 베의 날실(세로로 놓인 실)을 칼로 끊어 학업의 중단을 훈계했다는 뜻으

로, 학문을 중도에 포기하는 것은 짜고 있던 베의 날실을 끊어 버리는 것과 같다는 말.

원말: 맹모단기지교(孟母斷機之敎) 동의어: 단기계(斷機戒) 단기지계(斷機之戒)

유의어: 맹모단기지교(孟母斷機之敎) 맹모삼천지교(孟母三遷之敎)

출전: 열녀전의 모의전 / 몽구

* 맹모삼천 / 116

孟:맏 맹 母:어미 모 三:석 삼 遷:옮길 천

맹자의 어머니가 아들의 교육을 위해 집을 세 번이나 옮겼다는 말이며, 곧 어린이의 교육에는 환경이 무엇보다 중요하다는 것을 이르는 말.

원말: 맹모삼천지교(孟母三遷之敎) 동의어: 삼천지교(三遷之敎)

유의어: 맹모단기지교(孟母斷機之敎) 현모지교(賢母之敎)

출전: 열녀전의 모의전

* 명경지수 / 117

明:밝을 명 鏡:거울 경 止:그칠 지 水:물 수

맑은 거울과 고요한 물이라는 뜻으로, 밝고 고요한 마음의 상태를 이르는 말.

유의어: 평정지심(平靜之心) 출전: 장자의 덕충부 편 / 응제왕 편

* 모순 / 119

矛:창 모 盾:방패 순

창과 방패라는 뜻으로, 말이나 행동에 있어서 앞뒤가 서로 맞지 않음을 이르는 말.

유의어: 모순당착(矛盾撞着) 상반(相反) 위착(違錯) 자가당착(自家撞着)

출전: 한비자의 난세 편

* 목탁 / 120
木:나무 목 鐸:방울(요령) 탁
나무를 둥글게 깎아 속을 파내어 방울처럼 만든 것으로 ① 염불할 때 사용하는 기구. ② 세상 사람들을 깨우쳐 지도하는 사람이나 기관을 비유하여 이르는 말.
출전: 논어의 팔일 편

* 목후이관 / 123
沐:머리 감을 목 猴:원숭이 후 而:말 이를 이 冠:갓 관
머리를 감은 원숭이가 갓을 썼다는 뜻으로, 겉치장을 했다 한들 생각과 행동이 사람답지 못함을 이르는 말.
유의어: 호이관(虎而冠) 출전: 사기

* 무병자구 / 125
無:없을 무 病:질병 병 自:스스로 자 灸:뜸 구
병이 없는데 스스로 뜸질을 한다는 뜻으로, 불필요한 노력으로 인해 정력을 낭비한다는 말.
출전: 장자의 잡 편

* 무용지용 / 127
無:없을 무 用:쓸 용 之:갈 지 用:쓸 용
쓸모가 없는 것이 때로는 더 쓸모가 있다는 말.
출전: 장자의 인간세 · 외물 · 산목 편

* 묵적지수 / 129
墨:먹 묵 翟:꿩 적 之:갈 지(…의) 守:지킬 수

묵적이 성을 견고하게 지켰다는 뜻으로 자기 의견이나 주장을 끝까지 굽히지 않고 이루어 냄, 또는 융통성이 없음을 비유하여 이르는 말.

준말: 묵수(墨守) 출전: 묵자의 공수반 편

* 문경지교 / 131

刎:목 찌를 문 頸:목 경 之:갈 지(…의) 交:사귈 · 벗 교

목을 베어 줄 수 있을 정도로 절친한 사귐을 뜻하며, 우정이 깊어 생사를 같이 하는 친구를 이르는 말.

동의어: 문경지계(刎頸之契) 문경지우(刎頸之友)

유의어: 관포지교(管鮑之交) 금란지계(金蘭之契) 단금지계(斷金之契)

참고: 완벽(完璧) 출전: 사기의 염파인상여열전

* 문전성시 / 133

門:문 문 前:앞 전 成:이룰 성 市:저자 · 도시 시

문 앞에 저자를 이룬다는 뜻으로, 세도가나 부잣집에 사람들이 많이 드나드는 것을 이르는 말.

유의어: 문전여시(門前如市) 문정약시(門庭若市) 문정여시(門庭如市)

반의어: 문외가설작라(門外可設雀羅) 문전작라(門前雀羅)

출전: 한서의 손보전 / 정숭전

* 문전작라 / 135

門:문 문 前:앞 전 雀:참새 작 羅:벌일 라

문 앞에 새그물을 친 것과 같다는 뜻으로, 권세를 잃거나 가난하고 천해지면 찾아오는 사람도 없다는 말.

원말: 문외가설작라(門外可設雀羅) 반의어: 문전성시(門前成市)

출전: 사기의 급정열전 / 백거이의 우의시

* 미봉 / 136

彌:기울(수선할) 미 縫:꿰맬 봉

임시로 이리저리 꾸며대어 맞춤.

유의어: 고식(姑息) 임시변통(臨時變通) 출전: 춘추좌씨전의 환공5년조

* 미생지신 / 138

尾:꼬리 미 生:날 생 之:갈 지(…의) 信:믿을 신

미생이라는 사람의 믿음을 뜻하며, 굳게 지키는 약속 또는 고지식하여 융통성이 없음을 이르는 말.

동의어: 포주지신(抱柱之信) 출전: 사기의 소진열전 / 장자의 도척 편

바

* 반식재상 / 139

伴:짝 반 食:밥 · 먹을 식 宰:재상 재 相:서로 상

아무 능력도 없이 어떠한 직책만 차지하고 있는 재상(대신)을 비꼬아 이르는 말.

동의어: 반식대신(伴食大臣)

유의어: 녹도인(祿盜人) 시위소찬(尸位素餐) 의관지도(衣冠之盜)

출전: 구당서의 노회신전

* 발본색원 / 140

拔:뺄 발 本:근본 본 塞:막을 색 源:근원 원

사물의 근본 원인을 뽑아 없애고, 근원을 아주 없애 버린다는 뜻으로, 폐단의 근본 원인을 모조리 제거한다는 말.

동의어: 전초제근(剪草除根) 유의어: 삭주굴근(削株堀根) 출전: 춘추좌씨전의 소공 편

* 배수지진 / 141

背:등 배 水:물 수 之:갈 지(…의) 陣:진칠 진

물을 등지고 친 진지라는 뜻으로, 목숨을 걸고 어떤 일에 대처하는 경우를 이르는 말.

동의어: 배수진(背水陣) 참고: 천려일실(千慮一失)

출전: 사기의 회음후열전 / 십팔사략의 한태조고황제

* 배중사영 / 143

杯:술잔 배 中:가운데 중 蛇:뱀 사 影:그림자 영)

술잔 속에 비친 뱀의 그림자란 뜻으로, 쓸데없는 의심을 품으면 탈이 난다는 것을 비유한 말.

유의어: 반신반의(半信半疑) 의심암귀(疑心暗鬼) 출전: 진서의 악광전 / 후한서의 풍속통의

* 백년하청 / 145

百:일백 백 年:해 년 河:물 하 淸:맑은 청

황하의 물이 맑기를 무작정 기다린다는 뜻으로, 아무리 바라고 기다려도 실현될 가망이 없음을 이르는 말.

원말: 백년사하청(百年俟河淸) 동의어: 천년하청(千年河淸)

유의어: 부지하세월(不知何歲月)

참고: 연목구어(緣木求魚) 육지행선(陸地行船) 이란투석(以卵投石)

출전: 춘추좌씨전의 양공8년조

* 백면서생 / 146

白:흰 백 面:얼굴 면 書:글 서 生:날 생

오직 글만 읽고 세상일에 경험이 없는 젊은이를 이르는 말.

동의어: 백면랑(白面郎) 백면서랑(白面書郎) 출전: 송서의 심경지전

* 백문불여일견 / 147

百:일백 백 聞:들을 문 不:아니 불 如:같을 여 一:한 일 見:볼 견

백 번 듣는 것이 한 번 보는 것만 못하다는 뜻으로, 여러 번 말로 듣는 것보다 실제로 한 번 보는 것이 더 낫다는 말.

출전: 한서의 조충국전

* 백미 / 149

白:흰 백 眉:눈썹 미

흰 눈썹이라는 뜻으로, 여러 사람 중에서 가장 뛰어난 사람. 또는 많은 것 중에서 가장 뛰어난 것을 이르는 말.

유의어: 학립계군(鶴立鷄群) 참고: 군계일학(群鷄一鶴)

출전: 삼국지의 촉지 마량전

* 백아절현 / 151

伯:맏 백 牙:어금니 아 絕:끊을 절 絃:악기 줄 현

백아가 거문고의 줄을 끊었다는 뜻으로, 서로 마음이 통하는 참다운 벗의 죽음을 이르는 말.

동의어: 백아파금(伯牙破琴)

유의어: 고산유수(高山流水) 지기지우(知己之友) 준말: 절현(絕絃)

출전: 열자의 탕문 편

* 백안시 / 153

白:흰 백 眼:눈 안 視:볼 시

흘겨보는 눈을 뜻함, 사람을 못마땅하게 생각하거나 싫어함을 이르는 말.

유의어: 백안(白眼) 무시(無視) 반의어: 청안시(靑眼視) 출전: 진서의 완적전

* 백전백승 / 154

百:일백 백 戰:싸울 전 百:일백 백 勝:이길 승

백 번 싸워 백 번 이긴다는 뜻으로, 싸울 때 마다 번번이 다 이긴다는 말.

동의어: 연전연승(連戰連勝) 반의어: 백전백패(百戰百敗)

참고: 백발백중(百發百中) 출전: 손자의 모공 편

* 백중지세 / 155

伯:맏 백 仲:버금 중 之:갈 지(…의) 勢:형세 세

맏형과 둘째 형을 뜻하는데, 서로 비슷하여 우열을 가리기가 힘들다는 것을 이르는 말.

동의어: 난형난제(難兄難弟) 백중(伯仲) 백중세(伯仲勢) 백중지간(伯仲之間)

유의어: 막상막하(莫上莫下) 춘란추국(春蘭秋菊) 출전: 문제 조비의 전론

* 복수불반분 / 157

覆:엎을 복 水:물 수 不:아니 불 返:돌이킬 반 盆:동이 분

한번 엎지른 물은 다시 그릇에 담을 수 없다는 뜻으로, 일단 저지른 일은 다시 되돌릴 수 없다는 비유의 말.

동의어: 복배지수(覆杯之水) 복수불수(覆水不收)

유의어: 낙화불반지(落花不返枝) 파경부조(破鏡不照) 파경지탄(破鏡之歎)

출전: 습유기

* 부마 / 159

駙:곁말 부 馬:말 마

임금의 사위. 공주의 남편

원말: 부마도위(駙馬都尉) 출전: 간보의 수신기

* 분서갱유 / 161
焚:불사를 분 書:글 서 坑:묻을 갱 儒:선비 유
책을 불사르고 선비들을 산 채로 구덩이에 묻어 죽인다는 뜻으로, 진나라 시황제의 가혹한 정치 탄압을 이르는 말.
동의어: 갱유분서(坑儒焚書) 유의어: 진화(秦火) 출전: 사기의 진시황본기

* 불구대천지수 / 163
不:아니 불 俱:함께 구 戴:머리에 일 대 天:하늘 천 之:갈 지(…의) 讎:원수 수
한 하늘 아래서는 같이 살 수 없는 원수란 뜻으로,
도저히 그냥 둘 수 없을 만큼 원한이 사무친 원수를 이르는 말.
준말: 불공대천(不共戴天) 불구대천(不俱戴天)
출전: 예기의 곡례 편 / 맹자의 진심 편

* 불문곡직 / 164
不:아닐 불 問:물을 문 曲:굽을 곡 直:곧을 직)
굽은 것과 곧은 것을 묻지 않는다는 뜻으로, 옳고 그름을 묻지 아니함.
출전: 사기의 이사열전

* 불혹 / 166
不:아니 불 惑:미혹할 혹
정신적인 판단에 있어 흔들리지 않을 나이. 나이 마흔 살을 이르는 말.
동의어: 불혹지년(不惑之年)
출전: 논어의 위정 편

사

* 사면초가 / 167

四:넉 사 面:낯 · 겉 · 대할 면 楚:초나라 초 歌:노래 가

사면에서 들려오는 초나라의 노래란 뜻으로, 사방이 모두 '적으로 둘러싸인 형국' 이나 누구의 도움도 받을 수 없는 '고립된 상태' 를 이르는 말.

동의어: 사면초가성(四面楚歌聲)

유의어: 고립무원(孤立無援) 진퇴양난(進退兩難) 진퇴유곡(進退維谷)

준말: 초가(楚歌)

참고: 건곤일척(乾坤一擲) 걸해골(乞骸骨) 권토중래(捲土重來)

출전: 사기의 항우본기

* 사분오열 / 169

四:넉 사 分:나눌 분 五:다섯 오 裂:찢어질 열

넷으로 다섯으로 나누어 분산시킨다는 뜻으로 여러 갈래로 갈기갈기 찢기거나, 분열되어 질서가 없어짐을 일컫는 말.

출전: 전국책의 위책

* 사이비 / 170

似:같을 사 而:어조사 이 非:아닐 비

겉으로는 그것이 제법 그럴듯하지만 실제로는 전혀 다르거나 가짜인 것을 이르는 말.

원말: 사이비자(似而非者) 사시이비(似是而非)

출전: 맹자의 진심 편 / 논어의 양화 편

* 사족 / 171

蛇:뱀 사 足:발 족

뱀의 발을 뜻하는 것으로, 있는 것보다 없는 편이 더 낫고, 안 해도 될 쓸데없는 일을 덧붙여 하다가 도리어 일을 그르친다는 말.

출전: 전국책의 제책 / 사기의 초세가

* 살신성인 / 172

殺:죽일 살 身:몸 신 成:이룰 성 仁:어질 인

몸을 죽여 어질게 한다는 뜻으로, 곧 옳은 일을 위하여 자기 몸을 희생한다는 말.

유의어: 맹왈취의(孟曰取義) 명연의경(命緣義輕) 사생취의(捨生取義)

참고: 공이망사(公而忘私) 대공무사(大公無私) 출전: 논어 위령공 편

* 삼고초려 / 173

三:석 삼 顧:돌아볼 고 草:풀 초 廬:풀집 려

초가집을 세 번 찾아간다는 뜻으로, 인재를 맞아들이려면 여러 번 찾아가서 예를 다해야 한다는 말.

동의어: 삼고지례(三顧之禮) 초려삼고(草廬三顧) 유의어: 삼고지우(三顧知遇)

준말: 삼고(三顧) 참고: 수어지교(水魚之交) 출전: 삼국지의 촉지 제갈량전

* 삼십육계 주위상계 / 175

三:석 삼 十:열 십 六:여섯 육 計:꾀할 계 走:달아날 주 爲:할 위 上:위 상 計:꾀할 계

36가지 계책 가운데 피하는 것이 제일 좋은 계책이라는 뜻으로, 불리하거나 도망가야 할 상황이 닥치면 우선적으로 피하는 것이 상책이라는 말.

동의어: 삼십육계 주위상책(三十六計走爲上策) 출전: 자치통감의 141권 / 제서의 왕경칙전

* 삼인성호 / 177

三:석 삼 人:사람 인 成:이룰 성 虎:범 호

세 사람이 서로 짜면 저잣거리에 호랑이가 나타났다고 말을 할 수 있다는 뜻으로, 근거 없는 말[거짓말]이라도 여러 사람이 하면 이를 믿게 된다는 말.

동의어: 삼인언이성호(三人言而成虎) 시유호(市有虎) 시호삼전(市虎三傳)

유의어: 십작목무부전(十斫木無不顚) 증삼살인(曾參殺人)

출전: 전국책의 위책 혜왕 / 진책

* 상전벽해 / 179

桑:뽕나무 상 田:밭 전 碧:푸를 벽 海:바다 해

뽕밭이 변하여 푸른 바다가 된다는 뜻으로, 세상이 덧없이 바뀜을 이르는 말.

동의어: 벽해상전(碧海桑田) 창상지변(滄桑之變) 창해상전(滄海桑田)

유의어: 능곡지변(陵谷之變) 준말: 상해(桑海) 출전: 신선전의 마고(늙은) 선녀 이야기

* 새옹지마 / 180

塞:변방 새 翁:늙은이 옹 之:갈 지(…의) 馬:말 마

세상일이란 종잡을 없는 것과 마찬가지로 길흉화복(사람의 운수)은 항상 바뀌기 때문에 예측할 수 없다는 말.

원말: 인간 만사 새옹지마(人間萬事塞翁之馬)

동의어: 북옹마(北翁馬), 새옹마(塞翁馬)

유의어: 새옹화복(塞翁禍福) 전화위복(轉禍爲福) 화복규승(禍福糾繩)

참고: 새옹득실(塞翁得失) 출전: 회남자의 인간훈

* 서시빈목 / 181

西:서녁 서 施:베풀 시 矉:눈살 찌푸릴 빈 目:눈 목)

서시가 눈살을 찌푸린다는 뜻으로 무조건 남의 흉내를 내거나 단점을 장점인 줄 알고 본뜨는 것을 이르는 말.

동의어: 서시봉심(西施捧心) 서시효빈(西施效빈).

출전: 장자의 천운 편

* 선시어외 / 183

先:먼저 선 始:비로소 시 於:어조사 어(…에, …보다)

隗:사람(나라) 이름 외 · 높을 외

먼저 외(사람[나라] 이름)부터 시작하라는 뜻으로, 가까이 있는 사람[말한 사람]부터 먼저 시작하라는 말.

출전: 전국책의 연책 소왕

* 선즉제인 / 186

先:먼저 선 則:곧 즉 制:억제할 제 人:사람 인

상대편이 수를 쓰기 전에 먼저 수를 쓰면 상대를 제압할 수 있다는 뜻.

유의어: 진승오광(陳勝吳廣) 대응어: 후즉위인소제(後則爲人所制)

출전: 사기의 항우본기 / 한서의 항적전

* 세월부대인 / 187

歲:해 세 月:달 월 不:아니 불 待:기다릴 대 人:사람 인

세월은 사람을 기다려 주지 않는다.

출전: 도연명의 고문진보에 나오는 잡시

주요작품: 귀원전거, 오류선생전, 도화원기, 귀거래사.

* 송양지인 / 188

宋:송나라 송 襄:도울 양 之:갈 지(…의) 人:사람 인

송나라 양공의 인정이란 뜻으로, 쓸데없이 인정을 베푸는 어리석음을 일컫는 말.

출전: 십팔사략

* 수서양단 / 189

首:머리 수 鼠:쥐 서 兩:두 양 端:바를 · 실마리 단

구멍 속에서 쥐가 머리만을 내밀고 주변을 살핀다는 뜻으로, 어느 쪽으로도 마음을 정하지 못한 채 주저함을 일컫는 말.

동의어: 수시양단(首施兩端)

유의어: 좌고우면(左顧右眄)

출전: 사기의 위기무안후열전

* 수석침류 / 191

漱:양치질할 수 石:돌 석 枕:베개 침 流:흐를 류

돌로 양치질을 하고 흐르는 물을 베게로 삼는다는 뜻으로, 자기의 잘못을 인정하지 않고 억지스럽게 우긴다는 말.

동의어: 침류수석(枕流漱石)

유의어: 견강부회(牽强附會) 궤변(詭辯) 아전인수(我田引水)

추주어륙(推舟於陸)

참조: 영천세이(潁川世耳) 청담(淸談)

출전: 진서의 손초전

* 수적천석 / 192

水:물 수 滴:물망울 적 穿:뚫을 천 石:돌 석

물방울이 돌을 뚫는다는 뜻으로, 작은 노력이라도 지속적으로 하면 큰 것을 이룰 수 있다는 비유의 말.

동의어: 점적천석(點滴穿石)

유의어: 산류천석(山溜穿石) 우공이산(愚公移山) 적수성연(積水成淵)
적토성산(積土成山)

출전: 채근담 / 나대경의 학림옥로

* 수주대토 / 194

守:지킬 수 株:그루터기 주 待:기다릴 대 兎:토끼 토

그루터기(나무나 풀 따위를 베고 남은 밑동)를 지키면서 토끼를 기다린다는 뜻으로, 노력도 않은 채 기회가 찾아오기만을 어리석게 기다린다는 말.

유의어: 연목구어(緣木求魚) 출전: 한비자의 오두 편

* 수즉다욕 / 195

壽:목숨 수 則:곧 즉 · 법칙 칙 多:많을 다 辱:욕되게 할 욕

오래 살면 욕되는 일이 많다는 뜻으로, 오래 살다 보면 그만큼 망신스러운 일을 많이 겪게 된다는 말.

출전: 장자의 천지 편

* 수청무대어 / 197

水:물 수 淸:맑을 청 無:없을 무 大:클 대 魚:고기 어)

물이 맑으면 큰 물고기가 살 수 없다는 뜻으로, 사람이 너무 결백하면 사람들이 가까이하지 않음을 비유하여 이르는 말.

원말: 수지청즉무어(水至淸則無魚)

동의어: 수청무어(水淸無魚) 수청어불(주)서(水淸魚不(住)棲)

참고: 불입호혈 부득호자(不入虎穴不得虎子)

출전: 후한서의 반초전

* 순망치한 / 199

脣:입술 순 亡:망할 · 잃을 망 齒:이 치 寒:찰 한

입술이 없으면 이가 시리다는 뜻으로, 이해 관계가 서로 밀접하여 한쪽이 망하면 다른 한쪽도 보전하기 어려움을 비유하여 이르는 말.

동의어: 순치보거(脣齒輔車) 순치지국(脣齒之國)

유의어: 거지양륜(車之兩輪) 조지양익(鳥之兩翼) 참고: 보거상의(輔車相依)

출전: 춘추좌씨전의 희공5년조

* 시오설 / 201

視:볼 시 吾:나(자신) 오 舌:혀 설

내 혀를 보라는 뜻으로, 혀만 있으면 천하도 움직일 수 있다는 말.

동의어: 상존오설(尙存吾舌)

참고: 계구우후(鷄口牛後) 고침안면(高枕安眠)

출전: 사기의 장의열전

* 시위소찬 / 203

尸:시동 시 位:자리 위 素:흴 소 餐:먹을 찬)

신위 앞에 차려진 찬이란 뜻으로, 자리만 차지하고 하는 일없이 녹만 받아먹는 사람을 일컫는 말.

유의어: 녹도인(祿盜人) 반식대신(伴食大臣) 의관진도(衣冠之盜)

출전: 한서의 주운전

아

* 안서 / 204

雁:기러기 안　書:쓸 · 편지 서

기러기가 소식을 전한다는 뜻으로, 편지를 일컫는 말.

동의어: 안백(雁帛)　안보(雁報)　안신(雁信)　안찰(雁札)

참고: 인생조로(人生朝露)　출전: 한서의 소무전

* 안중지정 / 205

眼:눈 안　中:가운데 중　之:갈 지(…의)　釘:못 정

눈에 박힌 못이라는 뜻으로, 나에게 해를 끼치기 때문에 몹시 밉고, 늘 눈에 거슬리는 사람을 일컫는 말.

동의어: 안중정(眼中釘)　출전: 신오대사

* 암중모색 / 206

暗:어두울 암　中:가운데 중　摸:더듬을 모　索:찾을 색

어둠 속에서 손으로 더듬으며 물건을 찾는다는 뜻으로, 확실한 방법을 모르는 채 이리저리 시도하는 것을 이르는 말.

동의어: 암중모착(暗中摸捉)　유의어: 오리무중(五里霧中)　준말: 암색(暗索)

출전: 수당가화

* 약롱중물 / 207

藥:약 약　籠:대그릇 롱　中:가운데 중　物:만물 물

약장 속의 약이라는 뜻으로, 항상 곁에 없어서는 안 될 중요한 인재를 일컫는 말.

동의어: 약롱지물(藥籠之物)　참고: 양약고구(良藥苦口)　출전: 당서의 적인걸전

* 양금택목 / 209

良:좋을 양[량] 禽:새 금 擇:가릴 택 木:나무 목

새는 좋은 나무를 가려 택한다는 뜻으로, 현명한 사람은 자기를 키워 줄 사람을 가려서 모신다는 말.

동의어: 양금상목서(良禽相木棲)

출전: 춘추좌씨전의 애공11년조 / 삼국지의 촉지

* 양두구육 / 210

羊:양 양 頭:머리 두 狗:개 구 肉:고기 육

양의 머리를 내걸어 놓고 실제로는 개고기를 판다는 뜻으로, 선전은 그럴싸하지만 내실이 따르지 못함, 또는 겉과 속이 다름을 비유하여 이르는 말.

원말: 현양두 매구육(懸羊頭賣狗肉)

동의어: 현양수매마육(懸羊首賣馬肉) 현우수(매)마육(懸牛首(賣)馬肉)

유의어: 양질호피(羊質虎皮) 현옥매석(懸玉賣石)

출전: 안자춘추 / 무문관 / 설원

* 양상군자 / 211

梁:들보 량 上:위 상 君:임금 · 군자 군 子:아들 · 사람 자

대들보 위에 있는 군자라는 뜻으로, 도둑을 점잖게 이르거나 또는 쥐를 비유하여 이르는 말.

유의어: 무본대상(無本大商) 녹림호걸(綠林豪傑)

출전: 후한서의 진식전

* 양약고구 / 213

良:좋을 량 藥:약 약 苦:쓸 고 於:어조사 어(…에, …보다) 口:입 구

좋은 약은 입에 쓰다는 뜻으로, 바르게 충고하는 말은 귀에 거슬리지만 자신을 이롭게 한다는 말의 비유.

원말: 양약고어구(良藥苦於口)

동의어: 간언역어이(諫言逆於耳) 금언역어이(金言逆於耳)
충언역어이(忠言逆於耳)

출전: 사기의 유후세가 / 공자가어의 육본편

* 어부지리 / 215

漁:고기 잡을 어 父:아비 부 之:갈 지(…의) 利:이로울 리

황새와 조개가 싸우고 있는 사이에 어부가 쉽게 둘을 다 잡았다는 뜻으로, 둘이 다투고 있는 사이에 엉뚱한 사람이 힘들이지 않고 이익을 챙긴다는 말.

동의어: 견토지쟁(犬兎之爭) 방휼지쟁(蚌鷸之爭) 어인지공(漁人之功)
좌수어인지공(坐收漁人之功)

참고: 전부지공(田夫之功)

출전: 전국책의 연책

* 역자교지 / 217

易:바꿀 역 子:아들 자 敎:가르칠 교 之:갈 지(…의)

남의 자식을 내가 가르치고, 내 자식을 남에게 부탁하여 가르친다는 뜻으로, 자기 자식을 가르치기는 어렵다는 말.

동의어: 역자이교지(易子而敎之)

출전: 맹자의 이루상

* 연목구어 / 218

緣:인연 · 인할 연 木:나무 목 求:구할 구 魚:고기 어

나무에 올라가 물고기를 구한다는 뜻으로, 불가능한 일을 하려 함의 비유. 또는 수고한 만큼의 어떤 것도 얻지 못함에 대한 비유.

유의어: 건목수생(乾木水生) 사어지천(射魚指天) 상산구어(上山求魚)

출전: 맹자의 양혜왕 편

* 오리무중 / 220

五:다섯 오 里:마을 · 이수 리 霧:안개 무 中:가운데 중

5리에 걸친 깊은 안개 속이라는 뜻으로, 어디에 있는지 찾을 길이 막연하거나, 갈피조차 잡지 못하는 것을 이르는 말.

동의어: 오리무(五里霧)

출전: 후한서의 장해전

* 오십보백보 / 221

五:다섯 오 十:열 십 步:걸음 보 百:일백 백 步:걸음 보

50보를 달아난 사람이 100보를 달아난 사람을 보고 비웃더라도, 달아나기는 매일반이란 뜻으로, 약간의 차이는 있으나 본질적으로 같음을 말함.

동의어: 오십보소백보(五十步笑百步)

유의어: 대동소이(大同小異) 주축일반(走逐一般) 피차일반(彼此一般)

출전: 맹자의 양혜왕 상 편

* 오월동주 / 223

吳:오나라 오 越:넘을 월나라 월 同:한가지 동 舟:배 주

적대 관계에 있는 오나라 사람과 월나라 사람이 같은 배를 타고 있다는 뜻으로, 서로 적의를 품은 사람끼리 한 자리나 같은 처지에 있게 된 경우, 또는 서로 미워하면서도 이해 관계에 따라 협력하는 경우를 이르는 말.

동의어: 오월지쟁(吳越之爭) 오월지사(吳越之思)

유의어: 동주상구(同舟相救) 동주제강(同舟濟江) 오월지부(吳越之富)
호월동주(胡越同舟)

참고: 와신상담(臥薪嘗膽) 출전: 손자의 구지 편

* 오합지중 / 225

烏:까마귀 오 合:합할 합 之:갈 지(…의) 衆:무리 중

까마귀 떼처럼 아무 규율도 통일성도 없이 몰려 있는 무리를 뜻하는 것으로, 이곳저곳에서 모인 훈련되지 않은 군사를 이르는 말.

동의어: 오합지졸(烏合之卒) 유의어: 와합지중(瓦合之衆)

출전: 후한서의 경감전

* 옥석혼효 / 226

玉:옥 옥 石:돌 석 混:섞을 혼 淆:뒤섞일 효

옥과 돌이 섞여 있다는 뜻으로, 좋은 것과 나쁜 것, 또는 훌륭한 것과 보잘것없는 것이 한데 뒤섞여 있음을 비유하여 이르는 말.

동의어: 옥석동가(玉石同架) 옥석혼교(玉石混交)

유의어: 옥석구분(玉石俱焚) 옥석동쇄(玉石同碎)

출전: 포박자의 외편

* 온고지신 / 227

溫:따뜻할 · 복습할 온 故:연고 · 예 고 知:알 · 깨달을 지 新:새 신

옛 것을 익혀 새로운 지식이나 도리를 미루어 안다는 뜻.

원말: 온고이지신 가이위사의(溫故而知新 可以爲師矣)

유의어: 박고지금(博古知今) 이고위감(以告爲鑑)

학우고훈(學于古訓)

출전: 논어의 위정 편

* 와각지쟁 / 229

蝸:달팽이 와 角:뿔 각 之:갈 지(…의) 爭:다툴 쟁

달팽이 뿔(더듬이) 위에서의 싸움이란 뜻으로, 넓은 의미의 우주로 보면 별것도 아닌 사소한 일로 다툼, 또는 작은 나라끼리 싸우는 일을 비유한 말.

원말: 와우각상지쟁(蝸牛角上之爭)

동의어: 와각상쟁(蝸角相爭) 와우각상(蝸牛角上) 와우지쟁(蝸牛之爭)

유의어: 만촉지쟁(蠻觸之爭) 와각지세(蝸角之勢)

출전: 장자의 즉양 편

* 와신상담 / 231

臥:누울 와 薪:섶(땔)나무 신 嘗:맛볼 상 膽:쓸게 담

일부러 섶 위에서 잠을 자고, 쓸개를 핥는다는 뜻으로, 원수를 갚거나 어떤 목적을 이루기 위해 괴로움을 참고 견딤을 비유하여 이르는 말.

유의어: 절치액완(切齒扼腕) 회계지치(會稽之恥)

출전: 사기의 월세가

* 완벽 / 233

完:완전할 완 璧:둥근 옥 벽

흠잡을 데 없는 구슬. 결점이 없는 그 자체 또는 빌려 온 물건을 흠짐이 없이 돌려보냄.

동의어: 완조(完調) 유의어: 연성지벽(連城之璧) 和氏之璧(화씨지벽)

출전: 한비자의 화씨 편 / 사기의 인상여열전

* 요동지시 / 236

遼:멀 · 나라 이름 요 東:동녘 동 之:갈 지(…의) 豕:돼지 시

요동의 돼지라는 뜻으로, 견문이 좁아서 세상에 흔히 있는 것도 모르는 채 우쭐거리며 뽐냄을 비유하여 이르는 말.

동의어: 요동시(遼東豕) 준말: 요시(遼豕)

출전: 후한서의 주부전

* 우공이산 / 238

愚:어리석을 우 公:귀 공 移:옮길 이 山:메 산

우공이 산을 옮긴다는 뜻으로, 남이 보기엔 어리석은 일처럼 보이지만 끊임없이 노력하면 반드시 목적한 바를 이룰 수 있다는 말.

유의어: 마부작침(磨斧作針) 마부위침(磨斧爲針) 수적천석(水適穿石)
십벌지목(十伐之木) 적토성산(積土成山)

출전: 열자의 탕문 편

* 원교근공 / 239

遠:멀 원 交:사귈 교 近:가까울 근 攻:칠 공

먼 나라와 친교를 맺고 가까운 나라를 공략하는 정책을 이르는 말.

참고: 누란지위(累卵之危) 출전: 사기의 범저열전

* 원수불구근화 / 241

遠:멀 원 水:물 수 不:아니 불 救:구원할 구 近:가까울 근 火:불 화

먼데있는 물은 가까운 곳에서 난 불을 끄지 못한다는 뜻으로, 멀리 있는 것은 급할 때 전혀 도움이 안 된다는 말.

동의어: 원수불해근갈(遠水不解近渴) 출전: 한비자의 세림 편

* 원입골수 / 242

怨:원망할 원 入:들 입 骨:뼈 골 髓:골수 수

원한이 뼈에 사무친다는 뜻으로, 원한이 마음 속 깊이 맺혀서 잊기 어렵다는 말.

원말: 원입어골수(怨入於骨髓) 동의어: 원철골수(怨徹骨髓) 한입골수(恨入骨髓)

출전: 사기의 진본기

* 월하빙인 / 243

月:달 월 下:아래 하 氷:얼음 빙 人:사람 인

달빛 아래 노인과 얼음 위에 있는 사람을 합한 말로, 중매쟁이를 이르는 말.

동의어: 빙상인(氷上人) 빙인(氷人) 월하노인(月下老人)

유의어: 적승자(赤繩子) 준말: 빙인(氷人)

출전: 속유괴록 / 진서의 삭담 편

* 은감불원 / 245

殷:은나라 은 鑑:거울 감 不:아니 불 遠:멀 원

은나라의 거울은 먼 곳에 있지 않다는 뜻으로, 다른 사람의 잘못을 자신의 거울로 삼으라는 말.

원말: 은감불원 재하후지세(殷鑑不遠 在夏后之世) 동의어: 상감불원(商鑑不遠)

유의어: 복차지계(覆車之戒) 복철(覆轍) 전차복철(前車覆轍)

참고: 麥秀之嘆(맥수지탄) 주지육림(酒池肉林) 출전: 시경의 대아 편 탕시

* 읍참마속 / 247

泣:울 읍 斬:벨 참 馬:말 마 謖:일어날 속

눈물을 흘리면서 목을 벤다는 뜻으로, 큰 목적이나 원칙을 위해서라면 아끼는 사람도 버린다는 말.

유의어: 대의멸친(大義滅親) 일벌백계(一罰百戒) 참고: 휘루참마속(揮淚斬馬謖)

출전: 삼국지의 촉지 제갈량전

* 의심암귀 / 249

疑:의심할 의 心:마음 심 暗:어두울 암 鬼:귀신 귀

의심하는 마음을 가지면 없는 귀신도 있는 것처럼 느껴진다는 뜻으로, 마음속에 의심이 생기면 갖가지 망상으로 판단이 흐려짐을 이르는 말.

원말: 의심생암귀(疑心生暗鬼) 유의어: 배중사영(杯中蛇影) 절부지의(竊斧之疑)

출전: 열자의 설부 편

* 이목지신 / 250

移:옮길 이 木:나무 목 之:갈 지(…의) 信:믿을 신

나무를 옮기게 하여 백성들을 믿게 한다는 뜻으로, 남을 속이지 않음, 또는 약속을 반드시 실천에 옮김.

동의어: 사목지신(徙木之信)

유의어: 거경지신(巨卿之信) 계포일락(季布一諾) 금석맹약(金石盟約)

반의어: 식언(食言) 출전: 사기의 상군열전

* 이심전심 / 251

以:써 이 心:마음 심 傳:전할 전 心:마음 심

마음에서 마음으로 뜻을 전한다는 말.

동의어: 염화미소(拈華微笑) 염화시중(拈華示衆)

유의어: 교외별전(敎外別傳) 불립문자(不立文字) 심심상인(心心相印)

출전: 오등회원의 전등록 / 무문관 / 육조단경

* 인생조로 / 252

人:사람 인 生:날 · 살 생 朝:아침 조 露:이슬 로

사람의 생은 아침 이슬과 같다는 뜻으로, 삶의 덧없음을 이르는 말.

원말: 인생여조로(人生如朝露)

유의어: 인생초로(人生草露)

참고: 안서(雁書) 구우일모(九牛一毛)

출전: 한서의 소무전

* 일거양득 / 253

一:한 일 擧:들 거 兩:두 량 得:얻을 득

한 가지 일로써 두 가지의 이익을 얻음.

동의어: 일거양획(一擧兩獲) 일석이조(一石二鳥) 일전쌍조(一箭雙鳥)

반의어: 일거양실(一擧兩失)

준말: 양득(兩得) 참고: 조명시리(朝名市利)

출전: 진서의 속석전 / 전국책의 진책 / 춘추후어

* 일망타진 / 255

一:한 일 網:그물 망 打:칠 타 盡:다할 진

한 번 그물을 쳐서 모조리 잡는다는 뜻으로, 어떤 무리를 한꺼번에 몽땅 잡는다는 말.

준말: 망타(網打)

출전: 송사의 인종기 / 동헌필록

* 일자천금 / 257

一:한 일 字:글자 자 千:일천 천 金:쇠 금

하나의 글자엔 천금의 가치가 있다는 뜻으로, 매우 훌륭한 글이나 시문을 비유하여 이르는 말.

유의어: 일자백금(一字百金) 출전: 사기의 여불위열전

* 입향순속 / 258

入:들 입 鄕:마을 향 循:좇을 · 돌 순 俗:풍속 속

다른 지방에 가서는 그 곳 지방의 풍속을 따름.

출전: 회남자의 제속 편

자

* 자두연두기 / 259

煮:삶을 자 豆:콩 두 燃:사를 연 豆:콩 두 萁:콩깍지 기

콩깍지를 태워 콩을 삶는다는 뜻으로 형제간에 서로 다투고 죽이려 하는 것을 이르는 말.

유의어: 골육상쟁(骨肉相爭) 참고: 자두연기

출전: 세설신어의 문학 편

* 자포자기 / 261

自:스스로 자 暴:사나울 포 自:스스로 자 棄:버릴 기

스스로 자신을 학대하고 돌보지 아니함.

준말: 자기(自棄) 자포(自暴) 포기(暴棄)

출전: 맹자의 이루 편

* 전전긍긍 / 263

戰:무서워 떨 전 戰:무서워 떨 전 兢:조심할 긍 兢:조심할 긍

두려운 마음에 벌벌 떠는 모양을 나타내는 것으로, 위기감으로 절박해진 심정을 비유한 말.

동의어: 전전공공(戰戰恐恐)

유의어: 긍긍업업(兢兢業業) 소심익익(小心翼翼).

준말: 전긍(戰兢)

출전: 시경의 소아소민 편 / 논어의 태백 편

* 전차복철 / 264

前:앞 전 車:수레 차 · 거 覆:뒤집힐 복 轍:바퀴 자국 철

앞 수레의 엎어진 바퀴 자국이란 뜻으로, 앞사람의 실패를 보고 뒤따라가는 사람이 이를 경계로 삼아야 한다는 말.

동의어: 복거지계(覆車之戒)

유의어: 답복차지철(踏覆車之轍) 답복철(踏覆轍) 전철(前轍)

참고: 은감불원(殷鑑不遠)

출전: 한서의 가의전

* 전화위복 / 265

轉:구를 전 禍:재화 화 爲:할 · 위할 위 福:복 복

화를 바꾸어 복이 되게 함을 뜻하나, 요즘은 요행적인 의미로 화가 바뀌어 복이 됨을 이른다.

동의어: 인화위복(因禍爲福) 화인위복(禍因爲福)

유의어: 새옹지마(塞翁之馬)

반의어: 호사다마(好事多魔)

출전: 전국책의 연책 / 사기의 열전 편

* 절차탁마 / 266

切:끊을 · 자를 절 磋:갈 차 琢:쫄 탁 磨:갈 마

옥 · 돌 따위를 갈고 닦아 빛을 낸다는 뜻으로, 학문이나 덕행에 관하여 힘써 배우고 닦음.

원말: 여절여차여탁여마(如切如磋如琢如磨)

동의어: 절차(切磋) 준말: 절마(切磨)

출전: 시경의 위풍 편 / 논어의 학이 편

* 정중지와 / 268

井:우물 정 中:가운데 중 之:갈 지(…의) 蛙:개구리 와

우물 안의 개구리이라는 뜻으로, 견문이 좁아 세상 물정에 어둡다는 말.

원말: 정중와 부지대해(井中蛙 不知大海)

동의어: 정와(井蛙) 정저와(井底蛙) 정중와(井中蛙)

유의어: 월견폐설(越犬吠雪) 촉견폐일(蜀犬吠日)

참고: 망양지탄(望洋之嘆) 준말: 정와(井蛙)

출전: 후한서의 마원전 / 장자의 추수 편

* 조강지처 / 270

糟:지게미 조 糠:겨 강 之:갈 지(…의) 妻:아내 처

지게미(술을 거르고 난 찌꺼기)와 겨를 먹을 만큼 고생을 함께 하면서 살아온 본처를 이르는 말.

원말: 조강지처불하당(糟糠之妻不下堂) 유의어: 빈천지교(貧賤之交)

출전: 후한서의 송홍전

* 조령모개 / 271

朝:아침 조 令:법 령 暮:저녁 모 改:고칠 개

아침에 내린 명령을 저녁에 고친다는 뜻으로, 일관성이 없이 갈팡질팡함을 이르는 말.

유의어: 조개모변(朝改暮變) 조령석개(朝令夕改) 조변석개(朝變夕改)

출전: 사기의 평준서

* 조명시리 / 272

朝:아침 · 조정 조 名:이름 · 이름날 명 市:저자 시 利:이로울 리

명예는 조정에서, 이익은 저자에서 다투라는 뜻으로, 무슨 일이든 격에 맞는 곳에서 하라는 말.

유의어: 적시적지(適時適地) 참고: 일거양득(一擧兩得) 출전: 전국책의 진책

* 조삼모사 / 274

朝:아침 조 三:석 삼 暮:저녁 모 四:넉 사

아침에는 세 개, 저녁에는 네 개라는 뜻으로, 눈앞에 보이는 차이만 알고 결과가 같다는 것에 대해서는 모른다는 말. 또는 간사한 꾀로 남을 속이고 농락함을 비유하여 이르는 말.

동의어: 조사모삼(朝四暮三) 유의어: 가기이방(可欺以方) 감언이설(甘言利說).

준말: 조삼(朝三)

출전: 열자의 황제 편 / 장자의 제물론

* 조장 / 276

助:도울 조 長:길 장

흔히 의도적으로 쓸데없는 일이나 손해를 불러들이는 어리석은 행위를 비유한 말.

유의어: 조장발묘(助長拔苗) 반의어: 생묘(生苗)

출전: 맹자의 진심상

* 좌단 / 277

左:왼 좌 袒:웃통 벗을 · 소매를 걷어 올릴 단

웃옷의 왼쪽 팔을 걷는다는 뜻으로, 남의 의견에 동의함.

출전: 사기의 여후본기

* 주지육림 / 279

酒:술 주 池:못 지 肉:고기 육 林:수풀 림

술로 못을 만들고 고기로 숲을 이룬다는 뜻으로, 극히 호사스럽고도 방탕한 술잔치를 이르는 말.

동의어: 육산주지(肉山酒池)

유의어: 육산포림(肉山脯林) 참고: 은감불원(殷鑑不遠)

출전: 십팔사략 / 사기의 은본기

* 죽마고우 / 281

竹:대나무 죽 馬:말 마 故:예 · 연고 고 友:벗 우

대말을 타고 함께 놀던 친구란 뜻으로, 어릴 적부터 같이 놀며 자란 친구를 이르는 말 · 소꿉동무.

동의어: 죽마구우(竹馬舊友) 죽마지우(竹馬之友)

유의어: 기죽지교(騎竹之交) 죽마지호(竹馬之好)

출전: 세설신어의 품조 편 / 진서의 은호전

* 준조절충 / 282

樽:술통 준 俎:도마 조 折:꺾을 절 衝:맞부딪칠 충

술자리에서 대화를 통해 쳐들어오는 적의 창 끝을 꺾는다는 뜻으로, 국제간의 외교적 담판 또는 흥정을 일컫는 말.

유의어: 준조지사(樽俎之師) 출전: 안자춘추의 내 편

* 중과부적 / 284

衆:무리 중 寡:적을 과 不:아닐 불 敵:대적할 · 원수 적

적은 수를 가지고 많은 수와 대적하지 못한다는 뜻으로, 소수는 다수와 맞겨루기가 어려움을 이르는 말.

원말: 가고부가이적중(寡固不可以敵衆)

출전: 양혜왕 편

* 중구난방 / 285

衆:무리 중 口:입 구 難:어려울 난 防:막을 방

많은 사람의 입을 막는 것은 어렵다는 뜻으로, 많은 사람들의 여러 가지 의견을 하나하나 받아들이기가 쉽지 않다는 것을 이르는 말.

출전: 십팔사략

* 중석몰촉 / 286

中:가운데 · (과녁 또는 예상) 맞을 중 石:돌 석 沒:빠질 몰

鏃:살촉 족 · 화살촉 촉

돌에 박힌 화살이라는 뜻으로, 정신을 집중하면 어떤 일이든 이룰 수 있다는 말.

원말: 석(사)중석몰촉(射中石沒鏃)

동의어: 석(사)석몰금음우(射石沒金飮羽) 석(사)석음우(射石飮羽)

웅거석(사)호(熊渠射虎)

유의어: 정신일도하사불성(精神一到何事不成)

출전: 사기의 이장군전

* 중원축록 / 287

中:가운데 중 原:근원 · 벌판 원 逐:쫓을 축 鹿:사슴 록

중원(천하)의 사슴(제왕)을 쫓는다는 뜻으로, 제왕의 자리나 또는 어떤 위치를 차지하기 위해 다투는 일.

동의어: 각축(角逐)

유의어: 중원석(사)록(中原射鹿) 중원장리(中原場裡)

참고: 첩족선득(捷足先得) 첩족선등(捷足先登)

준말: 축록(逐鹿)

출전: 사기의 회음후열전

* 지록위마 / 289

指:손가락 · 가리킬 지 鹿:사슴 록 爲:할 · 위할 위 馬:말 마

사슴을 가리켜 말이라고 한다는 뜻으로, 윗사람을 농락하여 권세를 마음대로 휘두른다는 말.

동의어: 지록작마(指鹿作馬)

유의어: 견강부회(牽强附會)

출전: 사기의 진시황본기

* 지어지앙 / 291

池:못 지 魚:고기 어 :갈 지(…의) 殃:재앙 앙

못(성곽을 방어하기 위해 만든 못)의 물을 퍼내어 불을 끄니 물이 없어져 고기가 죽는다는 뜻으로, 엉뚱한 곳으로 재앙이 미침을 비유하여 이르는 말.

동의어: 앙급지어(殃及池魚)

유의어: 횡래지액(橫來之厄) 출전: 여씨춘추

* 지자천려일실 / 292

智:지혜 지 者:사람 자 千:일천 천 慮:생각할 려 一:한 일
失:잃을 실

지혜로운 사람도 천 번 생각에 한 번의 실책은 있을 수 있다는 뜻으로, 지혜로운 사람이라도 많은 생각을 하다보면 하나쯤의 실책은 있게 마련이라는 말.

원말: 지자천려 필유일실(智者千慮必有一失)

동의어: 지자일실(智者一失) 천려일실(千慮一失) 현자일실(賢者一失)

반의어: 우자천려(愚者千慮) 천려일득(千慮一得)

참고: 배수지진(背水之陣) ※ 천려일실(千慮一失)은 안자춘추에서 처음 언급된 말.

출전: 사기의 회음후열전

* 징갱취제 / 294

懲:혼날 징 羹:국 갱 吹:불 취 齏:냉채(냉이) 제

뜨거운 국에 데면 차가운 나물 반찬도 후후 분다는 뜻으로, 한 번 실패한 것으로 인해 매사에 조심함을 비유하여 이르는 말.

동의어: 징갱취채(懲羹吹菜) 징갱취회(懲羹吹膾)

유의어: 징선기여(懲船忌輿) 오우천월(吳牛喘月)

출전: 초사의 구장 석송

차

* 창업이수성난 / 296

創:비롯할 창 業:업 업 易:쉬울 이 守:지킬 수 成:이룰 성
難:어려울 난

일을 시작하기는 쉬우나 이룬 것을 지키기는 어렵다는 말.

출전: 정관요

* 천고마비 / 298

天:하늘 천 高:높을 고 馬:말 마 肥:살찔 비

하늘이 높고 말이 살찐다는 뜻으로, '가을'을 말할 때에 수식의 의미로 쓰이는 말.

원말: 추고마비(秋高馬肥)

동의어: 추고새마비(秋高塞馬肥)

유의어: 천고기청(天高氣淸)

출전: 한서의 흉노전

* 천재일우 / 300

千:일천 천 載:실을 재 一:한 일 遇:만날 우

천년에 한 번 만난다는 뜻으로, 좀처럼 얻기 어려울 정도의 좋은 기회를 이르는 말.

동의어: 천재일시(千載一時) 천재일회(千載一會)
천세일시(千歲一時)

출전: 문선의 원굉 삼국명신서찬

* 철면피 / 301

鐵:쇠 철 面:낯 · 겉 면 皮:가죽 피

무쇠처럼 두꺼운 낯가죽이라는 뜻으로, 뻔뻔스럽고 염치없는 사람을 이르는 말.

동의어: 후안무치(厚顔無恥) 유의어: 면장우피(面張牛皮)

참고: 파렴치한(破廉恥漢) 출전: 북몽쇄언 / 허당록

* 청운지지 / 302

靑:푸를 청 雲:구름 운 之:갈 지(…의) 志:뜻 지

푸른 구름이라는 뜻으로, 입신 출세에 대한 야망 또는 세상살이에 연연하지 않는 마음을 비유하여 이르는 말.

동의어: 능운지지(陵雲之志) 출전: 장구령의 조경견백발

* 청천백일 / 303

靑:푸를 청 天:하늘 천 白:흰 백 日:날 일

환하게 밝은 대낮을 뜻하는 것으로, 흔히, '청천 백일하에' 로 쓰여 밝은 세상. 죄의 혐의가 풀림을 이르는 말.

출전: 한유의 여최군서

* 청천벽력 / 305

靑:푸를 청 天:하늘 천 霹:벼락 벽 靂:벼락 력

맑게 갠 하늘에서 치는 벼락이란 뜻으로, 갑자기 일어난 큰 사건이나 이변을 비유하여 이르는 말.

원말: 청천비벽력(靑天飛霹靂)

출전: 육유의 검남시고(음력 9월 4일 계미명기작)

* 청출어람 / 306

靑:푸를 청 出:날 출 於:어조사 어(…에, …에서, …보다) 籃:쪽 람

쪽(마디풀과의 일년초)에서 뽑아 낸 남색(파랑과 보라의 중간색) 물감이 쪽보다 더 푸르다는 뜻으로, 제자가 스승보다 후배가 선배보다 더 뛰어남을 이르는 말.

동의어: 출람지예(出藍之譽) 출람지재(出藍之才) 후생각고(後生角高)
출람지영예(出藍之榮譽)

준말: 출람(出藍)

출전: 순자의 권학 편

* 촌철살인 / 308

寸:마디 촌 鐵:쇠 철 殺:죽일 살 人:사람 인

손가락 하나 길이 정도뿐이 안 되는 쇠붙이로도 사람을 죽일 수 있다. 즉 '짧고도 날카로운 말로 상대에게 감동을 주거나, 허(대비가 되어 있지 않은 약점)를 찌를 수 있음' 을 이르는 말.

출전: 학림옥로

* 축록자불견산 / 309

逐:쫓을 축 鹿:사슴 록(권좌의 비유) 者:놈 자 不:아닐 불 見:볼 견 山:뫼 산(무덤)

사슴을 쫓는 사람은 산을 보지 못한다는 뜻으로, 권좌(통치권을 가진 자리)에 탐을 내는 사람은 도리도 저버린다. 또는 한 가지 일에 정신이 팔리면 그 밖의 다른 일은 생각지도 않음을 이르는 말.

동의어: 축수자목불견태산(逐獸者目不見太山)

출전: 회남자의 설림훈 편

* 취모멱자 / 310

吹:불 취 毛:털 모 覓:찾을 멱 疵:흠 자

털을 불어가면서 흠을 찾는다는 뜻으로, 남의 조그만 잘못도 속속들이 찾아냄을 일컫는 말.

동의어: 취모구자(吹毛求疵)

유의어: 취모구하(吹毛求瑕) 취모색구(吹毛索垢) 취모색자(吹毛索疵) 취색(吹索)

준말: 취모(吹毛) 출전: 한비자의 대체 편

* 측은지심 / 311

惻:슬퍼 할 측 隱:불쌍히 여길 은 之:갈 지(…의) 心:마음 심

사단(사람의 본성인 인·의·예·지에서 우러나는 측은·수오·사양·시비의 네 가지 마음씨)의 하나로, 남을 불쌍히 여기는 타고난 착한 마음.

출전: 맹자의 공손추하

* 치인설몽 / 312

痴[癡]:어리석을 치 人:사람 인 說:말씀 설 夢:꿈 몽

어리석은 사람이 꿈을 이야기한다는 뜻으로, 종잡을 수 없이 지껄이는 허황된 말을 비유하여 일컫는 말.

원말: 대치인몽설(對痴人夢說)

동의어: 치인전설몽(痴人前說夢)

출전: 석혜홍의 냉재야화

* 칠보지재 / 313

七:일곱 칠 步:걸음 보 之:갈 지(…의) 才:재주 재

일곱 걸음을 걷는 사이에 시를 지을 수 있는 재주, 즉 매우 뛰어난 글재주를 이르는 말.

동의어: 칠보재(七步才) 칠보성시(七步成詩)

유의어: 의마지재(倚馬之才) 오보시(五步詩)

출전: 세설신어의 문학 편

타

* 타산지석 / 314

他:다를 타 山:메 산 之:갈 지(…의) 石:돌 석

다른 산의 돌이라도 자기의 옥을 가는 데 도움이 된다는 뜻으로, 다른 사람의 하찮은 언행도 자기의 지식이나 인격을 닦는 데에 도움이 된다는 말.

원말: 타산지석 가이공옥(他山之石 可以攻玉)

유의어: 공옥이석(攻玉以石) 절차탁마(切磋琢磨) 출전: 시경의 소아 편

* 태산북두 / 315

泰:클 태 山:메 산 北:북녘 북 斗:말 · 별자리 두

태산과 북두칠성을 가리키는 것인데, 각각 분야에서 가장 존경받는 사람을 비유하여 이르는 말.

원말: 타산지석 가이공옥(他山之石 可以攻玉)

동의어: 여태산북두(如泰山北斗)

유의어: 덕위지표(德爲人表) 만부지망(萬夫之望) 백세지사(百世之師)

준말: 태두(泰斗) 산두(山斗) 출전: 당서의 한유전찬

* 토사구팽 / 317

兎:토끼 토 死:죽을 사 狗:개 구 烹:삶을 팽

토끼 사냥이 끝나면 사냥개도 삶는다는 뜻으로, 필요할 때는 소중히 여기다가도 쓸모가 없어지면 가차없이 버린다는 말.

원말: 교토사 양구팽(狡兎死良狗烹) 동의어: 야수진 엽구팽(野獸盡獵狗烹)

유의어: 고(비)조진 양궁장(高(飛)鳥盡 良弓藏) 참고: 토기

출전: 사기의 회음후열전 / 십팔사략

* 퇴고 / 319

推:밀 퇴 敲:두드릴 고

민다, 두드린다는 뜻으로, 문장을 여러 번 다듬어 고침.

참고: 추고(推敲)

출전: 당시기사의 제이응유거

파

* 파죽지세 / 320

破:깨뜨릴 · 깨어질 파 竹:대나무 죽 之:갈 지(…의) 勢:기세 · 형세 세

대를 쪼갤 때와 같은 형세를 뜻하는 것으로, 감히 대적할 수 없을 정도로 거침없이 무찔러 나아가는 기세. 또는 거침이 없는 진군.

동의어: 세여파죽(勢如破竹) 영인이해(迎刃而解)

유의어: 석권지세(席卷之勢) 요원지화(燎原之火)

반의어: 지리멸렬(支離滅裂)

출전: 진서의 두예전

* 포호빙하 / 322

暴:맨손으로 칠 포 虎:범 호 馮:걸어 건널 빙 河:물 하

맨손으로 범에게 덤비며 걸어서 황하를 건넌다는 뜻으로, 곧 위험하고도 무모한 행동을 일컫는 말.

동의어: 포호빙하지용(暴虎馮河之勇) 참고: 전전긍긍(戰戰兢兢)

출전: 논어의 술이 편

* 풍성학려 / 323

風:바람 풍 聲:소리 성 鶴:학 학 唳:학울 려

바람 소리와 학의 울음소리란 뜻으로, 겁에 질린 사람이 하찮은 소리에도 놀람을 비유하여 이르는 말.

참고: 초목개병(草木皆兵) 출전: 진서의 사현전

하

* 하필왈리 / 324

何:어찌 하 必:반드시 필 曰:말씀 왈 利:이로울 이

어찌하여 반드시 이로운 것만을 말하는가.

출전: 맹자의 양혜왕 편

* 학철부어 / 326

涸:물 마를 학 轍:수레바퀴 자국 철 鮒:붕어 부 魚:고기 어

수레바퀴 자국에 괸 물속의 붕어라는 뜻으로, 몹시 어려운 처지에 놓인 사람을 비유하여 이르는 말.

유의어: 우제지어(牛蹄之魚)

출전: 장자의 외물 편

* 한단지몽 / 327

邯:지명(고을 이름) 한 鄲:지명(현 이름) 단 之:갈 지(…의) 夢:꿈 몽

한단에서의 꾼 꿈이라는 뜻으로, 인생의 영화는 한바탕 꿈과 같이 헛됨을 비유하여 이르는 말.

동의어: 노생지몽(盧生之夢) 여옹침(呂翁枕) 영고일취(榮枯一炊)
일취지몽(一炊之夢) 한단몽침(邯鄲夢枕) 한단지침(邯鄲之枕)
황량지몽(黃粱之夢)

출전: 심기제의 침중기

* 한단지보 / 329

邯:지명(고을 이름) 한 鄲:지명(현 이름) 단 之:갈 지(…의) 步:걸음 보

한단의 걸음걸이라는 뜻으로, 자기 본분을 잊고 함부로 남의 흉내를 내면 두 가지를 다 잃는다는 비유의 말.

동의어: 한단학보(邯鄲學步)

유의어: 서시봉심(西施捧心)

출전: 장자의 추수 편

* 한우충동 / 331

汗:땀 한 牛:소 우 充:채울 충 棟:용마루(지붕 위의 마루) 동

수레에 실으면 소가 땀을 흘리고 집에 쌓으면 용마루까지 찬다는 뜻으로, 책이 많음을 비유하여 이르는 말.

동의어: 충동(充棟)

유의어: 오거지서(五車之書) 옹서만권(擁書萬卷)

출전: 유종원의 육문통선생 묘표

* 형설지공 / 333

螢:개똥벌레(반디) 형 雪:눈 설 之:갈 지(…의) 功:공(만드는 일) 공

반디와 눈의 공이라는 뜻으로, 가난 때문에 고생을 하면서도 꾸준히 학문에 정진함을 일컫는 말.

동의어: 차형손설(車螢孫雪) 형설(螢雪) 형창설안(螢窓雪案)

참고: 설안형창(雪案螢窓) 출전: 진서의 차윤전 / 이한의 몽구

* 호가호위 / 334

狐:여우 호 假:거짓(빌릴) 가 虎:범 호 威:위엄 위

여우가 호랑이의 위세를 빌려 호기를 부린다는 뜻으로, 남의 권세에 의지하여 허세 부림을 이르는 말.

동의어: 가호위호(假虎威狐) 유의어: 지록위마(指鹿爲馬) 준말: 가호위(假虎威)

출전: 전국책의 초책

* 호연지기 / 336

浩:넓을 호 然:그럴 연 之:갈 지(…의) 氣:기운 기

① 하늘과 땅 사이에 가득 찬 넓고 큰 정기. ② 공명정대하여 조금도 부끄러울 바 없는 도덕적 용기. ③ 일상에서 벗어난 자유롭고 느긋한 마음.

동의어: 정기(正氣) 정대지기(正大之氣) 참고: 호기(浩氣)

출전: 맹자의 공손추 상편

* 호접지몽 / 338

胡:오랑캐 · 멀 호(蝴:나비 호) 蝶:나비 접 之:갈 지(…의) 夢:꿈 몽

나비가 되어 있는 꿈을 뜻하는 것으로, 행동의 주체인 나(현실)와 인간의 인식과 다른 모든 것(꿈)과의 구별이 안 되는 경지 또는 인생의

덧없음을 이르는 말.

동의어: 장주지몽(莊周之夢) 준말: 호접몽(胡蝶夢) 출전: 장자의 제물론 편

* 홍일점 / 339

紅:붉을 홍 一:한 일 點:찍을 · 흠 점

여럿 중에서 오직 하나의 이채로운 것, 또는 남자들 속에 하나뿐인 여자를 이르는 말.

동의어: 일점홍(一點紅) 출전: 왕안석의 영석류시

* 화룡점정 / 340

畵:그림 화 龍:용 룡 點:찍을 점 睛:눈동자 정

용을 그릴 때 마지막으로 눈을 그려 완성시킨다는 뜻으로, 가장 중요한 부분에 대한 끝마무리를 이르는 말.

유의어: 입안(入眼) 준말: 점정(點睛) 출전: 수형기

* 화서지몽 / 341

華:빛날 화 胥:서로(함께) 서 之:갈 지(…의) 夢:꿈 몽

화서의 꿈이란 뜻으로, 낮잠 또는 좋은 꿈을 이르는 말.

동의어: 유화서지국(遊華胥之國) 화서지국(華胥之國) 참고: 호접지몽(胡蝶之夢)

출전: 열자의 황제 편

* 화씨지벽 / 342

和:화할 화 氏:각시 씨 之:갈 지(…의) 璧:둥근 옥 벽

화씨의 옥이란 뜻으로, 천하의 옥 이름.

동의어: 변화지벽(卞和之璧) 유의어: 완벽(完璧) 연성지벽(連城之璧)

참고: 완벽(完璧) 준말: 화벽(和璧) 출전: 한비자의 화씨 편

* 환골탈태 / 344

換:바꿀 환 骨:뼈 골 奪:빼앗을 탈 胎:태 · 시초 태

환골은 옛사람의 시문을 그대로 써서 어구를 만드는 것. 탈태는 옛사람이나 타인의 글에서 그 형식이나 내용을 모방하여 자기의 작품으로 만드는 일. 또는 얼굴이나 모습이 이전에 비하여 몰라보게 좋아졌음을 비유하여 이르는 말.

준말: 탈태(奪胎) 출전: 혜홍의 냉제야화